KB039948

박병창의 돈을 부르는
매매의 심리

박병창의 돈을 부르는 매매의 심리

박병창 지음

Trading

포레스트북스

마음을 바꿔야 돈이 보인다

2021년 봄, 주식 시장이 한창 활황일 때 새내기 투자자들이 시장으로 물밀 듯이 들어왔다. 코스피 지수는 2020년 팬데믹 저점 1,439p 대비 2배를 넘어 3,200p에 육박했다. 부동산, 비트코인, 주식이 급등하면서 투자를 하지 않으면 세상에서 뒤처질 것만 같은 분위기가 조성되었다. 그리고 이런 조바심이 준비 없는 투자를 부추겼다. 몇 개월도 채 지나지 않아 시장은 고점을 찍고 하락하기 시작했다. 이 글을 쓰고 있는 2022년 6월까지 무려 12개월 동안 하락세를 지속하고 있는 상태이다. 향후 전망도 불투명하다. 대부분의 투자자들이 손실이 난 자산을 보유한 채 시장을 안타깝게 바라보고 있다.

상황이 이렇다 보니 '그때 주식 투자를 왜 했을까? 다시 돌아갈 수만 있다면 하지 않을 텐데', '주식 투자를 너무 만만히 본 것 같다. 이렇게 어려운 줄 몰랐다'라는 얘기를 많이 듣게 된다. '비 이성적 가격 급등엔 추격하지 말라'는 당연한 상식을 알고 있음에 도 늘 뒤늦게 되새기게 된다. '왜 우리는 상식에도 맞지 않는 행동 을 했을까?', '주식 투자는 왜 이렇게 뜻대로 안될까?' 사실은 '주식 투자 이론을 몰라서'가 아니다. 기업 분석을 못 해서, 차트 분석이 틀려서, 투자 전략이 잘못되어서가 아니다. '마음'의 문제이다. 군 중이 집단적으로 한 방향을 향할 때 그 무리로부터 벗어나지 못 하는 보수적인 심리, 매수할 때의 욕심과 두려움, 매도할 때의 손 실 회피와 현실 부정 같은 심리가 잘못된 투자를 하게 만든다.

주가 판단의 기본은 기업의 자산 및 이익 가치를 측정하는 것 이다. 미래의 성장 가치와 이익 추정을 확률적으로 높게 만들어 줄 비즈니스 모델, 즉 경제적 해자의 보유가 핵심이다. 반면 각국 중앙은행이 금리를 인상 또는 인하하거나, 채권을 매입하여 시장 에 유동성을 제공하는 양적 완화와 반대의 양적 긴축이 주가를 기본 가치 대비 더 오르게 하거나 내리게 한다. 결국 우리는 기업 의 이익 성장 가치와 시장 유동성의 판단으로 투자를 한다.

그러나 주가 판단의 주요 요인에는 한 가지가 더 있다. '심리' 이다. 투자자들의 집단인 군중이 '미래의 시장을 어떻게 판단하느냐'에 따른 집단 심리, '탐욕에 치우쳐 있을 때' 또는 '공포에 치우쳐 있을 때'의 심리, '호재에 민감할 때'와 '악재에 민감할 때'의 심리. 주식을 더 높은 가격에라도 매수하려고 열광인지 더 낮은 가격에라도 서둘러 매도하려는 공포인지 등의 심리가 주가를 움직인다. 주식 투자는 사람들이 모여서 각자의 서로 다른 판단에 따라 주식을 사거나 파는 행위이다. 당연히 투자자들의 심리가 돈의 흐름을 만들 것이며, 가격을 움직이게 한다. 실전 투자에서는 이론과 달리 매매의 심리, 투자 판단의 심리가 성공과 실패를 좌우한다. 심리는 자금 관리와 투자 전략을 연결하는 고리가 되기 때문이다.

'주식 투자를 하지 않으면 시대에 뒤처진다'는 말은 진실일까? 진실 여부를 따질 여유도 없이 대중은 진실이라고 강요되었다. 유명 연예인이 진행하는 TV 프로그램에 주식으로, 코인으로 대박 난 사람들이 출연하는 일이 많아졌다. 그들이 성공 투자 노하우를 흥미진진하게 얘기하는 것을 보며 나도 금방 부자가 될 것 같은 동질감을 느낀다. 로또를 사면 일주일이 행복하다고 하던가? 투자 노하우를 공부하면 곧 성공할 것 같고 그들을 따라 하면 큰돈을 벌 수 있을 것 같다. 만일 열심히 공부해서 투자에 성공할 수 있다면 공부에 타고난 석학들은 주식 투자로 어마어마한 돈을 벌었어야 한다. 시장 데이터를 가공한 획기적인 알고리즘을 개발하여 돈을 벌 수 있다면, 천재 공학도와 통계학자들은 거의 모두 부자가 되어 있었어야 한다. 경제 흐름과 기업의 성장 스토리에 해박한 전문가 집단은 모두 부자가 되었어야 이론적으로 맞다. 하지만 현실은 그렇지 않다.

투자 기법을 열심히 공부하지만, 실전 투자에서 수익을 내기란 쉽지 않다. 시장에서 소개하고 있는 투자 노하우가 아닌 '말할 수 없는, 말하지 않는, 뭐라 말해야 할지 모르겠는 어떤 무언가'가 투자 성공의 뒤에 숨어 있다. 좀 우스운 얘기이지만 주식 투자로 성공한 사람들에겐 독특한 공통의 성향이 있다고 한다. 혈액형, 말투, 대인관계, 세상을 바라보는 가치관에서 독특한 유사함이 있다고들 한다. 큰돈을 번 사람들에겐 보통의 사람들과 다른, 이론적으로 설명할 수 없는 무언가가 있다고 생각하는 것과 같다.

미국의 시인 존 그린리프 휘티어는 세상에서 가장 슬픈 말은 "아, 그때 했어야 했는데…"라고 했다. 주식 투자를 하는 우리들 역시 이 말에서 자유롭지 못하다. 인간의 보편적 심리로부터 벗어난 특별한 사람일 수 없다. 따라서 주식 투자로 성공하기 위해서 심리적인 부분을 짚고 넘어가는 것은 매우 중요하다.

이 책에서는 궁극적인 투자의 성공을 위해 가치 투자와 기술적 매매 타이밍에서의 심리적 요인을 주로 얘기해 보고자 한다. 나의 전작『박병창의 돈을 부르는 매매의 기술』을 사랑해 주신 분들 중 이 책을 읽고 계신 분들이 많을 거라고 생각해『매매의 기술』속 매매 타이밍과 심리를 연결한 설명을 해두었다. 매매 타이밍을 머리로는 알면서도 실행하지 못했던 분이라면 이 책을 통해 그 이유를 알 수 있을 것이다.

뜻이 있는 곳에 길이 있다고 했다. 그러나 인생사가 뜻대로 되지 않는 것도 참 많다. 주식 투자도 그렇다. 뜻을 갖고 투자했지만 실패할 때도 있다. 사람들에게는 각자 주어진 자신만의 길이 있을 것이다. 어떤 이는 산으로 가는 것이, 어떤 이는 바다로 가는 것이 훨씬 더 행복하고 즐거운 길이 될 수 있다. 주식 투자도 그렇다. 어떤 이는 장기 투자가, 어떤 이는 단기 트레이딩이 편안하고 수익을 내기 쉬울 수 있다. 각자 가장 편한 심리로 투자할 수 있는 자신의 길을 만들어가는 것이 중요하다. '자신의 길'을 시장에서는 '자신만의 투자 원칙'이라고 한다. 자신의 성향에 맞는 투자법을 찾아내는 것 또한 성공적인 투자를 위한 중요한 요인이다.

인간은 기본적으로 합리적이며 돈에 대해 효율적으로 행동한다는 전통적 경제학 이론은 주식 시장에서는 맞지 않는 경우가 많다. 우리는 주가가 급등하기 직전에 주식을 팔아버리거나, 주가가 완전히 폭락할 때까지 가망도 없는 주식을 보유하는 경우가 많다. 주식 투자를 하면서 불합리하고 일관성도 결여된 결정을 반복하는 이유는 결국 우리의 심리 때문이다. 역사적으로 미리 짜여진 거대한 힘이 작용했던 주식 시장에서 진짜 큰돈을 번 사람들은 소수의 특별한 생각을 가진 사람들이었다. 그들은 우리가 추종하는 애널리스트도, 유능한 트레이더도 아니었다. 자신만의 투자 원칙을 만들어내고, 그것을 지킨 사람들이었다. 주식 시장을 바라보는, 주식 투자를 하는 마음의 원칙을 찾는 데 이 책이 도움이 되었으면 한다.

박병창

· 차례 ·

1장 투자를 시작하는 마음

2장 자금 관리의 마음

3장 시황 판단의 마음

가치 분석의 마음

 차트 분석의 마음

6장 시장의 마음

1장

투자를
시작하는 마음

투자를
권하는 사회

주식 시장, 주식 투자의 역사는 깊다. 아주 오래전부터 주식 투자는 많은 사람의 재테크 수단이었다. 온라인 거래가 없었고 주문표를 적어 체결하던 시절에도 사람들은 주식 투자에 열광했다. 그러나 그 열광은 지금에 비할 수가 없다. MTS 활성화와 비대면 거래의 편리함으로 누구나 쉽게 주식 투자를 할 수 있게 되었다. 2020년 코로나 팬데믹 이후 급락한 시장이 단기에 급등하는 광경을 경험한 많은 신규 투자자들이 시장에 진입했다. 코로나 위기를 극복하기 위해 투입된 막대한 자금은 가상화폐(코인) 가격을, 부동산 가격을, 주식 시장을 급등시켰다. 이례적인 급등을 지켜본 사람들은 '주식 투자는 이 시대를 살아가면서 반드시 해야 할 재테크'로 인식하게 되었다. 남들에게 뒤처지지 않으려는 불안감, 아파트 한 채 마련하려면 저축으로는 불가능하다는 생각, 잘만 하면 큰돈을 벌 수 있다는 희망 등 저마다의 이유를 가진 이들이 주식 시장에 몰려들었다. 얼마 전 삼성전자 주식을 1주라도 보유한 투자자가 500만 명이 넘었다는 뉴스가 보도되었다. 실제로 주식 투자자의 수는 최근 2년여 동안 급속도로 증가하였다.

코인, 부동산, 주식 가격의 급등은 많은 신흥 부호를 탄생시켰다. 늘 그렇듯이 '위기는 곧 기회'가 되었고, '극심한 차별화'는 가속화되었다. 그러다 보니 우리들 마음속에는 '부자'가 되고픈 열망이 그 어느 때보다 강해졌다. 유튜브의 인기 있는 콘텐츠는 거의 대부분이 재테크 관련 내용으로 채워졌고 한 살이라도 어릴 때 돈을 벌어 직장에서 은퇴하는 '파이어족'을 갈망하는 사회적 붐이 일었다. 조기 파이어족이 되어, 하고 싶은 것을 하며 살고 싶다는 열망은 '경제적 자유'를 달성하고자 하는 목표로 이어졌다. 더불어 월급을 꾸준히 모으는 것만으로는 경제적 자유를 달성할 수 없다는 생각이 투자자들의 마음을 바쁘게 만들었다.

'경제적 자유를 달성하기 위한 방법'을 제시하는 수많은 콘텐츠들이 실시간으로 쏟아져 나오고 사람들은 그러한 콘텐츠에 열광했다. 어떤 사람들은 코인을, 또 다른 사람들은 부동산이나 주식을 선택했지만 궁극적인 그들의 목표는 최대한 빨리 큰돈을 벌어 경제적 자유를 얻고자 함이었다. 10여 년 전만 해도 좋은 대학을 나와 번듯한 직장에 취업하여 높은 연봉을 받고 사는 것이 일반적인 사람들의 목표였다. 열심히 일하면 시간이 좀 걸리더라도 아파트를 살 수 있었고, 노후를 준비할 수 있었다. 아마 지금의 이삼십 대는 전혀 동의하지 않을 것이다. 월급을 한푼도 쓰지 않고 모아도 서울에 아파트를 사는 것은 불가능한 일에 가까워졌고, 직장조차 구하기 힘든 시대이기 때문이다. 그들에게 경제적 자유란 달콤한 유혹의 단어가 분명했을 것이다. '경제적 자유를 얻기 위한 목적은 무엇일까?'를 고민할 여유가 없다. 큰돈을 번 주변의 사람들을 보며 어떻게든 빨리 많은 돈을 벌어야 한다는 다급함이 앞서게 되었다.

코인으로 큰돈을 벌었다는 주변 사람들을 보며 과감하게 투자를 시작했지만 큰 손실을 입고 실의에 빠지고 만다. 주식 투자로 성공하리라는 부푼 꿈을 꾸었지만 시장은 온갖 악재에 시달리고 보유 주식의 주가는 하락하기만 한다. 투자를 시작할 때의 장밋빛 상상은 대부분 여지없이 실망으로 끝을 맺게 된다. '뭘 잘못한 것일까?' 고민을 해보지만 속 시원한 답이 없다. 주식 투자로 성공한 사람들은 '우량주를 장기 투자하라'고 조언한다. 그렇다면 우량주의 기준은 무엇인가? 장기 투자는 정말 성공할 수 있는 방법일까? 워런 버핏의 '10년간 보유할 생각이 없으면 10분도 보유하지 말라'는 말처럼 망하지 않을 것 같은 우량주를 매수하여 오랫동안 보유하고 있으면 정말 큰돈을 벌 수 있는 것일까? 실제로 2021년 상반기에 많은 사람들이 장기 투자의 마음으로 주식 투자를 시작했다. 하지만 반년도 지나지 않아 '한국 시장에서 장기 투자는 현실적으로 수익을 내기 어렵다'는 마음으로 바뀌고 있다. 무작정 오래 투자하는 것이 아니라 장기적으로 성장할 수 있는 기업의 주식에 투자하라는 것인데, 당장 내일도 모르는 불확실성이 많은 세상에서 10년 후의 기업 성장을 예측하기란 쉽지 않다.

기업 가치 분석 공부를 하고, 시황 판단 공부를 한다. 산업의 성장 사이클을 공부하고, 강한 주도주를 찾아내기 위해 수급과 주가 움직임을 공부한다. 저가에 매수, 고가에 매도할 수 있다는 기술적 분석을 공부한다. 나름대로 자료를 모으고 전문가들의 조언을 밑바탕 삼아 열심히 공부해 투자에 나서지만 결과는 썩 좋지만은 않다. 경제적 자유를 얻으려면 주식 투자에 성공해야 하는데 말처럼 쉽지 않다. 많은 전문가의 조언은 방법론일 뿐이다. 그 이면에 있는 위험과 이론대로 되지 않을 수 있는 상황에 대해서는 말을 아낀다.

코로나 공포로 주식 시장이 급락할 때 투자한 사람들은 큰 수익을 낼 수 있었다. 그러나 시황이 좋아서 모두들 투자에 참여하려 할 때는 이미 시장은 고점을 찍고 하락하기 시작할 때였다. 이론적으로는 모두 알고 있다. 그러나 실전 투자에서 자신의 심리를 컨트롤한다는 것은 여간 어려운 일이 아니다. 주식 투자를 하면 할수록 무엇보다 중요한 것은 심리라는 점을 깨닫게 된다.

일상에서, 보편적인 심리 속에서 투자 노하우를 발견해야 한다. 우리는 모든 기업을 잘 아는 전문가가 될 수 없다. 일상의 범위 안에서 평가할 수 있는 기업군에 투자해야 한다. 공포와 탐욕 지수를 연구할 필요는 없다. 대다수의 군중 심리를 주변에서 느낄 수 있으면 된다. 정확한 것은 없다. 주식 시장이 세상의 반복되는 사이클을 추종하여 움직인다는 것을 생각하며 투자해야 한다. 주식 투자는 내 삶의 전부가 아니다. 엄청난 돈을 벌어서 조기 은퇴하고 경제적 자유를 얻는다고 삶의 모든 것이 이루어지는 것은 아니다. 자신이 살아가는 과정에서 필요한 부가적인 돈을 주식 투자를 통해 얻으려 하는 것이다. 일을 함으로써 보람을 얻고, 이익이 없는 봉사를 함으로써 행복을 얻을 수도 있다. 좀 더 편리하게 살기 위해 필요한 '돈'을 주식 시장에서 투자로 얻을 수 있으면 된다. 그러한 마음을 유지하고 있다 보면 어느 순간 계획보다 더 큰돈을 벌 수 있는 기회가 찾아올 것이다.

피할 수 없었던
FOMO 증후군

우리는 2020년과 2021년 사이 주식 시장의 엄청난 포모FOMO, Fear of Missing Out(자신만 뒤처지고 제외되는 것에 대한 불안 증상) 증후군을 경험했다. 2020년 봄, 코로나19 팬데믹으로 인해 주식 시장은 한순간에 2,250p에서 1,439p까지 폭락했다. 한 달만에 36%나 떨어진 것이다. 전문가들은 역사상 유례없는 질병의 대유행으로 경기는 망가지고 삶은 어려워질 것이라고 예측했다. 주식 시장도 암울한 전망과 두려움이 지배했다. 그러나 약속이나 한 듯이 사람들은 주식을 사기 시작했고, 시장은 급반등하기 시작했다. 팬데믹이 사라진 것도 아니고, 경기가 좋아진 것도 아니었다. 4개월 만에 지수는 2,458p로 급반등했고 시장의 강세 전환을 확인한 후 뒤늦게 진입한 투자자들의 힘으로 결국 10개월 만에 3,316p까지 상승했다. 무려 130%의 급등이 이루어지는 과정에서 개인 투자자들의 엄청난 자금이 주식 시장으로 유입되었다. 2020년에는 47조 원, 2021년에는 66조 원의 순매수가 진행되었다. 특히 2021년 1월부터 5월까지 시장은 고점에 대한 경고를 하고 있었음에도 불구하고 무려 50조 원의 순매수가 유입되었다.

그 시기 개인 투자자들의 '주식 투자 러시'에 '동학 개미'라는 신조어가 만들어졌다. 해외 시장에 투자하는 열풍을 빗댄 '서학 개미'라는 신조어도 생겨났다. 주식 시장의 급등, 비대면 계좌 개설 및 MTS 거래의 편리함, 저금리 상황 등이 겹치면서 주식 투자를 하지 않으면 시대에 뒤처진 사람이 되는, 제로 금리 시대에 재테크 무능력자가 되는 것 같은 상황이 연출됐다. 저녁을 먹다가도, 친구끼리 차 한잔을 하면서도 주식 투자를 하지 않거나 주식 시장을 모르면 소외된 느낌이 드는 세상이 되어버렸다. 포모 증후군이 강력하게 발동한 것이다. 하루 종일 SNS에 매달려 있는 삶, 유튜브로 세상을 바라보는 삶 속에서 '주식 투자를 하지 않으면 안 된다'며 '지금이라도 당장 시작하라'는 외침이 각광을 받기 시작했다.

다른 사람들은 주식 투자를 해서 돈을 벌었다고 하는데 나만 혼자 바보같이 예금을 고집하고 있는 건 아닌가? 다들 주식 투자 정보를 공유하며 즐거워하는데, 나만 소외되는 건 아닌가? 고급 정보를 얻을 수 있는 유명한 SNS 계정은 어디일까? 남들은 어떤 주식을 매수하고 있지? 나만 엉뚱한 주식을 매수하는 건 아닐까? 등등의 생각이 마음을 조급하게 이끌었다. 그 시기 내게도 많은 사람이 조언을 구해왔다. "주식 투자는 한 번도 해보지 않았는데, 지금이라도 해야 할까요?" 평생 주식 투자와는 담을 쌓고 지내던 지인들조차 지금 주식 투자를 안 하는 것은 바보같이 사는 일이라고, 혹시 주가가 떨어져 손실이 나도 한 5년 이상 묵혀두면 수익이 나지 않겠냐며 계좌를 개설하고 매매하는 법을 가르쳐달라고 요청했다.

몇몇 방송을 통해 '세상이 주식 투자를 하지 않으면 안 된다며 등을 떠미는 상황'에 대해 우려의 의견을 얘기한 적이 있다. 두 가지 이유 때문이었다. 첫째, 저금리 시대에 물가 상승률을 추종 또는 물가 상승률보다 높은 수익률을 위해서는 주식 투자를 해야 한다고 하지만, 주식 투자로 인한 손실에 대해서는 언급하지 않는다는 점이다. 주식 투자는 고위험 상품으로 분류한다. 고수익인 만큼 손실도 클 수 있다. 손실의 위험을 감안한 투자 제안이 없다는 점을 우려한 것이다. 둘째, 주식 투자는 단기적으로 수익을 얻을 수도 있지만, 대개의 경우 기업의 미래 이익에 투자하는 것이므로 시간이 필요하다. 급한 돈, 시간이 정해진 돈, 잃으면 안 되는(모든 돈이 잃으면 안 되는 돈이지만 여기서는 단기간 내에 사용처가 정해져 있는 돈을 의미한다) 돈으로 투자하면 안 된다. "집 중도금인데 잠시 투자해서 수익을 낼 수 없을까요?", "안전한 투자는 어떻게 하는 건가요?", "전세금 대출받아서 투자하려고 하는데 무슨 종목을 사면 좋을까요?" 이런 질문에 대한 나의 답은 언제나 "절대 안 된다"였다.

그런 우려에도 아주 많은 사람들이 계좌를 개설하고, 주식 투자에 뛰어들기 시작했다. 시장이 2배 이상 상승했음에도 장밋빛 전망과 포모 증후군으로 한편의 두려움을 품은 채 시장에 뛰어든 것이다. 특히 젊은 세대들의 참여가 더욱 활발했다. 비트코인 가격 급등을 바라보기만 했고 아파트 가격이 솟구치는 것을 바라보기만 했던 그들로서는 더 머뭇거리다가는 영원히 기회가 없는 낙오자가 될 것 같은 심정이었을 것이다. 그러나 급등했던 주식은 2021년 6월을 고점으로 하락하기 시작하여 이 글을 쓰고 있는 2022년 6월까지도 내리 하락만 하고 있다. 코스피, 코스닥 전체 주식의 40%가 52주 신저가를 기록하고 주가가 소위 '반토막' 난 주식들도 수두룩하게 발생했다. '주식 투자를 하지 말았어야 했는데…'라는 푸념의 소리들이 여기저기서 나오기 시작했고 급기야 시장에 대한 원망, 주식 투자를 권유한 전문가들에 대한 비난의 목소리를 높여만 가고 있다.

물론 중장기 투자의 관점에서 본다면 이런 상황이라고 해도 주식 투자에 실패했다고 단정지을 수 없다. 이러다가도 어느 순간이 되면 주가는 오르기 시작할 것이고 손실을 복구하고 좋은 수익을 낼 수도 있다. 하지만 대부분의 투자자들은 지금의 상황을 실패로 여긴다. 그렇다면 과연 무엇이 우리로 하여금 고점에 매수하게 하는 것일까? 우리는 왜 크게 하락하고 나서 매도하게 되는 것일까? 시장에 대한 이해, 주식 투자에 대한 이해가 부족해서? 투자 전략의 고수가 아니라서? 그보다는 역시 우리의 마음이 문제일 것이다.

우리는 이번 시기를 지나면서 주식 투자에 대한 경험과 지식을 쌓을 수 있었다. 기업 가치를 분석하고, 기술적 분석으로 타이밍을 잘 맞히는 것도 중요하지만 무엇보다 중요한 것은 '마음'이라는 것을 알게 되었다. 투자 후 기다릴 수 있는 마음, 기다리면 수익을 낼 수 있는 기업에 투자해야 한다는 것, 투자는 그 대상이 무엇이든 가격이 지나치게 (혹은 빠르게) 상승하면 결국 다시 하락한다는 것을 배웠다. 시장을 관조할 수 있는 통찰력은 인내심과 집중력으로부터 얻을 수 있다. 모두들 가지고 싶어 하지만 나는 내가 필요한 것을 가질 수 있다는 자존감, 지금 아니면 안 될 것 같지만 결국 기회는 다시 온다는 자기 신뢰의 인내심, 시장의 본질을 이해하기 위한 인사이트가 중요하다는 것을 알게 되었다.

주식 시장은 매일매일 열린다. 내일도, 모레도, 앞으로도 그럴 것이다. 손실로 인해 힘들었던 시간이 지나고 나면 다시 수익을 맞이하는 기쁜 순간이 올 것이다. 무생물인 주식 시장, 단지 재테크의 수단인 주식 투자를 하면서 감정 이입을 하지 않아야 한다. A와 B 중 결정이 어렵더라도 선택을 하고 그 결과가 훌륭하도록 만드는 것이 중요하다. 조모JOMO, Joy of Missing Out의 상태, 즉 남들과 똑같은 것에 만족하지 않고 남들과 차별화되는 것에 흥미를 느끼는 것도 좋겠다. 주식 시장에서는 '역발상 투자법'이 있다. 군중이 환호할 때 매도하고, 군중이 패닉에 빠질 때 매수하는 것이다(역발상 투자법으로 성공하기 위한 전략이 필요할 것이다. 이 책의 125쪽에서 설명한다). 어떤 선택이 아니라 내가 내린 결정을 좋은 선택으로 만들어라. 주식 투자를 시황에 따라 잠시 들렀다가 가는 단기적 관점으로 보기보다는 평생 해야 하는 재테크의 한 방편으로 생각하고 자신의 결정이 좋은 방향으로 갈 수 있도록 준비해 보자.

세상의 일들은 절박해야 성공,
주식은 느긋해야 성공

2022년 3월 20일자 경제신문에 〈"취업이요? 왜 해요?" 2030, 실업급여 받아서 주식, 코인 올인〉이라는 제목의 기사가 실렸다. 취업은 어렵고, 지원금은 늘어나 구직 포기자들이 대박의 꿈을 꾸며 주식과 코인에 투자하고 있다는 내용이었다. 취업이 힘든 것도 사실이지만, 주변에서 코인과 주식 투자로 큰돈을 벌었다는 얘기를 듣게 되면 열심히 취업 준비를 할 수가 없다. 아니 할 필요가 없어진다.

유명 연예인이 진행하는 TV 프로그램에 단돈 300만 원을 코인에 투자해 300억을 번 트레이더가 소개되기도 했다. 유튜브에 주식 시장의 전문가들이 출연하여 대박을 낸 사연들을 늘어놓기도 한다. 자본 시장의 전문가들이 셀럽이 되는 세상이 되었다. 경영·경제·심리학 교수님들도 투자 관련 입담을 겨룬다. 대학에 진학하지 못한 청년들은 단기 일자리를 맴돌고 있고, 대학을 졸업한 사회 초년생들도 취업을 하지 못해 학교에 남아 있거나 투자의 시대에 동참하고 있다.

실제로 주식 투자를 통해 수백억 원 넘게 돈을 번 사람들이 있다. 그러나 그런 사람들이 전체 주식 투자자들 중에 몇 퍼센트나 될까? 코인으로 돈 번 사람들, 코인 거래소 또는 관련 일을 하는 사람들의 말을 빌리면 수없이 많은 소액 투자자 중 성공하는 경우는 극히 드물다고 한다. 주식 시장은 정확히 제로섬Zero-sum 게임은 아니다. 시장이 상승하면 거의 모든 투자자들이 돈을 벌고 하락하면 손해를 본다. 그렇다면 전체 시장에서 몇 퍼센트의 투자자가 대박이 날까? 주식 시장에서 큰돈을 벌 기회는 늘 있어 왔다. 1997년 외환위기, 2008년 금융위기, 2020년 코로나 팬데믹을 겪으면서 신흥 부호가 탄생했다. 그 기간 동안 주식 시장 안에서 지켜본 바로는 수십억 이상의 수익을 낸 투자자는 1%도 채 되지 않는다. 거의 대부분이 손실로 투자를 마감하고 만다. 특히나 최소 20% 정도, 즉 열 명 중 한두 명은 큰 손실을 감당하지 못해 파산에 이르는 경우가 허다하다.

주식 투자로 대박이 나서 운용사를 하고 있다는 분, 여가 활동으로 투자를 하고 있다는 분 등 투자 성공의 노하우를 전하는 유튜브나 TV 프로그램을 흔히 보게 된다. 적어도 내가 알기론 세간에 알려진 이론적인 투자 기법으로 그 큰돈을 번 분은 거의 없다. 대부분은 특수한 상황에서 극적으로 대처하여 기대 이상의 큰 수익을 만들어낸 것이다. 물론 특수한 상황에서 수익을 낸 성향과 대담함에 존경을 표한다. 어쩌면 그것이야말로 진짜 노하우이고 실력일지 모르겠다.

아주 극단적인 경우를 제외하고 거의 대부분의 투자는 경제 성장과 기업 이익의 성장에 연동하여 수익을 얻는다. 절박한 사람에게는 기업의 성장을 기다려줄 수 있는 여력이 없다. 그래서 점점 더 짧은 시간에 큰 수익을 낼 수 있는 투자처를 찾아다닌다. 주식에서 선물, 옵션, ELW, 통화선물 등 레버리지가 높은 투자를 하게 된다. 코인과 같이 하루에도 수백 배의 변동성을 갖는 투자를 한다. 100명 중 한 명이라도 성공하면 다행이다. 기적 같은 행운으로 한 번은 성공할 수 있다. 그러나 연속적으로 투자한다면 100명 중 100명이 모두 실패할 것이다.

옛날 어르신들은 "돈은 쫓아가면 달아난다"고 했다. 자기 자리에서 성실히 일하다 보면 돈은 찾아오는 것이라고 했다. 내 경험상 주식 투자로 수십억 이상의 돈을 번 사람들은 특별히 현명하거나 똑똑한 사람들이 아니었다. 대부분 주식 투자를 하는 나름의 방법론을 가지고 있고 시장이 그 방법론과 맞아 떨어지는 상황이 됐을 때 돈을 벌었다. 돈을 벌 수 있는 방법이라고, 새로운 투자처라고 이리저리 기웃거리지 않았다. 어떤 상황에서도 자신의 투자를 하고 있었던 것이다. 대박의 시장을 따라다니지도, 시장에서 억지로 수익을 내려고 애쓰지도 않았다. 매일매일 자신의 투자 원칙을 지키며 지금이 '기회'인지 판단만 했다. 그리고 마치 곤충을 잡아먹는 새들처럼 기회가 왔을 때 놓치지 않았을 뿐이다.

수많은 전업 투자자들을 보아왔다. 대박의 꿈을 안고 혼신의 힘을 다해 투자의 세계에 뛰어든 많은 사람을 보아왔다. 그 결과 절박한 심정으로 단기에 수익을 얻고자 하는 투자자는 실패의 확률이 높았다. 오히려 느긋하게 시장을 관찰하는 사람들이 성공했다. 절박한 사람들은 급등하는 주식을 쳐다본다. 느긋한 사람들은 급등할 주식을 관찰한다. 절박한 투자자는 주가가 오늘 올라야 하지만 느긋한 투자자는 내일 또는 모레 올라도 된다. 이러한 사소함이 결정적 차이를 만들어낸다.

주식 투자가 가져오는
삶의 변화

주식 투자를 하기 전과 후의 가장 큰 변화는 세상사에 관심을 갖게 된다는 것이다. 주식 시장은 세상의 온갖 일들을 거의 모두 반영한다. 세계 각국의 대통령 선거를 비롯한 정치권과 정책의 변화, 경제 수장인 중앙은행장과 금리 정책의 변화, 글로벌 경제 흐름과 각국의 경제 상황, 주요국에서 일어나는 자연재해, 질병, 전쟁, 테러 등의 사건 사고, 미국 및 중국, 유럽 주식 시장의 흐름, 국제 원자재 가격 변동 등 우리가 잠든 사이에도 별의별 일들이 세계 곳곳에서 일어나고 있고 주식 시장은 그것들을 반영하며 움직인다. 우리나라 주식 투자자들은 아침에 눈을 뜨자마자 간밤에 있었던 미국과 유럽의 주요 뉴스들을 확인하고 그것이 한국 시장에 미치는 영향을 고려한다.

그러다 보니 우리나라 시간으로 밤 10시 반에 시작하는 미국 시장의 개장 상황과 주요 뉴스들을 밤늦도록 확인하려는 분들도 있다. 그런 분들께 "우리 시장이 열리지 않는 시간에 미국 시장과 해외 뉴스를 확인해 봐야 대응을 할 수 없습니다. 그냥 편히 주무시고 다음 날 아침에 중요한 이벤트만 확인하시면 됩니다"라고 조언한다. 그러나 꼼꼼하고 예민한 성격의 투자자들은 자신의 두 눈으로 즉시 확인해야만 잠들 수 있어 특별한 날에는 밤을 새기도 한다. 주식 투자가 체력적으로도 심리적으로도 매우 피곤한 과정이 되는 셈이다. 어찌 생각해 보면 세상이 어떻게 돌아가는지, 무슨 일이 일어나는지 등에 관심이 없던 보통의 사람들에게는 긍정적 변화의 계기가 될 수 있다. 자신의 투자 성공을 위해 시장 내부의 거래 메커니즘을 공부하는 것도 중요하지만, 세상의 변화를 보고 읽고 생각하는 것이 보다 더 중요하기 때문이다.

주식 투자를 하고부터는 일상의 일들조차 주식 투자와 연계해 생각하게 된다. 백화점에서 사람들이 줄을 서서 구매하는 상품을 보면, 그 상품이 어떤 회사의 것인지를 살펴보고 아이들이 열광하는 제품이나 게임이 있으면 어떤 기업에서 판매하는지 확인하게 된다. 역사적으로 일상 생활에서 투자의 팁을 찾은 투자가들도 있었다. 인기가 많아 사람들이 몰려가는 제품, 서비스 등은 결국 그 기업의 이익을 증가시킬 것이기 때문이다. 제품이나 서비스가 아니더라도 정책 결정권자인 중앙은행의 수장이나 주요국의 대통령이 누가 되는지에 따라 특정한 산업의 수혜 또는 피해, 보유하고 있는 주식의 유불리를 따지게 된다.

일상의 거의 모든 것을 주식 시장과 연계한다는 것이 매우 피곤한 일이라 생각할 수 있다. 그렇지만 자연스러우면 피곤하지 않다. 일부러 연계하여 분석하려고 하니 피곤해지는 것이다. 주식에 관심을 갖는다는 것은 곧 세상의 일에 관심을 갖고 관점을 새롭게 하는 일과 같다. 그리고 이런 변화는 긍정적인 면과 부정적인 면을 동시에 가져온다. 피곤하고 힘들다고 생각하면 부정적이지만 누군가는 사고의 변화를 긍정적으로 받아들일 수도 있다. 만약 주식 투자를 하는 동안 불안하고, 두렵고, 일상이 피곤하게 느껴진다면 즉시 투자를 멈춰야 한다. 작은 손실에도 자신을 질책하고 앞으로의 판단에 불신이 생긴다면 그쯤에서 멈춰야 한다. 건강하게 투자를 이어가기 위해서는 주식 투자와 일상의 심리를 분리할 수 있어야 하며 시장의 불확실성을 순응하고 받아들일 수 있어야 한다.

전문 트레이더들은 하루 종일 모니터 앞에 앉아 있다. 단 몇 분도 자리를 비우지 않는다. 눈앞에는 고화질의 모니터가 서너 대 있다. 그렇게 열심히 거래에 몰두하다가 문득 밖에 나가 하늘을 보면, 아주 오래전 봤던 풍경처럼 낯설게 느껴진다. 그들이 그렇게 투자하는 것은 본업이기 때문이다. 일반 투자자들은 시장에 매몰되거나 너무 가까이 있으면 오히려 해가 된다. 늘 시장의 곁에서 시장 안과 밖을 함께 지켜볼 수 있는 만큼의 거리, 그 경계선을 지키는 것이 중요하다.

성향과
투자 스타일

쇼핑을 하기 위해 백화점에 갔다고 가정해 보자. 백화점에는 층마다 다양한 물건이 쌓여 있다. 어떤 사람들은 1층부터 음식점이 있는 꼭대기 층까지 오랜 시간을 들여 두루두루 살펴본다. 쇼핑을 싫어하는 사람에게는 고역이지만 당사자는 즐겁기만 하다. 대개의 경우에는 사려고 하는 상품을 정해둔 뒤 그곳에 가서 몇몇의 물건을 비교하게 된다. 예를 들어 옷을 구매하려고 의류 매장이 있는 층에 도착한 뒤 그곳에 있는 여러 브랜드를 비교하는 식이다. 디자인, 성능, 편의성, 가격 등을 꼼꼼히 따져보며 오랜 시간 머무른다. 그런 뒤 최선의 제품을 선택하기도 하지만, 구입하지 못하고 돌아서기도 한다. 어떤 경우에는 구매하려고 마음먹고 온 것은 아니지만 많은 사람들이 줄지어 사고 있는 전혀 다른 상품에 관심이 끌려 충동구매를 하기도 한다. 반나절을 두리번 거리지만 결국 아무것도 사지 못하고 다른 사람들은 어떤 제품을 많이 사는지, 요즘 유행이 뭔지는 알겠다며 빈손으로 돌아가는 사람들도 있다. 반면 자신이 원하는 상품이 있는 곳으로 바로 직진해 거리낌없이 물건을 구입하는 사람들도 있다. 이래저래 백화점에 가면 각양각색의 쇼핑을 즐기는 많은 사람들로 붐빈다.

주식 시장의 투자자들 역시 저마다 다른 방식의 투자를 하고 있지만 목적은 모두가 같다. 시세 차익을 얻을 수 있는 좋은 주식을 값싸게 사고 싶어 하는 것이다. 가격에 대한 판단 기준이 다르기 때문에 똑같은 금액이라고 해도 어떤 사람은 매도하고 어떤 사람은 그 주식을 매수한다. 시장에서 거래되는 수천 개의 주식 중 가장 빠른 시간에 가장 큰 수익을 줄 주식을 고르는 것이다. 당연히 쉽지 않다. 상장기업 분석 책자를 처음부터 끝까지 살펴보는 열성적인 투자자도 있다. 여러 채널과 증권사에서 추천한 주식들을 세심하게 살펴보는 투자자도 있다. 미국, 중국, 한국 시장을 번갈아 두리번거리면서 어떤 주식이 좋을지 열심히 찾는 투자자도 있다. 반도체, 바이오, 전기차, 엔터테인먼트 등 특정한 섹터를 정하고 그 섹터 안의 주식을 비교 분석하는 투자자도 있다. 이런저런 뉴스와 정보를 듣고 투자할 주식을 선정했지만, 막상 시장이 열리고 나면 새로운 테마가 형성된 강세 주식을 추격 매수하는 사람들도 있다. 이 방송 저 방송을 기웃거리면서 전문가들은 어떤 주식을 좋게 보는지 확인하러 다니는 투자자도 있다.

현금을 들고 있으면서 손실의 두려움으로 매수하지 못하거나 아주 조심스럽게 전체 투자금의 5%도 안 되는 주식을 사놓고 시장을 구경하고 있는 투자자도 있다. 도대체 어떤 주식이 좋을지 판단을 못해 여러 종류의 주식을 소량으로 매수하는 분들도 있다. 전체 투자금이 1억 원인데 한 종목당 200~300만 원 정도로 매수해 수십 개의 주식을 보유하고 있기도 한다. 뭔가 사고 있지 않으면 수익의 기회를 놓칠 것 같아 돈이 생기는 족족 주식으로 꽉 채운 투자자도 있다. 심지어 자신은 주식을 사지 않았거나 아주 소액 투자를 해놓고 주식 관련 방송이나 커뮤니티에 참여하여 적극적으로 자신의 목소리를 높이는 사람들도 있다. 백화점을 하루 종일 다니지만 물건은 사지 않고 구경만 하거나 흥정만 하다가 돌아가는 것과 같다. 그런 사람들은 아마 백화점 내부의 시설에 능숙하고 어떤 상품을 어디서 싸게 판매하는지, 어떤 곳에 가면 공짜로 음료를 마실 수 있는지 잘 알고 있을 것이다. 주식 시장에는 그런 사람들도 많은 듯하다.

나는 어떤 투자자일까? 돈이 있으니 무엇이든 빨리 사야 하는 급한 성격, 할인해서 파는 제품을 사면 큰돈을 번 것 같은 뿌듯함을 느끼는 성격, 성급히 샀다가 집에 가서 후회할 것 같아서 끝내 아무것도 사지 못하는 성격, 남들이 사는 제품을 사야 소외되지 않을 것 같은 성격, 누가 뭐래도 내 맘에 들면 되는 성격, 저렴한 상품을 여러 개 사는 성격, 가격과 상관없이 하나를 사더라도 좋은 상품을 사는 성격, 오늘 맘에 드는 상품이 없으면 다음으로 미루는 성격, 이왕 왔으니 최선이 아니더라도 꼭 사야 하는 성격 등 자신이 어디에 속하는지 생각해 보자.

백화점에 가서 물건을 사는 사람들의 성격처럼 주식 투자를 하는 사람들의 성격에 따라 방법론은 다양하고 그 다양성과 생각의 차이로 주식은 매일매일 거래되고 있다. 어떤 투자 방법론이 가장 좋은 것인지도 중요하지만, 어떤 투자 방법론이 내 성격에 가장 맞는지도 중요하다. 자신의 성격대로 투자해서 성공하고 있다면 앞으로도 문제가 없겠지만, 실패 확률이 높았다면 다른 스타일의 투자법으로 변화를 시도해 보아야 한다.

변화를 싫어하는 심리

대부분의 사람은 변화를 싫어한다. 지금의 상황이 좋든 싫든 변화는 귀찮기 때문이다. 더 높은 연봉으로 스카우트 제의를 받았지만 선뜻 자리를 옮기지 못하는 것은 변화로 인한 두려움과 불확실성도 있겠지만, 현재 상황에서의 편안함으로부터 벗어나기 싫어하는 태도 때문이기도 하다.

"사람들은 일단 올라간 나무에서 내려오기를 주저합니다. 왜냐하면 자신이 저지른 잘못을 인정하는 것이 수치스러우며, 처음부터 다시 시작하는 것이 귀찮기 때문입니다. 그래서 이대로 계속 있으면 자신에게 불리하다는 사실을 알고 있으면서도, 좀처럼 뒤로 돌아가지 못하는 것입니다."

내가 주식 투자 세미나를 할 때 늘 PPT로 띄워 읽어주는 문구이다. 행동경제학 책에서 본 글인데 너무 공감이 되어 자주 인용한다. 우리는 어떤 잘못된 행동으로 인하여 큰 손해를 보기도 하지만 아무것도 하지 않음으로써 손해를 보는 경우도 많다. 주식 시장에서 보유 주식을 계속 들고 있으면 손해가 커질 것이라는 판단에도 매도하지 못하는 것은 '손실의 혐오'와 '이미 지불된 비용에 대한 미련' 때문이다. 매도하고 나면 손실을 확정지어야 한다는 마음은 매도하지 못하게 한다. 수익 구간에서 하락했거나 다른 주식을 매도하여 매수한 경우 기회비용에 대한 미련이 더더욱 매도하지 못하게 한다. 선택의 폭이 다양할 때 결단하지 못하는 현상도 매수를 머뭇거리게 하고 뒤늦게 추종 거래를 하게 된다. 다섯 개의 주식 중에 하나를 고르는 것과 두 개의 주식 중에 하나를 고르는 상황이라면 두 개 중에서는 어느 것이라도 고를 테지만 다섯 개 중에서는 아무것도 선택하지 않을 확률이 높다. 아마도 한 개만 찍어달라고 할 것이다.

주식 투자는 미래의 가치에 투자하는 것이다. 따라서 미래의 주가는 어느 누구도 알 수 없다. 그럼에도 늘 선택하고 결정해야 하는 것이 주식 투자이다. 이미 보유한 주식은 특별히 호재가 악재보다 더 부각되어 인식되는 것도 변화하기 싫어하는 '현상 유지의 심리'가 작용하기 때문이다. 첫사랑을 잊지 못하는 것이 미완성된 사건일수록 더욱 기억에 남기 때문인 것처럼 현재 투자가 미완성으로 끝나는 것을 거부하려는 심리가 작용한다. 여기서 잘못 매수하거나 매도하면 결국 후회할 것이라는 두려움이 작용하는 것이다.

행동심리학자 토마스 길로비치는 이런 증상이 있으면 부자가될 수 없다고 말한다. 첫째, 투자처를 선택하는 것이 괴롭다. 둘째, 결정이 실패로 끝나면 자신을 강하게 질책한다. 셋째, 투자나 돈에 관한 결정을 뒤로 미룬다. 더불어 결정을 하는 데 미숙한 투자자에게는 이런 조언을 남겼다. "결정하지 않겠다는 결정도 하나의 결정이라는 것을 잊지 말라. 결정이 늦어지면 기회비용이 발생한다는 사실을 잊지 말라. 결정을 잘하기 위해서는 그때그때 하지 말고 장기적으로 원칙을 세워두어야 한다."

결정이 어려우면 매수하지 않거나 매도하지 않고 그냥 보유하는 것도 주식 투자자에게는 하나의 결정이다. 어찌할지 몰라 안절부절못하는 것보다는 결정을 하지 않겠다는 결정도 좋다.

좋은 기업의 주식을 매수하였지만 주가가 하락하고 있다면 매도 또는 보유를 결정해야 한다. 주식 투자는 매우 빠른 시간 안에 결과를 알 수 있고 언제든지 다시 만회할 기회가 있다. 몇 번의 투자 실패가 미래를 포함한 전체 투자의 실패가 아니다. 모든 투자는 각각 불연속적이다. 과거의 투자를 현재의 투자에까지 끌어들이지 않아야 한다. 장기적으로 저축형 투자를 한다든지, 기회가 왔을 때만 거래를 한다든지, 가격만 보고 한다든지, 기업과 사업만 보고 한다든지 나름의 투자 계획을 정해두고 그것을 따라야한다.

지금의 결정이 미래에 잘한 것인지, 잘못한 것인지는 아무도 모른다. 그렇지만 결정을 해야 한다. 우리만 그런 것이 아니다. 전문가들도, 투자의 구루들도 투자 판단의 기로에서는 늘 고심한다. 다만 그들은 어떤 결정이든 한다. 그리고 그 결정의 결과가 잘되도록 노력한다. 아무런 결정을 못하고 머뭇거리는 동안 경제적으로 자신에게 손해가 된다는 것을 잘 알고 있기 때문이다.

주식 투자는
스펙이 필요 없는 공평한 게임

    주식 투자만큼 공평한 게임도 없다. 부자이든, 가난하든 모두 같은 조건에서 거래한다. 제도적으로 외국인과 기관 투자가들에게 유리한 면이 남아 있지만, 세상의 많은 경쟁 중에서 주식 투자는 비교적 공정한 게임이라 볼 수 있다. 만일 불공정한 사실이 알려지면 증권거래법에 따라 엄격히 제재한다. 풍족한 환경에서 자란 아이들이 좋은 대학에 진학할 확률이 높다는 것은 엄연한 현실이다. 더 좋은 대학을 나오고, 더 많은 경험을 쌓은 청년들이 더 높은 연봉, 더 좋은 환경에서 근무할 확률이 높은 것도 마찬가지이다. 그러나 복권에 당첨되는 것이 지극히 공정한 게임인 것처럼 주식 시장에서 투자의 결과를 얻어가는 것은 극히 제한적인 제도를 제외하곤 모두에게 공평하다.

전문 기술을 보유하고 있는 기술자들은 연봉이 높다. 그것이 육체적인 일이든 정신적인 일이든 전문가에게 기업은 더 높은 연봉을 제공한다. 같은 건물을 짓는 건축 현장에서 일하는 분들도 하루 보수는 천차만별일 것이다. 전문 기술을 가진 사람이라면 평균 이상의 높은 보수를 받을 것이다. 현명함과 좋은 네트워크를 활용하여 승소 확률이 높은 변호사는 주변의 동료보다 높은 보수를 받을 것이다. 전문 기술자들은 오랫동안 반복함으로써 얻은 노하우를 토대로 시간이 흘러감에 따라 더 높은 대우를 받는다. 승소율이 높은 변호사라면 인지도와 경험이 쌓임에 따라 수임료도 높아질 것이다. 여의도의 한 대형 안과는 병원 입구에 지금까지 시술한 횟수를 누적하여 게시해 놓았다. 오랜 경험이 현재 제공하는 서비스의 퀄리티를 담보해 주는 것이다.

하지만 주식 투자는 오랫동안의 투자 경험이 수익률을 담보해 주지는 못한다. 좋은 대학을 나오고, 주식 투자에 대한 이론적 지식이 많아도, 오랜 투자 경험이 있어도 그것이 지금 시작하려는 투자의 성공을 담보하지 못한다.

주식 투자의 성공은 많은 지식과 오랜 경험이 절대적이지 않다. 어떤 투자자는 세상 돌아가는 것에 대한 통찰력이 뛰어나고 그것을 현실 투자에 적용하는 대담한 성향으로 성공할 수 있다. 어떤 투자자는 성공적인 투자를 하고 있는 사람들과의 교류를 통해 정보를 얻고 돈을 벌기도 한다. 분명한 것은 미래의 경기 흐름을 예상하는 석학들이나 기관의 분석가들이 반드시 투자에 성공하는 것은 아니라는 점이다.

거의 모두에게 공평한 주식 시장에서 전문가 집단이 크게 실패하는 사례가 상대적으로 많은 것은 아이러니하다. 기술이 발전하듯 주식 시장의 규칙과 투자 심리가 빠르게 변화하고 있음에도 일부 전문가들은 과거의 지식과 경험에 머물러 있기 때문이다. 그것이 가장 옳다고 믿는 편견과 고집 때문에 새로운 환경을 받아들이지 못한다. 사회의 기득권과 조직을 장악하고 있는 사람들이 변화를 방해하는 것처럼 기존의 이론에 익숙한 사람들은 새로운 변화에 저항함으로써 자신의 투자를 실패하게 한다.

제조업 관련 주식이 중심이었던 과거에는 PER가 20배가 넘으면 고평가되었기 때문에 투자하면 안 되는 시장이었다. 2021년의 미국 시장은 PER 20배가 넘었지만 저평가라고 했다. 애플, 아마존, 엔비디아, 테슬라, 마이크로소프트 등의 고성장 기업들은 PER가 매우 높지만 시가총액은 계속 증가했다. 주가가 계속 상승한 것이다. 일정 시점이 되면 지나친 고평가라는 우려가 제기되면서 적정 가치 구간으로 하락하겠지만, 그들 기업의 성장은 여전히 높게 평가받고 있다.

시황이 강세일 때에는 젊은 투자자가 더 큰 수익을 낸다. 위험에 대한 과거의 선입견이 없기 때문에 강세장을 그대로 받아들이고 공격적으로 투자하기 때문이다. 경험이 많은 베테랑 투자자는 시장의 위험을 수차례나 경험했기 때문에 강세 시장에서도 보수적으로 투자하는 경향이 있다. 약세 시장에서는 경험이 많은 전문가가 손실을 줄이거나, 손실 후 복구 능력이 강할 것이다. 성공과 실패의 오랜 경험은 보수적 성향의 단점과 기회를 놓치지 않는 노하우를 만들었기 때문이다.

주식 시장에 대한 지식과 경험이 많다는 것은 관리의 장점이지 투자 수익률을 극대화시키는 요인은 아니다. 경험이 많다는 것도 안정적 수익의 측면에서 장점일 뿐이다. 종종 바이오나 신기술 개발 기업에 투자하여 큰돈을 번 사람들이 주식 시장을 자기 손바닥 안처럼 볼 수 있다는 듯이 자만하는 모습을 볼 수 있다. 전문가들은 물론 세계적인 석학과 투자 구루들조차 폄하하기도 한다. 한두 차례의 경험이 그들에게는 보편적 투자 원칙으로 자리매김하고 있는 것이다.

역사적으로 주식 투자로 큰 부자가 된 사람들은 사회적으로 대단한 커리어를 쌓아온 사람들이 아니었다. 대부분의 경우 이론에서 벗어난 시장 움직임에 확실하게 대응한 사람들이었다. 시장의 효율적 시장 가설을 운운하며 저평가 구간에서 가치 투자해야한다는 것은 다분히 이론적이다. 효율적 시장 가설이 적용되고 있는 시장에서는 매매 차익의 기회가 거의 없다. 대부분의 경우 주가가 적정 가치보다 높게 상승하거나 현저히 낮게 하락하는 비이성적 구간에서 큰 수익의 기회가 있었다. 따라서 시장의 비효율성을 파악하고 적절히 이용한 투자자들이 큰돈을 벌었다. 주식 시장에서 성공한 투자자는 엄청난 스펙을 쌓아온 사람들이 아니었다. 그보다는 세상의 변화와 그에 연동하는 시장의 변화를 남들보다 통찰력 있게 읽어내고 과감히 투자한 사람들이 주식 시장에서는 진정한 승리자였다.

유명 전문가를 이용한
자기 회피

약한 입장에 있거나 열등감이 있는 사람이 자신보다 강한 입장에 있는 사람에게 느끼는 질투, 증오 등이 뒤섞인 감정을 '시기심'이라고 한다. 이솝 우화의 〈신 포도와 여우 이야기〉도 이러한 심리를 다룬 것으로, 이룰 수 없는 상황에 대한 불만을 자신의 생각을 바꿈으로써 해소한다.

나보다 우월한 대상에 대한 시기심의 해소 방법은 여러 가지가 있겠지만 대개는 '대상에 대한 생각을 바꾸는 방법'과 '대상에 예속, 복종하는 방법'을 이용한다고 한다. 그러나 이 방식은 성공적인 투자를 하는 데 저해 요인이 된다. 흔히 주식 투자하는 사람들은 '코인은 폰지 사기와 같다', '코인의 절대 가치는 0이다'라는 말로 코인 투자자들을 폄하한다.

이런 말 속에 숨은 진심은 무엇일까? 코인으로 큰돈을 번 사람들이 부러운 것이다. 반대로 코인에 투자하는 사람들은 주식 투자자들을 가소롭게 여긴다. 코인은 블록체인 기술을 기반으로 세상을 바꿀 수 있는 새로운 세상의 투자 자산이라고 한다. 어렵게 공부할 필요 없이 큰돈을 벌 수 있는 게 코인이라고 한다. 두 경우 모두 대상을 자신에게 유리한 방식으로 해석하고 있다.

대상에 복종하는 경우도 많다. 주식 투자를 하면 할수록 너무 어렵다고 느끼기 시작한 투자자들은 '전문가들은 나보다 훨씬 뛰어날 것이다'라는 생각에 그들이 설명하는 시황대로, 추천하는 종목대로 투자를 한다. 남들이 명품 가방을 가지고 있으면 나도 꼭 가지고 있어야 한다고 생각하는 것과 같다. 전문가들이 추천하고 많은 투자자들이 열광하는 주식은 나도 보유하고 있어야 할 것 같고 그렇지 않으면 투자에 실패할 것만 같다. 주식 시장의 '패션'은 끊임없이 변화하고 순환한다. 남들에게 뒤처지지 않기 위해 주식을 사다 보면 얼마 안 가서 보유한 주식의 가짓수가 어마어마하게 불어나게 된다.

유명 전문가들은 추종하는 팬(구독자, 청취자)이 많다. 따라서 그들의 추천에 따라 소형주들은 주가가 급등락할 수 있다. 어쩌면 주가를 움직일 수 있는 전문가의 힘을 추종하는 것인지도 모르겠다. 실제로 그렇게 불법적인 방법으로 추종자들을 리딩하는 잡음도 있다. 하지만 그러한 경우는 아주 극소수의 금융 제도권 밖에서 벌어지는 경우이고 대부분은 유명 애널리스트, 전략가 등의 투자관에 공감하며 추종할 것이다. 주식 투자에 '왕도'는 없다. 주식 투자를 지속적으로 성공할 수도 없다. 어떤 전문가도 계속 시황을 맞히거나 수익이 나는 주식을 추천하지는 못한다. 모두들 알고 있다. 그럼에도 추종할 전문가를 선택하고 그의 말에 따라 투자를 하는 것은 자신보다는 잘할 것이라는 믿음 때문이다. 그런데 '나보다 잘할 것'이라는 생각은 대개는 실망으로 끝날 가능성이 높다. 결국 그들도 항상 맞지는 않기 때문이다.

2020년 팬데믹 이후 개인 투자자들의 주식 투자 붐은 유명 전문가들을 탄생시켰다. 비단 우리나라만이 아니라 세계적인 유행이었다. 미국에서는 유명 전문가들에 의한 '밈meme(모방에 의해 전파되는 문화 정보의 단위. 주식에서는 특정 셀럽으로 인해 유행이 된 주식을 의미함)' 주식의 주가가 급등을 하며 각광을 받기도 했다. 그러나 불과 1년도 지나지 않아 밈 주식들은 거의 대부분이 반 토막 이상으로 하락하였다.

"투자 정보는 단기 판단의 참고 자료일 뿐, 주식 투자는 자신의 판단에 따라 해야 하며 조언을 하는 방송이나 전문가는 책임을 지지 않습니다." 모든 주식 관련 방송 및 콘텐츠에 따라 붙는 경고 멘트이다. 그럼에도 내가 분석한 것보다는 전문가의 분석이 더 나을 것이라는 생각, 유명 전략가의 시황이 더 맞을 거라는 생각 등은 자신의 판단에 대한 불안, 낮은 확률적 신뢰가 만들어낸 자기 회피적 심리에서 발생한 것이다. 쉽지 않겠지만 끊임없이 자신만의 투자 철학, 원칙, 매매 방법을 정형화, 단순화해야 한다. 그 노력이 주식 시장에서 지속적으로 수익을 낼 수 있는 단 하나의 원칙이다.

자신이 뭔가를 원할 때 진짜 내가 원하는 것인지 군중(남들)이 원하는 것인지 구분이 안 될 때가 많다. 나다운 삶, 나만의 삶, 나다운 투자, 나만의 투자 원칙, 나를 위한 철학과 삶이 존재해야 성공할 수 있다.

MBTI로 알아보는
나에게 맞는 투자법

주식 투자는 싸게 사서 비싸게 팜으로써 수익을 추구한다. 그런데 '싸게 사는 것'이 말처럼 쉽지 않다. 싸다고 매수했지만 더 하락하는 경우도 있고, 비싸다고 사지 않았는데, 오히려 더 오르는 경우도 많다.

매수 결정의 심리, 매수 후 매도까지 보유 기간 동안의 심리, 매도의 심리 등 항상 판단의 기로에 서 있는 것이 주식 투자이다. 요즘 유행하는 MBTI의 성향을 주식 투자자의 성향과 비교해 보면 재미있게 자신의 투자 성향을 체크하고 최적의 투자법을 찾을 수 있을 것이다. 절대적인 기준은 아니므로 가벼운 마음으로 참고해 보자.

먼저 주식 투자자의 유형들을 구분해 보자.

1. 싸다고 생각되는 주식을 오랫동안 분할 매수하며 홀딩하고 적정 가치로 올랐다고 생각될 때 매도하는 투자자 : 꽤 큰 수익을 낼 수 있으나 언제 상승할지 몰라 장기 보유해야 하므로 인내심과 자기 신뢰가 필요하다.

2. 주식의 시세는 아주 짧은 기간 동안 상승하는 것이므로 가치 대비 싼 주식을 관찰하고 있다가 상승하기 시작하는 시점에 매수하려는 투자자 : 가장 좋은 투자법이 될 수 있으나 시장에서 인기를 끌며 상승하는 초기에 매수해야 하는데, 그 타이밍을 놓치지 않고 잡아내는 것은 매우 어렵다.

3. 저평가 구간, 싸다는 것의 평가 자체가 어렵다는 것을 인정하고 성장하는 기업에 꾸준히 투자하여 보유하는 투자자 : 기업의 성장 가능성을 알아볼 수 있는 통찰력, 기업의 가치를 분석할 수 있는 지식이 필요하다.

4. 좋은 주식을 고르기도, 최적의 타이밍을 포착하기도 어렵다고 판단하여 시황, 기술적 분석, 모멘텀 등을 통해 단기 매매하는 투자자 : 자신만의 투자 원칙이 있어야 하며 과거에 집착하지 않고 실패를 인정할 수 있어야 한다. 이번엔 손절매하지만 다음엔 더 큰 수익을 낼 수 있는 기계적인 룰이 있어야 한다.

5. 남들이 거들떠보지 않는 소외주나 턴어라운드 주식에 투자하

는, 군중에 역행하는 역발상 투자자 : 시세 움직임에 동요 없이 독자적으로 판단할 수 있어야 한다. 이를 위해 평정심이 필요하며 자신의 판단에 신뢰가 있어야 한다.

6. 장기 투자를 하되 시황에 따라 비중 조절을 하여 수익을 극대화하고자 하는 투자자 : 펀드 매니저들의 생각이다. 상황 판단에 민첩해야 하며 행동이 빨라야 한다. 자신의 판단을 믿지 못하면 생각이 많아지고 행동은 느려진다. 대부분의 투자자들은 느린 판단 때문에 타이밍을 놓치고 만다.

이번에는 여섯 가지 유형들을 MBTI를 통한 성격과 연관시켜 생각해 보자.

| MBTI의 구성 요소 |

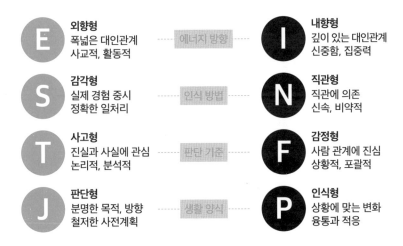

E 외향형 폭넓은 대인관계 사교적, 활동적	에너지 방향	**I** 내향형 깊이 있는 대인관계 신중함, 집중력
S 감각형 실제 경험 중시 정확한 일처리	인식 방법	**N** 직관형 직관에 의존 신속, 비약적
T 사고형 진실과 사실에 관심 논리적, 분석적	판단 기준	**F** 감정형 사람 관계에 진심 상황적, 포괄적
J 판단형 분명한 목적, 방향 철저한 사전계획	생활 양식	**P** 인식형 상황에 맞는 변화 융통과 적응

네 가지 영역에서 각각 어떤 쪽을 선호하는지에 따라 총 16가지의 유형별 성향을 확인할 수 있는 것이 MBTI 유형 검사로, 유형에 따라 투자 성향을 어느 정도 유추하는 게 가능하다.

먼저 E 유형의 사람은 주변 사람들과 소통하며 투자 정보를 얻고 투자할 때 판단 기준을 기업 가치보다는 외부 수급이나 정보에 둘 수 있다. I 유형의 사람은 외부의 정보보다는 기업 가치 등을 공부하여 내공을 쌓는 데 주력할 수 있다. 일단 E와 I로 구분할 때 외향적인 투자자는 정보를 책이나 전문가의 조언보다는 지인들과의 활동에서 얻고자 하므로 장기 가치 투자보다 단기 모멘텀 투자가 더 적합하다고 볼 수 있다. 내향적인 투자자는 자신의 투자 노하우을 만드는 데 주력하므로 장기 가치 투자가 더 적합하다고 볼 수 있다. S 유형은 경험과 현재 상황에 치중하는 편이므로 단기 모멘텀 투자가 어울리고 N 유형은 상상력과 직관을 중요시하므로 성장 스토리가 있는 기업에 장기 투자하는 것이 좋다. T 유형은 팩트에 기반하는 퀀트 투자, 알고리즘 투자가 적절하며 F 유형은 시황과 주도 섹터들이 움직일 때 그에 연동하는 투자 방식이 어울린다. J 유형은 계획적이므로 시황의 변화에 상관없이 계획적으로 투자하는 적립식 투자법이 맞고, P 유형은 상황에 맞게 포트폴리오를 재분배하고 물량 조절을 통해 수익을 극대화, 손실을 최소화하려는 투자를 선호할 것이다.

위에서 언급한 주식 투자의 유형을 정리하면 장기 투자자 VS 단기 투자자, 가치 투자자 VS 모멘텀 투자자, 성장주 투자자 VS 가치주 투자자, 정보 추종 투자자 VS 시세 추종 투자자로 구분할 수 있다. 역사적으로 투자의 구루들조차도 자신의 투자 성향대로 원칙을 만들어 투자했다. 장기 가치 투자자는 워런 버핏, 피처 린치, 필립 피셔 등이 있고 중단기 모멘텀 투자자는 윌리엄 오닐, 제시 리버모어, 니콜라스 다비스 등이 있다. 주식 투자를 공부하는 우리들 역시 자신의 성향에 맞는 투자 구루들의 노하우를 선별하여 익힐 필요가 있다.

자신이 하고 싶은 투자 방법을 선택하고 자신이 그러한 성향인지를 체크해 보는 것도 재미있겠다. 신기술을 가진 성장주가 신고가를 형성하며 강한 움직임을 보일 때 투자하려는 사람은 어떤 유형의 성격이어야 성과가 좋을까? E, S, T, J의 성향이 좋을 것이다. 엄격하게 자신의 룰을 만들어놓고 그에 맞게 객관적으로 투자할 수 있어야 한다. 많은 사람을 만나고 돈 벌 수 있는 정보를 수집하여 투자하는 사람은 E, N, F, P의 성향이 좋을 것이다. 사람들을 만나 정보를 주고받으며 투자 아이디어를 만들어내는 데 흥미를 가져야 하기 때문이다. 대인관계에서 솔직하지 못하고 내성적인 사람이라면 정보의 공유가 힘들 것이다. 주식 투자로 성공하기 위해서는 대체로 분석적인 성향을 가져야 한다. 또 데이터를 제공받고 공유할 수 있는 네트워크가 좋아야 한다. N보다는 S, F보다는 T, P

보다는 J의 유형이 주식 투자에 더 적합하다고 볼 수 있다.

　현실적이고 논리에 기초한 계획적인 성향의 사람들만 큰돈을 버는 것은 아니다. 그러한 성향이 필요한 사람은 펀드매니저일 것이다. 대박이 아닌 꾸준한 수익을 추구하는 투자자에게 필요한 성향인 것이다. 주식 시장에서 대박의 신화를 만들어낸 사람들은 거의 모든 사업에서 그렇듯이, 독창적이고 직관적이며 세상의 변화를 잘 읽어내 다소 무리하다고 생각되는 투자를 하기 마련이다. 가령 비트코인이 처음 세상에 알려졌을 때 투자한 꽤 많은 사람들은 지금은 확실하게 큰 부자가 되어 있다. 내재가치가 0인 자산에 투자한다는 것은 이성적이고 데이터 기반의 투자를 하는 사람들에겐 미친 짓이다. S, T, J의 성향이라면 코인 투자는 꿈도 꾸지 못할 것이다. 반면 N, F, P 쪽의 성향이 강한 사람들은 당시에는 다소 무리한 판단이었지만 코인의 미래 가치에 과감하게 투자할 수 있었을 것이다.

　보수적이어서 데이터를 확인하고 미래의 가치를 꼼꼼히 따져 묻는 투자자는 '미래의 꿈에 투자하는 주식Price To Dream'에 투자하기가 쉽지 않을 것이다. 이런 주식은 낙천적이며 자신의 직관을 믿고 세상의 변화에 유동적인 투자자에게 맞을 것이다. 주식 투자법을 공부할 때도 자신의 성향을 알고, 성과가 극대화될 수 있는 기법을 공부해야 효율적일 것이다. 워런 버핏에게 데이 트레이딩은 바보 같은 짓이다. 거꾸로 데이 트레이더들에게 주식을 매수하여 장기 홀딩하는 것은 매우 위험한 짓이다. 어떤 사람들은 데이 트레이딩으로 부자가 되었지만 어떤 사람들은 깡통 계좌가 되었다. 어떤 사람은 성장주를 장기 보유하여 수십 배의 수익률을 얻었지만 같은 주식에 투자한 어떤 사람은 소소한 수익을 얻고 매도했을 수도 있고 어쩌면 손실을 본 채로 매도했을지도 모른다. 대표적인 성장주 테슬라에 투자한 수많은 사람의 수익률만 보아도 천차만별일 테니 말이다. 그러한 결과는 아마도 자신의 성향 때문일 확률이 크다. 남들이 어떤 투자법으로 성공했다 하더라도 그것이 내 것은 아닐 수 있다. 자신에게 맞는 투자법을 갖는 것은 성공 투자의 기본적인 원칙이다.

2장

자금 관리의
마음

어렵고 힘든 | 전업 투자

우리나라는 간접 투자를 중심으로 투자하는 선진국에 비해 직접 투자 인구도 많고 상대적으로 전업 투자자의 비율도 높다. 과거에는 금융위기를 겪은 후 수많은 희망 퇴직자들이 새로운 일자리를 찾지 못해 주식 투자를 직업으로 삼는 경우가 많았다. 최근 젊은 청년들의 취업이 어려운 것도 전업 투자자를 늘리는 데 한몫하고 있다. 부동산, 비트코인처럼 급등하는 가격 움직임을 경험한 젊은이들이 재테크에 적극적으로 대응하면서 비단 주식만이 아닌 여러 금융 상품으로 투자하는 전업 투자자가 많아진 것이다. 젊은 층의 전업 투자자들은 가치 투자보다는 수급과 차트, 그리고 모멘텀을 이용한 단기 거래를 많이 한다. 상대적으로 경험이 많은 투자자들은 주변의 네트워크를 활용해 중장기적으로 투자하는 경향이 있다.

그렇다면 전업 투자자로 성공할 확률은 얼마나 될까? 자신만의 원칙을 갖고 투자하면 수익을 낼 수 있다. 문제는 지속적으로 수익을 내는 투자가 어렵다는 것이다. 시장이 좋을 때, 투자 환경이 좋을 때 수익을 내기는 쉽다. 하지만 전업 투자는 생계형 투자이다. 손실을 최소화하고 조금씩이라도 수익이 발생해야 한다. 주식 투자 이외의 수입이 없는 전업 투자자에게는 작은 손실이라도 '두려움'의 심리가 크게 작용하게 된다.

두려움은 주식 투자에서 큰 적이다. 주식 투자는 근본적으로 고위험 투자이다. 가격 제한 폭이 30%이므로 하루 최대 등락 폭이 60%인 것이다. 단기 트레이더가 하루에 2~3%씩 손실을 연속해서 내다 보면 원금은 금방 반토막이 될 수 있다. 중장기 투자자가 한 번의 투자 실패로 30% 이상 손실을 내면 쉽사리 회복하기 어려워진다. 전업 투자자들은 그 상황을 가장 두려워한다. 하지만 아이러니하게도 주식 투자는 위험 감수 없이 수익을 낼 수 없을 뿐만 아니라 위험해 보이는 주식이 더 상승하고 안전해 보이는 주식이 더 하락하는 속성을 갖고 있다. 상승 추세 중인 주식이 있다고 하자. 대부분의 투자자들은 상투일까 두려워 매수하지 못하지만 눌림목 하락 후 다시 상승하기 마련이다. 하락 추세 중인 주식은 주가가 많이 하락하여 안전해 보이지만 시장이 조금만 흔들려도 저가 매수세 부재로 급락하기 마련이다. 주식 시장에는 '달리는 말에 올라타라'라는 말이 있다. 그러나 전업 투자자의 눈에 달리는 말은 위험해 보일 수밖에 없다.

주식 투자는 미래에 투자하는 것이기 때문에 확실한 건 없다. 확률일 뿐이다. 또 오늘 당장의 기업 상황에 투자하는 것이 아니라 미래의 기업 성장에 투자하는 것이기 때문에 기다릴 수 있어야 한다. 전업 투자자에게 가장 부족한 것은 바로 '기다림'이다. 고위험의 두려움을 이겨내야 하는 심리적 피로와 매월 필요한 돈을 벌어야 한다는 스트레스를 안고 투자하는 것은 그 자체가 리스크이다. 그래서 많은 전문가들이 가능하면 본업을 버리지 말고 주식을 재테크의 수단으로 활용하라고 조언하는 것이다. 만일 전업 투자자의 길로 나섰다면 최소 6개월 동안의 필요 경비는 따로 마련해 두길 바란다. 원금 손실의 두려움에서 벗어나는 것이 주식 투자를 성공으로 이끄는 전제 조건이다. 투자금에서 수익을 내 매월 생활비를 출금해야 한다는 부담과 두려움은 투자 실패의 가장 큰 원인이 될 수 있다.

| 마음의 회계장부

주식 투자자에게 가장 기쁜 날은 보유 주식의 가격이 급등하는 날일 것이다. 그러나 급등한 주식이 전체 포트폴리오에서 5%도 안 되는 비중을 차지하고 있다면 그 기쁨은 곧 사라지고 만다. 보유 비중이 높은 한두 종목이 급등하면 나머지 종목들에서 손실이 좀 나도 전체 자산은 증가할 수 있다. 리밸런싱을 하는 이유이다. 전체 자산은 이익이 나고 있는데, 보유 주식 중 한두 개가 30% 이상의 큰 손실인 상태로 있을 때 투자자들은 짜증이 나고 어떻게 해야 할지 몰라 속을 끓인다. 마이너스 30%라는 절대 수치에 마음이 갇혀 버린다. 주식 투자는 선택과 집중이 필요한 일이다. 개별 기업의 손익보다는 이익이든 손실이든 전체 자산의 측면에서 판단하고 관리해야 한다.

선택과 집중을 어려워하는 투자자들의 포트폴리오는 온갖 종목이 모여 있는 '백화점'이 되어간다. 금리의 방향에 따라 가치주가 상승하면 성장주는 하락한다. 환율의 영향에 따라 수출주가 상승하면 소비주가 하락한다. 가치주가 상승할 때 성장주를 주력으로 보유한 투자자는 힘든 시기를 보내야 한다. 은행주가 급등하면 시장은 상승하는데 중소형 성장주를 보유하고 있는 투자자는 죽을 맛이다. 시장 상승에 편승하지 못하는 것만큼 심리적 고통이 큰 것도 없다. 그래서 성장주, 가치주, 수출주, 내수주, 대형주, 소형주 등 전문가들이 좋다는 주식을 두루두루 매수하다 보면 어느새 자신의 포트폴리오는 '백화점'이 되어버리고 만다. 상승 주식과 하락 주식이 섞여 있으면 자산은 늘 그 자리이다. 그러고는 시장 대비 하락 폭이 작다고 위안을 삼는다. 고위험 상품인 주식 투자를 하는 이유가 고수익을 위한 것임을 잊고 있는 듯 급락을 맞지 않으려는 포트폴리오로 시장에 맞서고 있다.

시장이 하락할 땐 거의 모든 주식이 하락한다. 그러나 시장이 상승할 땐 특정한 섹터 및 주식이 시장 상승을 견인한다. 주도 섹터, 주도주가 있다. 분산 투자로 폭락을 모면한 투자자는 스스로를 위안하겠지만 그 포트폴리오로는 시장 상승기에 원금을 찾고 추가 수익을 내기 어렵다. 보유 주식 중 일부만 상승하기 때문이다. 흔히 분산 투자를 하면 마음이 든든하다고 한다. 장기 투자를 하면 마음이 편할 수 있다고 한다. 대체 어떤 투자가 마음을 편하게 할까? 잘 관리하고 보살펴야 하는 것이 주식이다. 보유 주식을 자식 또는 손가락으로 비유하는 분들이 있다. 특별히 더 미운 주식은 없다는 것이다. 물면 안 아픈 손가락이 없듯이 자신의 포트폴리오 안의 주식들이 그렇다는 것이다. 그러나 주식은 자식도 손가락도 아니다.

주식은 늘 전체 자산의 관점에서 관리해야 한다. 잘나가는 주식 하나가 전체 자산을 쑥쑥 키워주면 다른 주식은 익절이든 손절이든 매도할 수 있다. 개별 주식 하나하나의 수익률에 마음의 비중을 두지 말자. 다른 주식에 심리적 영향을 줄 수 있다. 포트폴리오 비중 조절이 곧 실력이다. 선택과 집중이 실력이다.

주식 계좌에 돈을 넣고 투자를 하는 동안 자산의 변동에 따라 마음의 변화가 요동친다. 보유 주식의 등락에 따라 심리적 변화가 하루하루 다르다. 마음의 변화가 실제 잔고의 변화에 큰 영향을 끼친다. 주가가 상승하여 잔고가 늘면 아직 매도하여 수익을 확정짓지 않았음에도 친구들에게 한턱 내기도 한다. 1,000만 원을 투자하여 300만 원의 수익이 나고 있다면, 주가가 다시 하락하여 200만 원, 100만 원으로 점차 수익금이 줄어들어도 원금이 아닌 번 돈이 줄어드는 것뿐이라며 심각하게 생각하지 않는다. 매수 가격까지 주가가 하락하고 나아가 원금 손실의 상황에 이르게

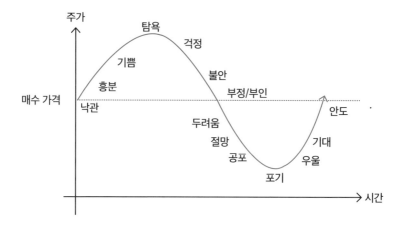

되면 불안함과 초초함으로 매도하게 된다.

세금 환급이나 보너스를 받으면 월급을 받을 때보다 쉽게 지출한다. 열심히 일해 받은 월급과는 다르게 생각한다. 사실 같은 돈인데 말이다. 주식 투자는 현물 주식을 손에 쥐고 사고팔지 않는다. 계좌에 수치로만 나타나 있다. 만약 현금을 5만 원권으로 100장을 인출하여 안쪽 주머니에 넣어두면 그 두께만큼이나 마음도 좋을 것이다. 그 500만 원을 길에서 잃어버렸다면 자신의 실수에 내내 괴로울 것이다. 그러나 잔고 화면에서 500만 원이 줄어드는 것은 그만큼의 괴로움을 불러오지 않는다. 마음속에 돈에 대한 회계장부가 늘 잘 짜여 있어야 실수를 줄일 수 있다.

분산 투자가
내 자산을 지켜줄까?

　　주식 투자의 고전에서는 늘 분산 투자를 권한다. 포트폴리오를 잘 구성하면 시장이 상승할 때 초과 수익을 얻을 수 있고, 시장이 하락하더라도 손실을 줄일 수 있다는 것이다. 분산 투자의 기준은 국가, 업종, 자본금의 크기, 서로 다른 시장, 종목 등을 의미한다. 서로 다른 시장이라 함은 부동산, 채권, 원자재, 환율, 주식 시장 등으로 나누어 투자하는 것을 말한다. 일정한 비율로 포트폴리오를 구성해 놓고, 경제 위기가 되면 위험자산인 주식은 줄이고 안전자산인 달러나 금의 비중을 높여 손실을 방어할 수 있다는 것이다. 반대로 주식 시장으로 돈의 유입이 확인되면 금이나 채권을 줄이고 주식 등 위험자산의 비중을 높일 수 있다. 이러한 돈의 큰 흐름을 '그레이트 로테이션Great Rotation'이라고 부르는

데 위험자산의 비중을 높이는 것을 '리스크 온Risk On', 줄이는 것을 '리스크 오프Risk Off'라고 한다. 포트폴리오의 비중을 조절함으로써 어떤 시장 환경에서도 수익을 추구할 수 있다는 전통적인 투자 이론이다.

그렇다면 실제로 다양한 자산에 나누어 투자하는 것이 위험은 줄이고 수익은 높일 수 있는 투자일까? 시장의 위험 노출과 돈의 흐름에 따라 글로벌 IB들의 자금 이동이 벌어지기 때문에 주식 시장은 대세 하락과 상승의 사이클을 만든다. 하지만 경기 사이클과 자본 이동의 사이클이 짧아지고 거의 모든 재테크 자산들이 동조화하면서 분산 투자의 효용성은 점차 떨어지고 있다. 미국과 중국 그리고 한국 시장이 역의 방향으로 움직이지 않는다. 미국 나스닥 시장 하락은 우리 시장을 하락시킨다. 같은 방향으로 움직이되 변동성의 폭과 움직임의 시차만이 존재한다. 시차를 이용한 비중 조절을 절묘하게 할 수 있다면 그건 의미가 있을 수 있다.

2022년 1월 한국 시장이 폭락하는 상황에서 미국은 상대적으로 강했다. S&P500이 5.2% 하락하는 동안 코스피는 10.5%나 급락했다. 그러자 국내 투자자들은 '역시 미국 주식만이 답이다'라며 국내에서 자금을 빼 미국 시장에 투자했다. 그러나 2022년 4월엔 코스피가 2.2% 하락하는 동안 S&P500은 8.8%나 급락했다. 소나기를 피하려고 미국 시장으로 간 투자자들은 더 큰 소나기를 다시 맞아야 했다. 시차를 이용한 타이밍 투자는 그만큼 어렵다.

주식과 채권 시장 역시 동조화가 강화되고 있다. 전통적인 투자법에서는 주식 시장이 위험하면 채권 시장으로 자금의 대이동, 즉 그레이트 로테이션이 일어난다고 했다. 그러나 최근의 사례를 보면 금리 인상의 우려로 주식 시장은 급락을 했고 국채, 회사채, 모기지 등의 금리가 오르면서 채권 가격은 폭락했다. 국채 수익률, 시중 금리의 상승 속도는 주식 시장 하락 속도보다도 월등히 빨라서 2022년 1분기 채권 시장의 트레이더들은 막대한 손실을 내었고 레버리지 투자자들은 깡통 신세가 되었다.

업종별, 자본금의 크기별로 분산하여 투자하는 것 역시 실익이 없다. 가령 반도체, 바이오, 자동차, 정유, 조선, 음식료 등의 종목에 분산 투자하거나 대형주와 중소형주를 일정 비율로 나누어 매수하는 투자자들이 있다. 대규모 자금을 운용해야 하는 펀드들은 장기적 관점에서 분산 투자가 안정적일 수 있다. 시장 수익률을 추종해야 하기 때문이다. 그러나 시장이 대세 하락하는 구간에서는 그러한 펀드들 역시 큰 손실을 피할 수 없다. 시장 하락 구간에서는 대부분의 주식이 연동하여 하락하기 때문이다. 반면 시장 상승 시에는 업종별, 종목별로 차별화된다. 전통적인 분산 투자로 시장을 이길 수 없는 이유이다. 유능한 투자자는 분산이 아닌 유연한 비중 조절을 통한 선택과 집중에 더욱 노련하다.

분산 투자의 효과가 점차 낮아지고 있다면 분산으로 인한 위험 헤지의 폭만큼 선택과 집중이 필요하다. 집중의 대상은 '주도주'이다. 글로벌 자금이 선호하는 주도주만을 추종하는 것이다. 가장 강한 국가의 시장, 가장 강한 업종, 가장 강한 종목에 집중하는 것이다. 분산을 목적으로 3등 국가, 업종, 주식에 투자하지 않아야 한다. 미국과 한국은 시가총액 제도를 사용하고 있기 때문에 시가총액 상위 주식들의 등락에 따라 시장이 등락한다. 삼성전자의 강세가 곧 시장의 강세이고 미국 팡FAANG주들의 강세가 시장의 강세이다. 그들이 주도주이기 때문이다. 그들이 하락하면 시장은 약세이다. 항상 주도주에 집중하는 것이 좋다. 아래 화면은 애플의 시장 상승기와 하락기의 수익률이다. 시장 상승기엔 월등히 높은 수익률을, 시장 하락기엔 상대적으로 작은 폭의 하

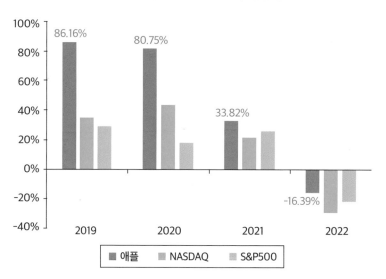

| 시장 상승기와 하락기 애플의 수익률 비교 |

락률을 보여주고 있다.

경제적 해자를 보유한 장기 성장의 주도주를 보유하고 있다면 생각보다 긴 기간 조정이라도, 생각보다 깊은 가격 조정이라도 결국 수익을 안겨줄 것이므로 '마음 편안하게' 기다리면 된다. 다만 시장의 사이클별로 주도주의 변화가 발생한다는 점은 주의해야 한다. 단기적인 변화라면 고민할 필요가 없지만 장기적인 변화가 이루어지고 있다면 고민해야 한다. 장기적인 주도주의 변화는 단순한 사이클의 변화가 아닌 기술의 변화, 세상의 변화이기 때문이다.

분산 투자로 걱정을 덜 수 있다면 다행이지만 심리적 안정을 누리는 대신 포기해야 할 수익의 기회비용이 너무 크다. 시장은 점차 거의 모든 투자자산들이 동조화하고 있다. 우리는 대규모 투자자산을 운용하는 매니저가 아니다. 피터 린치와 같은 투자의 구루조차도 "바구니에 담을 달걀의 수보다는 얼마나 좋은 달걀을 담느냐"가 중요하다고 했다. 어설픈 분산 투자보다는 경제적 해자를 보유한 주도주에 집중하는 것이 안전한 수익과 마음의 평안을 가져다줄 수 있을 것이다.

주식 시장에서 거래되는 거의 대부분의 상품은 원금 보장이 되지 않는다. 그럼에도 간혹 주식 투자 또는 주식형 펀드 등의 상품에 가입하면서 원금이 보장되는지 물어보는 분들이 있다. 증권 회사에서 신규 계좌를 개설하거나 상품에 가입할 때 직원은 의무적으로 고객의 투자 성향을 파악하고 그 결과에 따라 합당한 투자를 권하도록 되어 있다. 투자 위험도의 분류는 초저위험에서 초고위험이며 당연히 주식 투자는 고위험 이상의 분류군이다. 성향 분석에서 위험 회피군의 성향이 나온 고객이 주식 또는 파생 상품을 거래하기 위해서는 '위험을 인지했고 감수하겠다'는 자필 서명을 해야 한다.

자본 시장에서 '리스크'라는 단어는 단순히 부정적인 측면만으로 해석하지 않는다. 리스크란 단어를 부정적으로 인식하는 사회적 통념은 안정을 추구하는 심리 때문이다. 자본 시장에서 리스크는 좋지 않은 상황과 동시에 좋은 상황에 노출될 가능성으로 이해한다. 손실도 수익도 클 수 있다는 것이다. 만일 기대 수익률을 키우지 못하면서 리스크만 커진다면 그것은 제거해야 한다. 제거하면 줄일 수 있는 위험을 분산 가능 위험(비체계적 위험)이라 하고 제거할 수 없는 위험을 분산 불능 위험(체계적 위험)이라고 한다. 분산 불능 위험에는 경기 변동, 인플레이션, 정치적·정책적 변수 등이 있다. 경기 변동, 인플레이션, 환율 등은 주가 움직임에 가장 밀접한 관계가 있다. 결국 주식 투자는 분산하거나 제거할 수 없는 체계적 위험에 노출되어 있는 고위험 투자인 것이다.

자신의 성향이 저위험이고 원금 보장을 바라는 심리가 지배적이라면 주식 투자를 하는 동안 줄곧 스트레스가 심할 것이다. 주식 투자로 돈을 벌었다 하더라도 심리적 피로가 엄청날 것이고 본인의 성향과 투자 상품의 성향과의 괴리로 실전 투자에서 판단의 실수를 할 가능성도 높아진다. 실전 투자에서는 위험해 보이는 주식이 더 많이 상승하고 안전해 보이는 주식이 더 하락하는 경우를 흔히 볼 수 있다. 가령 현재 시황에서 톱픽 주식은 너무 많이 올라서 매수하기 두려운 가격에 이른다. 그러한 주식은 시황 영향이든 차익 실현 매물이든 하락을 할 때 투자자들은 '조정'이라고 판단하고 저가 매수하려 한다. 결국 그 주식은 약간의 조정 하락 후 다시 상승한다. 반면 시장에서 소외되어 있는 주식은 많이 하락하여 긴 기간 동안 횡보하거나 조금씩 추세적으로 하락한다. 그런 주식은 직관적으로 보기에 가치 대비 충분히 하락한 것으로 보인다. 그렇지만 약세 주식은 더 이상 하락하지 않을 것처럼 보였지만 결국 하락을 하게 된다. 매수보다는 매도하고자 하는 투자자들이 더 강하기 때문이다. 주식을 보는 관점에서 성향과 위험에 대한 태도가 투자할 주식의 선택에 얼마나 큰 영향을 주고 그 결과가 달라지는가를 알 수 있다.

작은 수익을 연속해서 낼 수 있다면 그것도 나쁘지 않다. '욕심 내지 않고 조금씩 수익 내며 위험을 줄이겠다는 생각'은 단기 트레이더들의 기본적인 투자 전략이다. 그러나 주식 투자에서 매번 성공하기란 매우 어렵다. 시황의 급변과 투자한 주식의 가격 급변이 빈번히 발생하기 때문에 언제든, 순식간에 20% 넘는 손실이 날 수 있다. 그러한 위험과 손실을 감안하여 손실 보상 배율을 고려한 목표 수익률이 결정되어야 한다. 1만 원에 매수한 주식이 손절매 9,000원, 목표가 11,000원이라면 위험한 투자이다. 손실과 수익의 확률이 같다면 목표 수익은 손실 폭의 3배 이상이 되어야 한다. 상승과 하락이라는 방향의 확률과 상승했을 때의 폭, 하락했을 때의 폭을 고려한 투자를 해야 한다. 언제든지 10% 이상의 등락이 가능한 주식을 투자하면서 목표 수익률을 10%로 설정하는 것은 명백히 위험한 투자이다.

주식 투자에서 원금 보장 심리는 투자 실패의 원인이 될 수 있다. 위험 요소를 가진 대상에 어떤 행위를 함에 있어 자신의 성향이 보수적이라 그 행동에 제약이 있다면 성공하기 어렵다. 위험 회피 심리는 위험 자산을 위험 그 자체로 인식하지 않고 위험하지 않게 투자하려 한다. 결국 투자자 자신의 심리와 투자 상품의 성향 충돌로 판단이 어긋날 수 있다. 주식 시장에서 성공한 투자자들은 위험을 회피하지도 과소평가하지도 않는다. 주식 시장은 늘 위험한 곳이고 예상치 못한 변수들이 늘 괴롭혀 왔다. 언제든 방심하면 손실이 커질 수 있으며 반대로 큰 수익의 기회가 될 수 있으므로 늘 위험의 관리와 기회의 포착이 중요하다. 주식 시장만큼 '위기는 곧 기회다'라는 말이 적절한 곳도 없다. 주식 시장에서의 리스크는 두려워할 대상이 아니고 이용해야 할 대상이다.

빨간색 드레스 이야기 |

여러분이 노란색과 초록색 그리고 빨간색 드레스를 파는 작은 옷 가게를 한다고 하자. 빨간색 드레스는 진열하자마자 모두 팔렸고 초록색은 절반 정도가, 노란색은 한 벌도 팔리지 않았다. 그러면 여러분은 어떻게 하겠는가?

"빨간색 드레스는 모두 팔렸습니다. 노란색은 한 벌도 팔리지 않았지만 제 생각에는 이것도 괜찮습니다. 저는 특히 노란색을 좋아하거든요. 노란색 드레스를 사시는 게 어떨까요?" 손님에게 이렇게 권한다면, 당신은 장사를 절대 하면 안 되는 사람이다.

장사를 오래 해본 노련한 장사꾼이라면 이런 결정을 내릴 것이다. "우리의 실수다. 노란색 드레스는 빨리 팔아버려야 한다. 판매 가격을 10% 할인하고 그래도 안 팔리면 20% 이상이라도 할

인해서 빨리 팔아야 한다. 그리고 그 돈으로 인기가 많은 빨간색 드레스를 더 사 와서 팔아야 한다.”

주식 투자도 마찬가지이다. 투자 원금을 가지고 세 종목으로 나누어 투자를 했는데, 한 종목은 예상대로 상승을 하고 있고, 다른 한 종목은 오르지도 내리지도 않고 있다. 그런데 나머지 한 종목은 실망스럽게도 하락을 하고 있다. 급하게 돈이 필요하거나 시장이 위험한 상황이 되어서 주식 보유 비중을 줄여야 한다면 여러분은 어떻게 할 것인가?

흔히들 이익이 난 종목을 팔고 손실 난 종목은 다시 올라올 때까지 기다려야 한다고 생각한다. 손실을 확정짓기 싫기 때문이다. “손해 보고는 절대 안 판다”고 말하는 투자자들이 종종 있다. 주식을 매수할 때는 여러 이유로 가격이 상승할 것이라고 판단했을 것이다. 그러나 늘 기대가 맞아떨어지는 것은 아니다. 분석이 틀렸든, 외부 변수에 의해 예상과 다르게 움직이든, 기업에 예상치 못한 변수가 발생하였든지 간에 처음의 판단(기대)과 달리 주가가 움직일 수 있다. 결국 주가가 상승했다면 자신의 결정이 맞아떨어진 것이며, 하락했다면 자신의 판단이 틀린 것이다.

노련한 장사꾼이 자신의 결정에 대하여 빠르고 냉정히 대처하는 것처럼 주식 투자자는 자신의 투자 결과를 주가 움직임과 수급, 이익 성장을 보며 신속하고 객관적으로 판단해야 한다. 노란색 드레스를 할인하여서라도 빨리 팔아 치우는 것처럼 자신의 투자 판단이 틀렸을 때는 손절매하고 판단이 옳았던 종목에 집중해야 한다. 손절매는 소폭으로 신속하게 하고 익절은 충분히 기다려 이익을 극대화해야 한다.

팔리지 않는 노란색 드레스를 진열해 놓고 장사가 되지 않는다고 한탄한다면 현명한 장사꾼이 아니다. 새로운 옷을 사와야 하는데 돈이 없다고 한탄한다면 돈을 벌 수 있는 장사꾼이 아니다. 잘 오르는 종목은 조급함에 매도하고, 하락하는 종목을 보유하면서 '시장은 상승하는데, 왜 내 종목은 오르지 않는 거냐'고 짜증만 낸다면 현명한 투자자라고 볼 수 없다.

우리의 결정이 늘 옳을 수는 없다. 자신의 결정이 틀렸다는 것을 인정할 수 있어야 한다. 주식은 결정이 옳았던 몇 번의 투자로 수익을 내는 것이다.

증권사 직원들은 고객에게 투자할 상품을 추천한다. 매일 서너 개의 종목을 투자 관심 종목으로 제시한다. 관심 종목 중 매수할 만한 상황이 되면 (매수 타이밍이 발생하면) '매수'하란 뜻이다. 전문가들도 특별한 주식으로 하는 것은 아니다. 대체로 알려진 관심 종목 중에서 거래를 한다. 어떤 때는 그중 한두 종목을 거래할 때도 있고 어떤 때는 그 종목 모두를 조금씩 거래하기도 한다. 그러나 중요한 것은 결국 최종 선택한 종목은 하나이며 홀딩하는 종목 역시 전체 포트폴리오에서 서너 종목을 넘기지 않는다. 대부분의 유능한 직원들, 전문 트레이더들은 보유 주식 수가 많지 않다. 다수의 개인 투자자들은 여러 전문가의 관심 종목을 참고하여 투자하다 보니 일정한 기간이 지나고 보면 보유 종목이 관리하기 힘들 만큼 늘어난다. 관심 종목을 이것저것 매수하고 일부는 자신의 판단이 틀려 하락하고 있음에도 매도하지 않고 보유하고 있는 것이다.

현명한 투자자는 여러 종목을 거래하지만 그중 판단이 옳았던 종목과 틀렸던 종목을 객관적으로 판단하고 자신의 판단대로 움직인 종목에 집중해야 한다.

판단의 옳고 그름은 무엇으로 알 수 있는가? 대답은 간단하다. 자신의 예상대로 주가가 움직이면 판단이 옳았던 것이고 그렇지 않으면 틀린 것이다.

칠면조 이야기 |

프레드 C. 켈리의 『이기는 사람, 지는 사람why you win or lose』 중에 이런 얘기가 있다.

한 어린 소년이 길을 가다 우연히 야생 칠면조를 잡는 노인을 목격했다. 이 노인은 칠면조를 잡기 위해 큰 상자 위에 문이 달린 덫을 설치해 두고 있었다. 이 문은 받침대를 이용해 열려 있는데, 이 받침대는 수십 미터 바깥에서도 잡아당길 수 있도록 줄로 연결돼 있었다. 또 칠면조를 유인하기 위해 상자 바깥으로부터 안쪽으로 옥수수를 조금씩 일직선 형태로 흩뿌려 놓았고, 칠면조가 일단 상자 안으로 들어오면 훨씬 더 많은 옥수수가 있음을 발견할 수 있도록 상자의 안쪽에는 옥수수를 가득 쌓아두었다. 상자 안으로 칠면조가 들어가면 노인은 줄을 잡아당겨 받침대를 쓰러뜨리고 문은 닫혀 버리는 것이다. 문은 한 번 닫히고 나면 다시 열 수 없다. 결국 받침대에 연결된 줄을 잡아당겨야 하는 순간은 가장 많은 칠면조가 상자 안으로 들어갔을 때가 되는 셈이다.

어느새 상자 안에는 열두 마리의 칠면조가 들어왔다. 그러다 한 마리가 빠져나가 열한 마리가 되었다. "아차, 아까 열두 마리가 되었을 때 줄을 잡아당겨야 했는데…." 노인은 속으로 아쉬운 마음을 달랬다. "조금만 더 기다리면 한 마리가 다시 들어올 거야." 열두 마리째 칠면조가 들어오기를 기다리는 사이에 다시 두 마리가 상자 밖으로 나가버렸다. "열한 마리에라도 만족해야 했어." 노인은 한숨을 내쉬었다. "이제 한 마리라도 더 들어오면 그때는 무조건 줄을 잡아당겨야지." 이후 세 마리가 더 나갔지만, 노인은 한때 열두 마리까지 들어왔었다는 생각에 적어도 여덟 마리는 잡아야 체면이 설 것 같았다. 노인은 상자 안에 들어왔던 칠면조들이 다시 돌아올 것만 같은 생각을 떨칠 수가 없었다. 마침내 마지막 남은 칠면조 한 마리마저 상자 밖으로 나가버리자 노인은 이렇게 읊조렸다.

"한 마리가 더 들어오기를 기다린 것인가, 아니면 저 마지막 한 마리마저 나가기를 기다렸단 말인가. 어쨌든 이젠 끝나버렸군." 결국 노인은 빈 상자를 들고 집으로 향해야 했다.

주식 투자자들의 심리가 이와 다르지 않다. 나갔던 칠면조가

한 마리라도 더 상자 안으로 들어오기를 바라는 마음이다. 하지만 이때야말로 상자 안의 다른 칠면조들마저 모두 나가버릴 수 있는 상황이다. 매도의 판단을 단순히 매수한 가격에 따라 결정하고, 이미 매도세가 매수세보다 강해 하락 전환하는 것을 보면서도 눌림목 후 다시 상승할 것 같은 마음이 든다. 자신의 잘못된 판단과 이미 발생한 손실을 인정하기 싫은 마음은 결국 손실로 돌아온다.

이 얘기를 듣는 대부분의 투자자들은 웃음을 짓는다. 그 웃음의 의미는 절대 공감일 것이다. 주식을 매수할 때는 상당히 신중하게 결정한다. 하지만 결국 수익을 내고 그 주식을 매도하는 경우는 확률이 현저히 떨어진다. 우리들의 마음속에 자리잡은 욕심과 미련, 그리고 주관적인 상황 판단 때문이다. 욕심과 미련 때문에 칠면조를 한 마리도 잡지 못하고 집으로 돌아간 노인이 잃은 것은 그날 하루의 시간이다. 그러나 주식 투자자의 욕심과 미련은 수익금이 줄어들거나 원금의 손실로 이어진다. 마지막 한 마리 칠면조마저 나가고 나면 손실이 커져간다.

수익을 주었던 주식이라면 손실이 난 이후에는 더더욱 매도하지 못하게 된다. 언제든지 바로 나갔던 칠면조가 돌아올 것처럼 주가는 다시 상승할 것 같기 때문이다.

주가가 상승을 하면 주변의 상황이 모두 좋아 보이고, 전문가들조차도 장밋빛 전망을 내놓는다. 그런 경우 욕심이 나는 것은 인지상정이다. 주가가 최고조일 때 매도하지 못하는 것은 대부분의 투자자가 마찬가지이다. 그러나 주가가 다시 내려가기 시작할 때부터는 판단의 차이가 생긴다. 어떤 투자자들은 미련 없이 매도하고, 어떤 투자자들은 미리 정해둔 매도 신호가 발생할 때까지 기다렸다가 실행할 것이다. 반면 손실이 날 수 있는 단계에 이르러 매도하는 투자자도, 끝까지 팔지 않고 기다리는 투자자도 있을 것이다.

칠면조 이야기에서는 한 번 줄을 당기면 그것으로 그 칠면조 잡이는 끝이다. 처음부터 다시 시작해야 한다. 그러나 주식 투자에서는 여러 번 나눠서 잡아당길 수 있다. 잡아당겼다가도 아니다 싶으면 다시 설치해도 된다. 분할 매도도 할 수 있고, 매도 후에도 언제든지 다시 살 수 있다. 주가가 올라서 거래량이 폭증하고 가격도 빠르게 급등하는 순간이 되면 대박의 욕심이 생긴다. 그때부터는 분할 매도하여 단 몇 마리의 칠면조라도 챙겨두어야 한다. 그리고 기다려도 된다. 주가가 매수 가격까지 내려온다 하더라도 이미 일부 수익을 내어 매도했기 때문에 실패한 투자는 아니다. 매수 가격까지 하락하면 미련 없이 매도할 수 있는 심리가 보장된다. 미리 확보한 이익은 심리적 안정을 주기 때문이다.

손절매와 익절의
마음 차이

　보유 주식이 하락할 때 매도하면 손실을 확정하지만, 보유하면 손실을 회복할 수도, 더 큰 손실이 날 수도 있다. 주가가 상승할 때도 마찬가지이다. 당장 매도하여 이익을 확정할 수 있지만, 보유하여 더 큰 수익을 낼 수도 있고 반대로 수익이 감소하거나 손실로 마감할 수도 있다. 주가 등락에 따라 심리의 변동은 시시각각 변한다. 기대와 욕심, 실망과 두려움이 매매 타이밍을 어렵게 한다. 대부분의 투자자는 상승하는 주식은 약간의 이익만 낸 후 매도하고 하락하는 주식은 보유하여 큰 손실인 상태로 있거나 시간이 많이 지난 후에 더 큰 손실로 매도하고 만다. '손실 혐오'의 심리 때문이다. 주식 시장의 큰 변동성을 감안할 때 손실 혐오는 주식 투자에서 가장 큰 걸림돌이 된다.

실전 투자에서는 상승하는 주식이 아니라 하락하는 주식을 매도하는 것이 맞다. 상승하던 주식이 하락하면 조정이라고 생각하고 매수 유입이 되지만 하락하던 주식이 추가로 떨어지면 '도저히 못 참겠다', '역시 이 주식은 안되겠다'는 심리가 투매를 만든다.

거의 모든 투자자들은 매도를 어려워한다. 자신이 팔면 오르고 사면 내린다고 한다. 푸념처럼 얘기하지만 반복되면 심리적 오류로 인한 실수를 하게 된다. 누구나 늘 성공할 수는 없다. 다만 성공 확률을 높이려고 노력하는 것이다. 베이브 루스는 역사적인 홈런왕이지만 가장 많은 삼진아웃을 당한 선수이기도 하다. 주식 투자에서는 모든 투자에서 성공하는 것, 즉 '빈도'가 아니고 수익률의 '크기'가 중요한 것이다.

자신도 모르게 발동되는 손실 혐오로부터 벗어나기 위해서는 어느 정도의 손실을 감당할 것인지를 사전에 정해두는 것이 좋다. 매번의 거래에서 손절매를 정하는 것처럼 전체 자산 중 투자 중단의 한도를 정하는 것이다. 극한 두려움으로 실수를 하지 않기 위해서는 소위 '몰빵'하지 않는 것도 방법이다. 절대 수치는 심리를 자극할 수 있다. 두 개의 종목에서 500만 원씩 손실 난 경우보다는 한 개의 종목에서 1,000만 원의 손실이 났을 때 두려움이 더 크기 때문이다. 기업 가치에 투자하였다면 시장에서 조금 떨어져 있는 것도 방법이다. 급변하는 시세를 보면 금방이라도 급등 또는 급락할 것 같은 마음에 흔들릴 수 있기 때문이다.

어떤 주식이든, 매도의 판단은 간단하다. 지금 현금을 보유하고 있어서 주식을 산다고 가정할 때, 현재 보유하고 있는 주식을 사야 한다고 판단되면 보유, 사야 할 주식이 아니라고 판단되면 매도해야 한다. 현재 수익인가 손실인가가 중요한 것이 아니다. 많이 올랐지만 지금이라도 사고 싶은 주식은 더 보유해야 하고 많이 내렸지만 사고 싶지 않다면 매도해야 한다. 1억 원의 자산으로 투자하면서도 계좌에 200~300만 원어치의 주식을 다수 보유하고 있는 경우를 많이 보게 된다. 크게 손실이 난 종목도 전체 자산에서 큰 비중이 아니라는 생각으로 매도하지 않았기 때문이다. 어떤 이유이든 의미 없는 주식들을 보유하고 있는 것이다. 매도하든, 아니면 추가 매수하든 의미 있는 투자로 만들어야 한다.

시장이 상승할 땐 시장에서 좀 멀리 있어야 수익을 극대화할 수 있다. 보유 주식이 급등하면 며칠 여행을 갔다 와야 더 큰 수익을 낼 수 있다. 눈으로 보고 있으면 다시 하락할 것만 같은 마음에 매도하게 된다. 시장이 강세일 때는 웬만한 주식은 그냥 보유하는 것이 수익률이 높다. 사고팔고 해봐야 좋은 주식을 놓치는 상황만 된다. 반면 시장이 하락할 땐 좀 더 시장을 가까이에서 들여다봐야 한다. 어떤 주식을 매도해야 하고 어떤 주식을 보유 또는 추가 매수해야 하는지를 구분해 내야 한다. 시장이 하락할 땐 거의 모든 주식이 하락하지만 상승할 땐 일부만 오르기 때문에 시장이 다시 상승할 때를 대비하여 보유 주식의 비중을 조절해야한다. 주가가 상승할 땐 이미 만들어진 수익의 감소에 대한 두려움, 하락할 땐 손실을 확정하지 못하는 회피 심리가 자꾸만 매매를 거꾸로 하게 만드는 것이다.

최종 승자는
자금 관리 성공자

주식의 경우 대체로 상승은 길고 추세적이며 하락은 짧은 시간에 급격히 이루어진다. 장기 보유하여 단 한 번의 투자로 큰 수익을 내는 경우가 아니라면 대체로 성공 투자자의 자금 곡선은 아래 그림과 같다. 수익과 손실을 연속하면서 원금 유지 또는 소

| 성공하는 투자자의 자금 곡선 |

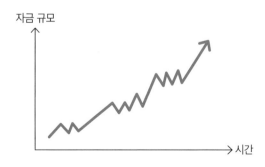

폭 손실을 내지만, 서너 차례의 투자 중 한 번은 비교적 큰 폭으로 수익을 내어 단계적으로 레벨업되는 과정이 있다. 야구에서 타자의 타율이 3할 이상이면 훌륭한 타자이듯 열 번의 투자에서 한두 번의 큰 수익이 결국 자금 곡선을 우상향하게 한다.

투자에서 매번 성공하기란 쉽지 않다. 성공 투자는 수익을 낼 때 큰 폭으로 마감할 수 있어야 한다. 중간중간의 손절매는 수익을 내기 위한 과정일 뿐이다. 자신의 판단이 틀렸거나 확신이 없는 주식에 물타기 하지 말고 수익이 나고 있는 주식에 집중해야 한다. 수익이 난 주식이 결국 원금을 불려준다. 새롭게 주식을 매수할 때에는 손절매의 폭보다 기대 수익의 폭이 월등히 높은 주식을 선택해야 한다. 잔고에는 수익률이 점차 높아지고 있는 주식들로 채워야 한다.

반면 실패한 투자자의 원금 곡선은 아래와 같다. 조금씩 조금씩 몇 차례 수익을 내지만 한 번의 판단 실수로 큰 손실을 보고 만다.

| 실패하는 투자자의 자금 곡선 |

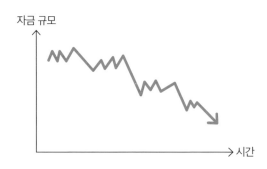

시장이 좋을 때 조금씩 수익을 내지만 시장이 급락할 때 큰 손실을 피하지 못하는 경우다. 손실인 주식에 물타기를 해 더 큰 손실을 초래하거나 약간의 이익에 고무되어 더 큰 자금을 투입한 후 크게 손실을 내는 경우도 많다. 수수료와 세금, 그리고 손절매를 두려워하는 보수적 성향일수록 실패하는 원금 곡선이 될 확률이 높다.

역사적으로도 시장의 흐름을 보면 긴 장기 추세 상승을 하는 반면, 하락은 아주 짧은 시간에 원금을 까먹을 정도로 큰 손실을 가져온다. 물론 그 시기를 참고 견뎌내어 다시 수익 구간으로 진입할 때까지 보유하는 투자자도 있다. 그러나 대부분의 경우 인내심이 바닥나거나 급한 돈이 필요하게 되어 손실로 매도하는 경우가 많다. 흔히 '주식 투자는 버는 것보다 잃지 않는 것이 중요하다'고 한다. 잃지 않고 있으면 수익의 기회는 언제든 다시 찾아온

| S&P500의 장기 흐름(긴 상향 짧은 급락) |

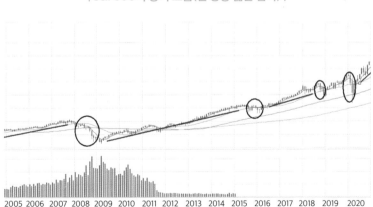

다는 것이다. 시장이 좋을 때 잃지 않는 것은 쉽지만 시장이 급락할 때 잃지 않는 것은 어렵다. 시장이 좋을 때 성공 투자자의 원금 곡선처럼 수익을 최대한 챙겨두어야 시장이 좋지 않을 때 손실이 나더라도 원금을 지키거나 소폭 손실로 방어하며 다음번의 좋은 시장에서 레벨업할 수 있는 기회를 준비할 수 있다.

큰 손실을 방어하는 전략은 특별하지 않다. '먹을 게 없는 시장'에서는 한발 물러서 있거나 머뭇거리지 않고 빠르게 매도하는 것이 최선이다. 타인의 자금으로 운용하는 기관들은 기계적인 손절매(로스컷)에 익숙하다. 반면 적은 액수에도 심리적 영향을 받는 개인 투자자들은 손절매에 익숙치 않다. 늘 주저하고 머뭇거린다. 지금 손실을 확정지으면 다시 복구하지 못한다는 심리, 끝까지 참고 기다리면 결국 주가는 다시 올라올 것이라는 심리가 작은 손실을 크게 키우는 것이다.

투자라는 개념을 좀 더 넓혀 생각해 보면 투자에서 발생하는

| 코스피의 장기 흐름(긴 상향 짧은 급락) |

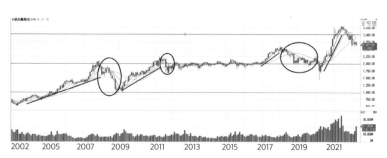

익절과 손절도 중요하지만 투자를 잠시 멈추는 시간도 중요하다. 각각의 투자에서 손절매를 '스톱 로스Stop Loss'라고 한다면 투자의 멈춤은 '스톱Stop'이다. 여기서 스톱이 영원한 멈춤을 말하는 것은 아니다. 투자 실패로 인한 슬럼프에서 잠시 쉬는 것이다.

멈춤의 기준은 손절매의 기준과 마찬가지로 투자자들마다 다르다. 어떤 투자자는 50%의 손실이라도 분발하여 다시 원금을 복구하고 이익으로 계좌를 전환시킬 수 있다. 어떤 투자자는 20~30%의 손실만으로도 심리적으로 위축되고 정상적으로 투자하지 못할 것이다. 따라서 자신이 감당할 수 있는 손실률 또는 금액의 한도를 정해두고 그 수준에 이르면 시장 상황과 개별 주식의 움직임과 상관없이 일단 자신의 투자를 멈추는 것이 좋다. 세상의 일이 잘될 때는 더 잘되고 안될 때는 아무리 노력해도 잘 안되듯이 주식 투자도 마찬가지이다. 모든 투자에서는 심리가 중요하게 작용하기 때문이다.

다음의 그림은 투자에서 손절매와 그동안 진행했던 투자를 멈춰야 하는 기준을 도식화한 것이다. 스톱의 상황까지 가지 않기 위해서는 선제적으로 스톱 로스가 잘되어야 한다. 주식을 매수함과 동시에 익절과 손절의 원칙을 세워두어야 한다. 익절은 목표 주가가 되었을 때 분할 매도하는 것이 일반적이나 조금 더 세련되게 매도하는 방법으로는 '트레이딩 매도'가 있다. 상승하는 주

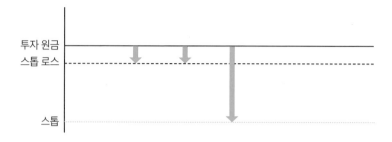

식도 중간중간 조정 하락을 하며 상승한다. 따라서 조정 하락 구간마다 매도 가격을 새롭게 결정하는 것이다. 가령 주가가 1만 원에서 2만 원이 되었다면 2만 원에서 추세선과 수급 영역을 고려해 매도 기준가가 16,700원이 될 수 있다. 그 가격을 지키면 보유하고 깨면 매도하는 것이다. 이 주식이 다시 상승하여 3만 원이 되었다면 그다음 매도 가격은 16,700원이 아닌 25,600원 전후로 새롭게 형성될 것이다.

또 한 가지, 손실 난 계좌에는 추가 입금하지 않아야 한다. 일반적으로 원금이 커지면 손실 복구가 빨라질 것이라고 생각하기 쉽지만 수익은 투자 원금의 크기로 결정되는 것이 아니다. 선순환이 되어 투자가 잘 이루어지면 생각보다 빨리 큰 수익을 얻을 수 있다. 모든 투자에서 익절과 손절의 원칙을 정하듯이, 스톱 라인도 최초 투자할 때 정해두는 것이 필요하다. 만일 그 선까지 원금 손실이 났다면 시장과 싸우지 말고 한 발 물러서서 체력을 키우고 심리를 안정시키는 게 좋다. 그 후엔 추가 입금도 고려해 볼 수 있다.

　지금까지 성공하는 투자자, 실패하는 투자자의 원금 곡선을 살펴보았다. 성공하는 원금 곡선을 그리기 위해서는 자금을 관리하는 심리가 더 중요하다. 안타깝지만 심리를 컨트롤하기란 여간 어려운 게 아니다. 그렇기 때문에 손절매, 익절의 규칙을 만들어 사용하는 것이다. 강제로 성공하는 투자자의 곡선으로 만드는 방법 중의 하나는 '수익금의 출금'이다. 특히 실패하는 투자자의 곡선을 피하기 위해서는 꼭 필요하다. 자금이 커질수록 한 번의 실수로 크게 원금 곡선이 하락할 수 있다는 점을 고려할 때 투자 원금을 유지하면서 늘 비슷한 투자 환경을 만드는 것이 중요하기 때문이다. 아래 그림은 수익금의 출금을 도식화한 것이다.

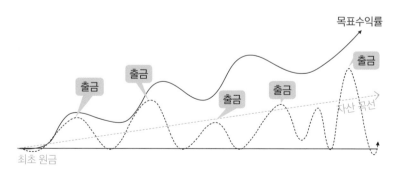

| 성공하는 투자자의 자산 곡선 |

자신의 자금 관리 능력과 시장의 유동성을 고려하여 적절한 투자 원금을 유지하는 것이 중요하다. 투자 원금에 따라 거래 기법도 다르고 거래할 주식도 달라지기 때문이다. 자금 관리 능력은 하루아침에 만들어지는 것이 아니고 천천히 쌓여간다. 성공하는 투자자의 자산 곡선은 그림의 파란 점선처럼 만들어져야 한다. 중간중간 큰 손실로 하락하는 것을 방어하기 위하여 수익금을 출금하는 것은 좋은 방법이다. 원금에 비례해서 큰돈을 버는 것은 아니다. 적은 원금이라도 투자의 성공이 연속적으로 이루어질 때 어느덧 큰 수익이 된다. 초심을 유지하고 투자 원칙을 지키려고 하다 보면 수익을 낼 수 있다. 수익이든 손실이든 투자 성공의 근본은 자금과 심리 관리이다. 기계적으로 관리할 수 있는 자신만의 방법론을 정해두고 따르는 것 역시 투자를 성공으로 이끄는 좋은 길잡이가 될 것이다.

박병창의 돈을 부르는
매매의 심리

3장

시황 판단의
마음

미래의 예측은
시나리오

주식 투자를 하면서 가장 많이 보는 것은 숫자이다. GDP(국내총생산), PMI(구매관리자지수), CPI(소비자물가지수), PPI(생산자물가지수), 환율, 금리 등등이 시장을 움직이는 숫자들이고 재무제표상의 매출, 영업이익, 순이익, 영업이익률 등은 주가를 움직이는 숫자들이다. 숫자들의 추세와 변화는 시장의 미래 가격을 예측하는 도구로 사용되고 그 숫자들을 조합하여 알고리즘을 만들기도 한다. 심지어 AI 기능을 탑재해 미래 가격을 예측하고자 하는 시도도 이루어지고 있다. 기술적 분석이 그렇듯이 투자자 다수가 그 숫자를 신뢰하고 추종하면 잘 맞고, 신뢰가 약해지면 숫자는 맞지 않게 된다. 과거의 숫자로 시장을 해석할 수는 있지만 과거 및 현재의 숫자로 미래를 예측하기는 어렵다. 결과는 주가의 움직임에서 확인할 수 있다. 주가는 미래 이익을 예측하여 현재 가치로 환산한 것이다. 그래서 어떤 기업은 현재 이익이 매우 좋음에도 하락하고 어떤 기업은 적자임에도 상승하는 것이다.

　IMF, 미국의 연준, 월가 IB 등에서는 매년 분기별 경제 성장률, 물가 등의 예측치를 내놓는다. 내로라하는 전문가들이지만 빗나가는 경우가 많다. 매번 예측치를 내놓을 때마다 수정을 거듭한다. 글로벌 경제 환경이 시시각각으로 변화하기 때문에 당연히 정확할 수 없다. 통계적으로 예측치를 내놓고 확률을 높이기 위해 노력하는 것이다. 많은 전문가들은 그 기관의 자료를 바탕으로 자신의 주장을 편다. 우리는 역사적으로 엉터리 예측이나 주장을 많이 경험해왔다. 1997년 12월 한국 정부는 외환 보유고의 숫자를 토대로 디폴트 위기는 없을 것이라는 대국민 연설을 내놓았지만 일주일도 안 되어 국가 부도를 선언했다. 2008년 9월 리먼브라더스는 손실 감수 능력을 측정하는 자기자본비율이 11.7%였다. 골드만삭스, 뱅크오브아메리카보다 높은 수치였다. 그러나 리먼은 곧 파산했다. 2008년 미국발 글로벌 금융위기를 겪으면서 각종 지표들은 최악을 가리켰고, 전 세계 석학들은 향후 수십 년간 미국 경제는 회복되기 어렵다고 전망했다. 하지만 주식 시장은 1년 만에, 경제는 몇 년 만에 정상으로 회귀했다. 영국이 EU에서 탈퇴하는 '브렉시트'가 현실화되면 유럽에 혼란이오고 영국 경제는 파탄할 것이라고 전문가들은 예측했지만, 아무 일도 일어나지 않았다. 2020년 코로나 팬데믹으로 경제 성장률은 마이너스 30%에 육박하였지만 주식 시장은 몇 개월 되지 않아 복구되었다. 오히려 비정상적인 상승을 하여 비정상이 정상으로 회귀하는 하락을 겪어야 했다.

숫자는 측정하기도 쉽고 공식화하기 쉽다. 정보 공유의 시대에 걸맞게 적시에 제공하고 있다. 그러나 미래의 예측 영역인 투자는 과거와 현재의 숫자만이 아닌 다른 '무언가'가 작용하고 있다. 우리는 주가를 얘기할 때 숫자의 변화를 기본으로 얘기하지만 그것만으로 설명이 되지 않을 때 '스토리'를 가져다 붙인다.

우리들이 사는 세상은 늘 이론적이지도, 늘 과거와 똑같지도 않다. 질병이 확산되기도 하고, 전쟁이 일어나기도 하고, 자연재해가 경제적 환경을 바꿔버리기도 한다. 옛 영국의 지하 탄광에서 유독가스가 새면 가장 먼저 쓰러져 위험을 알렸다는 동굴 속 카나리아처럼 전 세계 경제 환경, 금융 시스템을 혼란스럽게 하는 것은 사소한 사건에서 시작된다. 숫자의 믿음이 깨지는 것은 사람들끼리의 약속이 깨지는 것과 같이 어느 누군가가 처음일지 모르는 불신으로부터 시작된다. 숫자에 대한 믿음이 약해지면, 온갖 비주류의 논리들이 시장을 지배한다. 대표적인 것이 '밈 주식'이다. 파산 직전에 있었던 기업이었지만, 세상의 비정상적 상황에서 유행을 잘 타면 엄청난 주가의 상승이 나타나기도 한다. 중요하지도 않았던 약품의 제약주가 코로나 팬데믹이 발생할 때 밈의 유행을 타고 급등하였다. 우크라이나 전쟁이 벌어지면서 이름도 없었던 광산 기업의 주식이 모든 투자자들이 매수하고 싶은 주식으로 탈바꿈하기도 하였다.

측정하기도 어렵고 정형화하기도 어려운 미래의 예측 영역인 주식 시장에서 사람들은 희망, 환희, 꿈, 두려움, 불안감 등의 감정을 내재한 상태로 투자를 한다. 미래 가치 판단이 어려워질수록 투기가 더 성행한다. 이론적인 가치에서 벗어나는 가격 변동이 크면 클수록 투자자들은 감정에 더 흔들린다. 판단 기준이 없거나 잘 맞지 않는 상황에서 어떻게든 판단을 해야 한다면 다분히 자조적일 수밖에 없다. 흔히 코인의 내재 가치는 0이라고 한다. 그러나 전 세계 수많은 사람들이 투자하고 있다. 세상에는 숫자로는 알 수 없는 것들이 많다. 세상을 반영하는 주식 시장이기에 숫자로는 판단할 수 없는 상황들이 벌어진다.

고정화된 틀(숫자)을 만들어놓고 그것에 집착하고 고집하다가는 숫자의 한계에 부딪치는 상황에서 합리적 설명을 하지 못할수 있다. 우리는 그런 세상에 살고 있고, 투자를 하고 있다. 늘 세상을 바라보고 나름의 판단을 하는 통찰력이 숫자보다 중요하다. 세상을 통찰할 수 있는 직관은 경제학을 공부한다고 얻어지는 것은 아니다. 세상을 다방면으로 이해할 수 있는 인문학적 소양이 보다 더 중요할 것이다. 시세를 보기보다는 세간의 뉴스에 관심을 가져야 한다. 종목 이슈보다는 산업 뉴스에 관심을 가져야 한다. 주식 시장을 움직이는 이론적인 숫자는 금리와 환율이면 족하다. 실전 투자의 대부분은 세상의 변화에 연동하는 산업의 변화, 기술의 변화를 읽어내는 것으로부터 시작된다.

단순화가 관건

주식 투자를 처음 시작하는 대부분의 투자자들은 호기롭게 높은 수익률을 꿈꾼다. 주식 투자자들끼리는 '대박나세요'가 일상의 인사이다. 투기가 아닌, 투자로 성공하기 위해 재무제표를 공부하고 차트를 들여다보고 전문가가 쓴 글을 읽고 방송을 듣는다. 열심히 재무회계 공부를 하다 보면 어느 순간, '내가 애널리스트도 아닌데 너무 깊은 공부를 한다' 싶어 일정 시점에 그만두게 된다. 기본적인 차트 공부를 마치고 각종 보조지표들을 살피고 변수값에 대한 고민을 하기 시작할 즈음이 되면 '내가 전문 트레이더도 아닌데, 이렇게까지 할 필요가 있나?' 싶어 그만둔다. 수많은 전문가들의 방송을 꾸준히 듣다가 문득 '뭐 그리 잘 맞지도 않네' 하는 생각이 들고, 그때부터 그들의 조언은 스쳐 지나가는 소음이 된다.

세상의 거의 모든 물음과 공부의 과정은 '무엇'과 '어떻게'로 구성되었다고 한다. 현재 우리가 대하고 있는 현상은 '무엇'으로 구성되어 있는가? 그러한 현상은 '어떻게' 변화되어 왔는가를 탐구하는 일인 셈이다. 철학자들은 '세상을 이루는 물질은 무엇인가', '이 세상은 어떻게 만들어졌는가?' 같은 고민거리들을 주제로 토론해 왔다. 그러나 우리 대부분은 이런 문제에 대해 별로 관심이 없다. 그럼에도 그저 탁상공론 같은 고대 동서양 사상가들의 논리를 공부하는 것은 아마도 현재 우리의 삶에 충분히 공감을 주기 때문일 것이다. 시시하고 재미없고 해답이 없을 것 같은 물음을 통해 그것이 정답이 아닐지라도 자신만의 결론을 도출하는 것이 우리의 삶에 있어서는 중요하다.

주식 투자를 잘하기 위해서는 '무엇'을 공부해야 할까? 공부해야 할 그 '무엇'은 결국 주식 시장을 움직이는 '무엇'이 될 것이다. 우리는 흔히 환율과 금리를 기본 축으로 하는 경기 사이클 또는 유동성(돈)과 경기(기업 이익)를 그 '무엇'으로 꼽는다.

환율은 해당 국가의 정치·경제적 상황과 외환 유출입, 수출입 동향, 상대 국가 통화와의 비교 등에 의해 결정된다. 금리는 경기에 따른 수요, 수요(혹은 공급)에 연동한 물가, 물가에 연동한 기준 금리와 시중 금리의 변동에 따라 일어난다. 유동성은 경기 상황에 따라 이루어지는데 경기가 위축되면 시중에 돈을 풀고, 경기가 확장되면 시중의 돈을 회수한다. 국가적으로 위기가 발생하면 중앙은행뿐 아니라 재정 담당 행정부에서도 돈을 풀어 경기 회복을 꾀한다. 기업 이익은 각각의 산업에 따라 성장과 하락 사이클이 다르게 나타나지만, 세계 및 국가의 경기 사이클에서 크게 벗어나지는 못한다. 개별 기업의 이익은 핵심 기술을 바탕으로 신제품 출시와 시장 침투, 마케팅 등에 영향을 받는다. 개별 기업의 이익이 증가하면 시장의 시가총액이 증가한다. 즉 시장이 상승한다.

주식 투자에 성공하기 위해서는 '어떻게' 투자해야 할까? 호기롭게 주식 투자를 시작한 사람이라도 시간이 가면 갈수록, '이건 내가 공부한다고 되는 것이 아니구나' 하는 생각이 들기 시작한다. 좀 더 시간이 지나면 '주식 투자의 성공은 공부가 아니고 운이 90% 이상이야'라고 자신을 설득한다. '공부한다고 모두 돈 벌면 경제, 경영, 재무학과 교수들이나 회계사들은 다 부자일 거 아냐' 하고, '기업을 잘 아는 것이 핵심이라면 애널리스트들은 다 부자여야 되잖아. 다 부질없는 짓이야'라며 좌절하고 만다.

중요한 것은 과정에서 배운다. 공부하는 과정에서 배우고, 공부한 것을 실천하여 투자하는 과정에서 다시 배운다. 공부를 하다 보면 전문가들의 대단한 이론인 줄 알았던 것이 사실 별거 아니라는 것을 알게 되고, 주식 투자도 별게 아니라고 생각하게 된다. 그러나 이론을 바탕으로 실제로 투자를 하다 보면 처절하게 실전 투자의 어려움을 깨닫게 된다. 말로만 떠들었던 이론가들의 '말'이 원망스럽기도 하다. 주식 투자는 아무나 할 수 있는 게 아니라는 생각마저 들고 급기야 좌절하고 포기하고 만다.

'선무당이 사람 잡는다'고 세상의 모든 것들은 처음 배우기 시작할 땐 어렵지만 조금 익숙해지면 만만해지고 하찮아 보인다. 시를 처음 배우는 문학도들은 온갖 어려운 단어를 총동원해 자신도 이해하지 못할 시를 써내려간다. 세상의 거의 모든 남자아이들은 자신이 축구 신동이라고 생각한다. 인문학자들은 나이 드신 어르신보다 더 어른스럽게 얘기한다. 그런 과정을 넘어서야 비로소 단순화할 수 있다. 어린아이들도 읽고 느낄 수 있는 시를 쓰게 되고, 축구선수들의 대단함을 칭찬할 수 있고, 세상의 깊이를 몸소 체험하신 어르신들 앞에서 겸손할 수 있다.

세상엔 공짜가 없다. 돈은 더욱더 그렇다. 공부하고 실전 투자하는 과정 속에서 자신만의 투자 원칙, 투자 철학이 만들어진다. 투자 원칙은 가장 간단한 것이 가장 효율적이다. 전문가들이 간단한 원칙을 얘기하는 것을 들으며 '별것 아니네'라고 생각한다면 당신은 아직 멀었다.

생각은
아웃소싱할 수 없다

과연 확실한 것은 있을까? 눈에 보이는 것마저 착각이나 꿈일지 모른다고 생각한 동서양의 철학자들이 있었다. 현실의 객관적 사실에서도 그러한데, 미래 상황에 대한 예측을 확실하다고 주장할 수 없다. 주식 투자는 미래의 주가, 투자하고자 하는 기업의 미래 이익을 추정해 투자하는 것이다. 확실한 것은 아무것도 없다. 단지 '확률적으로' 투자하는 것이다. 세상의 수많은 전문가들은 미래의 상황에 대해 끊임없이 얘기한다. 그들의 논리를 듣는 투자자들은 때론 공감하기도 때론 억측에 화가 나기도 한다. 그러나 그들의 주장이 '맞고 틀리고'를 따져 묻는 투자자가 있다면 어리석다. 아무도 확실하지 않다는 것을 이미 알고 있기 때문이다.

그럼에도 끊임없이 공부하고 논리의 확률적 정확성을 따져보는 것은 그 과정이 결과보다 중요하기 때문이다. 다른 사람의 생각을 자신의 머리에 그대로 옮겨 담을 수 없다. 그것은 옳지도, 맞지도 않다. 스스로 고민하는 과정이 있어야 맞든 틀리든, 자신만의 결론을 만들어낼 수 있다. 많은 전문가들이 조언한다. "맞든 틀리든 자신만의 시황관을 가지고 있어야 합니다. 그래야만 자신의 판단이 틀렸을 때 반대 포지션을 취할 수 있고, 맞았을 때 큰 수익을 낼 수 있습니다. 자신만의 기준이 없으면 오르면 오르는 대로, 내리면 내리는 대로 이유를 알 수 없으니 허둥대고 심리적으로 힘들 수밖에 없습니다."

나는 주식 투자 강의에서 '시황 → 주도 산업 → 주도주 → 차트, 수급 → 매매 타이밍'의 순서를 강조한다. 시황 판단의 근간은 금리와 환율이다. 주도 산업 분석의 기본은 정책과 산업사이클이다. 주도주는 이익성장률이 가장 높은 해당 산업의 주력 기업이다. 차트는 우상향하고 있어야 하며, 수급은 여러 기관이 동시에 매수하여 보유하고 있는 주식이 좋다. 매매 타이밍은 투자자들의 심리가 투영된 양봉과 음봉 그리고 장중 흐름을 보고 판단한다. 목표 주가는 그 기업의 미래 이익 가치로 판단한다. 만일 숫자로 표기되는 유용한 지표들을 해석하는 것이 수익으로 연결된다면 대부분의 전문가들은 큰돈을 벌었어야 한다. 하지만 현실은 아쉽게도 그렇지 않다. 다른 중요한 무언가가 있는 것이다.

주식 시장의 흐름, 즉 주가의 움직임은 이론대로 움직이지 않는 경우가 많다. 비이성적 투자 행위로 인한 가격 왜곡, 시장이 미리 반영하지 못하는 돌발 변수들, 수급 왜곡으로 발생하는 가격 변동성 등은 이론적 영역이 아니다. 사후적으로는 해석이 가능하나, 예측하지 못한다. 대응의 영역일 뿐이다.

정확한 판단이 어렵기 때문에, '확률적으로 판단하는 것'이라고 한다. 맞히지 못하기 때문에 '분할 매수 및 매도를 해야 한다'고 한다. 확실한 것은 없다. 어차피 확실한 것은 없으니 복불복으로 투자하면 될까? 주식 투자자들이 하는 말 중에 '기도 매매'란 말이 있다. 주변에서 추천한 주식을 매수해 놓고 오르기를 '기도'한다는 의미의 자조적인 표현이다. 심지어 증권사 직원들조차 주식을 매수하고 '자, 이제 기도합시다'라고 농담을 하곤 한다. 그렇다면 우리는 모두 운에 맡겨 투자를 하고 있는 것인가? 월가의 펀드 매니저들보다 원숭이들의 수익률이 더 좋았다는 실험은 정말 진실일까? 끊임없이 투자 전략(기법)을 공부하는 이유가 운에 맡기는 투자가 창피하니, 뭔가 수학적, 과학적으로 보이고 싶은 심리는 아닐까? 그것이 수익률에 절대적으로 상관관계가 없다면 공부라는 것이 부질없지 않은가?

많은 전문가들이 사용하고 있는 판단의 지표들이라 할지라도 그것을 이용하는 사람에 따라 수익과 연결되기도 그렇지 못하기도 한다. 같은 지표를 보면서도 해석이 다르거나, 해석을 할 수 있는 능력이 다른 것이다. 흔히 책을 볼 때 행간을 읽는다고 한다. 아는 만큼 행간을 보다 더 많이, 더 다양하게 읽을 수 있다. 분석을 하는 행위는 같지만 결과는 다를 수 있는 것이다.

HTS를 열면 수십 년간의 주가 움직임을 한눈에 볼 수 있다. 그럼에도 차트나 수출입 데이터, 경기 지표 등을 자신이 직접 손으로 그리거나 엑셀에 입력하는 전문가들이 있다. 주어진 데이터를 무조건적으로 받아들이기보다 지표를 스스로 만들어가면서 자신만의 논리대로 흐름을 읽을 수 있기 때문이다. 주가 흐름을 보면서 미래 주가를 예측해 보는 자신만의 생각, 지표를 보면서 변화의 흐름을 읽어내는 자신만의 생각, 수많은 뉴스 중에서 중요한 뉴스를 골라내고 시장과 주가에 미치는 영향을 판단할 수 있는 능력, 그런 통찰은 전문가들이 가르쳐주는 것이 아니다. 도구는 공유할 수 있지만 생각은 공유할 수 없다. 결국 판단은 자기 자신이 하는 것이고 결과 역시 자신의 판단으로 결정된다. 투자에 있어서 판단의 최종 결정을 아웃소싱할 수는 없다. 그것은 오롯이 자신의 몫이며 우리는 그 판단을 위해 시행착오를 겪지만 끊임없이 그 오차를 줄이기 위해 투자 공부를 하는 것이다.

상식 지키기

주식 시장의 움직임에는 누구나 알고 있는 상식이 있다. 늘 과거와는 다르다고 하지만 시장을 올리거나 내리는 대표적인 지표들이 있고 시장은 '그것'으로부터 자유롭지 못했다. 시황의 핵심은 금리와 환율이다. 오른쪽 그림은 자본 시장의 역사적 흐름을 간략하게 나타낸 것이다.

주식 시장은 돈의 흐름에 따라 좋아졌다가 나빠지는 사이클을 주기적으로 반복했다. 경기가 좋지 않거나 자본 시장에 위기가 발생하면 금리 인하나 양적 완화 등을 통해 시장에 풍부한 유동성을 제공한다. 마치 풍선에 공기를 불어넣듯이 막대한 자금을 시장에 제공하면 주식 시장은 상승한다. 계속 자금을 공급하다 보면 거의 모든 자산 가격이 상승하고 투기적 확장이 일어난다.

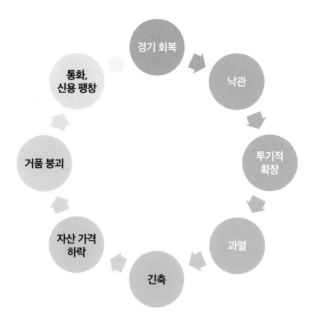

이제 중앙은행은 시장에 풀었던 돈을 다시 회수하여 버블 붕괴를 막고자 한다. 풍선에서 공기를 조금씩 빼 터지지 않고 안정적인 상태로 만들려는 것이다. 이때 금리 인상과 양적 긴축이 시작된다. 주식 시장은 처음에는 급락하며 긴축에 반응한다. 그리고 점차 하락하여 안정적인 상황이 되면 비로소 다시 반등을 시작한다. 이때 공기를 안정적으로 빼지 못하면 터지고 마는데, 금융 시스템 위기와 경기 침체로 연결되기도 한다. 돈이 흘러들어오면 시장은 상승하고 빠져나가면 하락하는 게 지극히 상식적인 흐름이다. 즉 금리 인상과 양적 긴축을 하는 시기에는 하락하고 금리 인하와 양적 완화를 하는 시기에는 상승한다. 실물 경기와는 시차가 있지만, 시장은 결국 돈의 흐름에 따라 움직인다.

외국인 투자자의 영향이 큰 한국 시장은 환율이 중요하다. 한 나라의 환율은 국가 경쟁력이다. 경기가 좋고 성장이 좋은 국가의 환율은 강하다. 반대로 취약 국가의 환율은 약하다. 환율은 미국 달러를 기준으로 상대적으로 등락하는데 유럽의 경기가 좋으면 유로화가 강세가 되고 상대적으로 달러가 약세가 된다. 세계 경기 침체가 우려되면 안전자산으로 인식되는 달러의 강세가 된다. 국가의 환율은 경제적인 요인에 의해 등락하지만 주식 시장은 환율 변동으로 인한 외국인들의 수급이 큰 영향을 끼친다. 가령 국내 경기가 좋아지고 환율이 강세(달러 대비 원화 하락)가 되는 구간에서 외국인들은 국내 주식을 매수한다. 경기가 좋아지고 있으므로 주식 투자에서 수익을 낼 수도 있지만 환율이 하락하면 환차익을 얻을 수 있기 때문에 양방으로 이익을 추구하는 좋은 기회인 셈이다. 외국인들은 달러를 원화로 환전하여 투자하므로 원화 수요가 많아지고 원화의 강세는 이어진다. 주식 시장과 경기 그리고 환율의 선순환 구조가 만들어지는 것이다.

반면 경기가 후퇴하는 시기에는 원화가 약세(달러 대비 원화 상승)가 되고 외국인들은 국내 주식에 투자하면 주가의 하락, 환율에서의 환차손이 발생할 수 있으므로 적극적으로 매도한다. 외국인들의 매도는 원화 약세를 부추기는 역할을 한다. 이렇게 되면 '기업 실적 악화→ 외국인 매도 → 원화 약세'라는 악순환이 이어진다. 시가총액 기준 전체 주식 시장의 30% 이상을 보유하고 있는 외국인들의 대량 매수 및 대량 매도는 시장에 직접적인 영향을 끼친다. 결국 원화 강세 구간에서 시장은 상승, 원화 약세 구간에서 시장은 하락한다.

아주 단순하고 상식적인 사이클이다. 단기적으로 빈번히 추세 전환이 나타나지도 않는다. 금리는 한 번 오르기 시작하면 꽤 오랫동안 오른다. 내릴 때도 같다. 환율 역시 추세적으로 상승하거나 하락하기 마련이다. 미국의 중앙은행과 한국은행에서 금리를 올리려고 하면 주식 시장에서 한 발 물러서야 한다. 1~2년 금리 인상이 끝나고 안정되거나 다시 금리를 내리려고 할 때 주식 투자를 시작하면 된다. 금리 인상 구간에서 투자하여 수익을 내기란 만만치 않다. 싼 가격에 주식을 매수하여 장기 투자하려는 투자자는 금리 인상, 원화 약세 구간에서 분할 매수해야 한다. 모멘텀 투자나 단기 거래를 하는 투자자는 금리 인하, 원화 강세 구간에서 투자해야 한다.

수십 년이 지나는 동안 금리와 환율의 주식 시장 영향은 변하지 않았다. '이번에는 다르다'라는 생각을 말자. 주식 시장은 돈의 흐름으로 움직이고 돈의 흐름을 결정하는 것은 사람들이다. 사람들의 심리와 시장 반영이 변하지 않는 한 시장은 기본적인 흐름의 상식에서 벗어나지 않을 것이다. 가장 기본적이며 상식적이라고는 하지만 그것을 따르고 행동하기란 쉽지 않다. 이번에는 예외일 것 같고, 자신은 피할 수 있을 것이라고 생각한다. 시장에서 조금만 떨어져서 지켜보고, 상식에서 벗어나지 않으려 한다면 적어도 큰 손실은 피할 수 있다.

경기 침체기에 | 주식 시장이 오르는 이유

주식 시장은 경기에 선행하여 연동한다. 향후 경기 침체가 예상되면 현재 경기와 상관없이 주가는 하락한다. 현재 경기가 좋지 않지만 점차 회복될 것으로 예상되면 매수세가 유입되고 시장 상승의 모멘텀이 된다. 금융 시스템 및 경기 침체의 위기 상황이 되면 단기 급락하지만 회복도 빠르다. 기저 효과에 의해 경기와 금융 시스템이 빠르게 안정될 것이라고 판단하고 매수 유입이 되는 것이다.

우라가미 구니오는 경기 침체기에 금융장세로 전환되며 시장이 급등하고 경기 활황기에 역금융장세로 시장이 하락한다고 설명하였다. 주식 시장은 경기에 선행하여 움직이기 때문이다. 위기 상황에서는 중앙은행의 유동성 공급이 시장을 끌어올린다.

미국의 경우 1950년 이후 마이너스 성장을 기록한 전해와 당해 그리고 그 후 1년 동안의 주식 시장 등락을 통계적으로 보면 마이너스 성장을 한 해에 평균 20.5% 상승했다. 이전 1년은 평균 7.1% 하락이었으며 이후 1년은 평균 11.7%로 상승했다. 경기가 침체기로 접어들기 전엔 하락하지만 경기가 실제로 침체기로 진입한 시기와 이후에는 주식 시장이 상승했음 알 수 있다. 경기 침체기 동안의 언론은 '경제 위기'에 대해 연일 대서 특필한다. 그러나 주식 시장은 급등을 했다.

우리나라는 1998년 외환위기를 겪으면서 경제 성장률이 마이너스 6.9%에 이르는 침체기였지만 주식 시장은 그해 가을부터 강한 반등을 하면서 주가지수가 3배 폭등했다. 300p 아래의 저점에서 1,000p까지 상승하는 데 걸린 시간은 불과 1년 여였다. 2008년 미국의 금융위기 때 다우 지수는 6,469p까지 급락했으나 1년 만에 시장은 11,250p로 상승했다. 경기 지표가 좋지 않을 때 투자자들이 느끼는 체감은 몇 배 더 좋지 않다. 우리의 외환위기 때를 생각해 보면 얼마나 최악이었나를 알 수 있다. 그런데 주식 시장은 최악으로부터 상승을 한다. 여전히 경기는 좋지 않고 기업 실적 역시 부진하고 일상의 삶도 팍팍하다. 그러한 국면에서의 시장 상승은 주식 시장 밖의 사람들로서는 이해하기 어려운 행보를 한다.

2020년 봄, 전 세계는 코로나19 팬데믹이라는 초유의 사태를 맞았다. 각종 봉쇄령으로 기업들은 가동을 멈췄고 일상도 마비되었다. 당연히 경기는 순식간에 침체 국면으로 빠져들었다. 그해 2분기 GDP는 전년도 대비 미국은 -32.9%(전분기 대비로는 -9.5%), 일본 -7.8%, 독일 -10.1%, 유로존 -12.1%, 한국은 -3.3%였다. 역성장은 다음 분기까지 이어졌다. 그러나 코스피 시장은 2020년 3월 1,439p에서 시작해 1년 만에 3,096p까지 2배 이상 상승했다.

주식 시장은 경기를 선반영한다는 이론적 흐름만으로 설명할 수 없다. 물론 경기 침체기에 무작정 주식을 살 수는 없다. 향후 경기가 좋아질 것이라는 선행지표의 확인이 있어야 한다. 그러나 대부분의 시장 하락 상황에서는 비관적인 지표들뿐이다. 전문가들의 전망 역시 비관론 일색이다. 그럼에도 역사적인 투자의 구루들은 그러한 시기에 주식을 대량으로 매집하여 큰 수익을 거뒀다. 지금의 경기는 분명 좋지 않지만 이 국면을 지나고 나면 적어도 지금보다는 좋아질 것이라는 경기 흐름의 판단과 동시에 과감한 베팅을 할 수 있었던 것이다. 경기에 대한 판단보다 시장을 움직이는 확실한 기준은 중앙은행의 완화적 금융 정책과 행정 당국의 경기 부양 정책이다. 시장은 경기 지표가 아닌 돈의 힘, '수급'이 우선되기 때문이다.

자본 시장의 역사를 돌이켜 볼 때 경기 침체기나 위기의 상황이 되면 자산 가격이 폭락한다. 패닉에 빠지면서 급격하게 신용이 축소되고 거품이 붕괴된다. 위기에 봉착하면 정책 당국은 시장에 유동성을 인위적으로 공급하여 신용을 팽창시킨다. 금융 시스템을 안정화시키고 기업들의 이익을 높이는 정책을 통해 자연스럽게 경기 회복을 유도하는 것이다. 그 과정에서의 인위적인 유동성 공급, '금리 인하'와 '양적 완화'를 통해 막대한 자금을 쏟아붓고 그 자금은 주식 시장에 흘러들어와 시장을 끌어올리게 되는 것이다. 2008년 미국의 금융위기 때에도, 2020년 코로나19 팬데믹 때에도 천문학적인 자금이 시장에 뿌려졌다. 주식 시장은 가장 빠르게 그 자금을 흡수하며 상승했다.

결국 주식 시장의 강한 상승은 경기 지표가 아닌 '기저 효과'와 '유동성 효과'에 의해 나타나는 현상이다. 주식 시장 외부에서 경제를 분석하는 사람들의 눈에는 투기판으로 보일 수 있다. 2020년 팬데믹 이후 제공된 천문학적인 돈은 부동산, 암호화폐, 주식 시장을 비정상적이라 할 만큼 끌어올렸다. 주식 시장은 오랫동안 비슷한 경로를 통해 움직였다. 지금도 다르지 않다. 2022년 여름, 지금은 오히려 너무 급등한 자산 가격의 거품을 제거해야 하는 상황이 되었으니 아이러니하다. 이번 금리 인상, 양적 긴축 사이클에서도 다르지 않을 것이다. 거품이 걷히고 나면 시장은 미래의 경기 회복을 반영하며 상승할 것이다.

공감의 투자와 | 역발상

　혼히 '역발상 투자를 해야 한다'고 한다. 시장이 하락할 때 매수하고 시장이 상승하여 모두가 환호할 때 매도해야 한다는 것이다. 거의 모든 투자자들이 역발상 투자의 가치를 인정하고 그렇게 하고 싶어 한다. 그러나 막상 시장이 하락할 땐 끝도 없이 하락할 것 같고 상승할 땐 쉽게 무너지지 않을 것으로 보이기 때문에 마음처럼 쉽게 실천하지 못한다. 흔히 주식 시장은 '미인 대회와 같다'고 한다. 절대 미인보다는 군중이 아름답다고 생각하는 스타일의 미인을 뽑는 곳이라는 뜻이다. 자신만의 투자 원칙 없이 시장의 패션을 추종하다 보면 수익보다는 실패의 확률이 높다고들 하지만, 시장에는 엄연히 스타일 펀드들이 있고 그때그때 유행하는 테마가 있다.

군중이 열광할 때 차분히 빠져나올 준비를 하고 군중이 절망할 때 매수 진입을 서서히 시작하는 것처럼 개별 주식에서도 모두가 열광하는 테마나 밈 주식에 투자하기보다는 가치 대비 저평가 구간에서 소외되어 있는 주식을 매수하여 보유하면 더 큰 수익을 낼 수 있다. 역발상 투자, 소외된 가치주 투자를 해야 한다는 말은 분명 맞지만 주의해야 할 점이 있다. 우리는 시장 안에서 수익을 추구하기 때문에 시장에 역행하여 투자하는 것은 위험을 자초할 수 있다. 시장에 참여하는 군중의 쏠림에 역발상으로 판단해야 하는 것이지 시장에 역행하라는 말은 아니다. 시장은 대세 하락 추세로 움직이고 있는데 반대로 상승에 베팅하는 투자자, 시장 강세 구간에서 지수 인버스 레버리지에 투자하는 투자자, 금리 인상 시기 성장주들이 하락 전환 또는 상대 약세를 보이는 구간에서 고집스럽게 성장주에 투자하는 사람들이 있다. 단지 수급상 소외된 것이 아닌 산업 사이클이 하향하고 가치의 변화로 자칫 도태될 수 있는 산업군에서 투자하는 것 또한 역발상 투자가 아닌 그저 시대에 역행하는 투자이다.

군중은 늘 현실을 가장 정확히 반영한다. 군중은 다수 투자자들의 심리이며 심리는 수급으로 연계된다. 아무리 좋은 주식이라 하더라도 군중이 매수하지 않으면 상승하지 못한다. 가치 대비 너무 고평가되었음에도 군중의 심리가 매수하려고 하면 주가는 상승한다.

몇 해 전 선배가 "종목 하나만 추천해봐" 하길래 "○○주식이 지금은 소외되어 있지만 보유 기술이 향후 독보적으로 사용될 가능성이 있다"며 추천한 적이 있다. 선배는 "너 혼자 좋다고 해서 주가가 오르냐? 기관이나 외국인들도 관심을 가져야 주가가 상승하지" 하며 웃고 넘어갔다. 몇 해가 지나고 그 주식은 서너 배 상승을 했다. 그러나 그 선배도 나도 실제로 매수하진 않았다. 만일 매수했다 하더라도 2~3년 동안 소외되었던 기간을 고려해 보면 아마도 큰 수익은 낼 수 없었을 것이다.

주가는 군중이 공감할 때 움직이기 시작한다. 군중이 공감하는 순간에는 거래량과 거래대금이 크게 증가하며 주가 변동성도 커진다. 시장에서 관심받기 시작한 것이다(『매매의 기술』에서는 이러한 순간을 '매수의 기본 원칙'으로 소개했다). 군중의 공감 없이 외로운 투자를 하기란 쉽지 않다. 물론 외로운 투자로 성공한 주변의 지인들도 있다. 그러나 그들조차도 현재의 큰 자금을 마련하기까지는 시장과 공감하고 시장에 순응하는 투자를 하여 돈을 벌었다. 어느 정도 투자 원금이 쌓여 큰 자금이 되고 나서부터 자신만의 소신을 갖고 역발상 투자를 하고 있는 것이다.

역발상 투자는 확고한 자기 신뢰가 있어야 한다. 기업 분석에 대한 스스로의 믿음이 쌓여야 한다. 시장과 전혀 다른 방향의 투자를 하는 고집이나 아집과는 다르다. 시장에 순응하지만 지금 당장은 시장이 다른 쪽을 바라보고 있다는 것을 알고 있는 것이다. 포털 사이트에서 가장 많이 회자되는 주식은 지금 가장 핫한 주식이다. 가장 많이 언급되는 산업이 지금 가장 잘나가는 산업이다. 이익도 없는 기업의 주식을 수급으로 밀어 올리는 밈 주식들은 수급에 의한 단기 거래로 마감해야 한다. 그러나 산업 사이클과 연동하여 움직이는 수급 변화와 세상의 변화엔 공감할 줄 아는 심리가 수익을 안겨줄 수 있다. 시장에 순응해야 한다는 말은 시장의 방향은 물론이고 시장의 수급이 이동하는 경로에 순응해야 한다는 것이다. 세상의 변화에, 기술의 발전에 역행하는 것은 역발상 투자라고 할 수 없다. 우리는 늘 시장과 공감하려는 노력을 해야 한다.

상투는 탐욕이 만들고 바닥은 공포가 만든다

경험적으로 거의 모든 투자자들은 시장에 사이클이 있다는 사실을 알고 있다. 그러나 급락할 때 회자되는 온갖 악재들은 더 큰 하락에 대한 공포심을 일으키고, 보유 주식을 매도하게 한다. 강세 시장에서는 장밋빛 전망과 목표주가 상향 보고서들에 이끌려 추격 매수하게 된다.

"좋았어. 다음에 주식 시장이 급락하면 부정적인 뉴스 따위는 가볍게 무시하고, 값싼 주식을 쓸어담을 거야." 이렇게 다짐하기는 쉽다. 하지만 피터 린치의 말처럼 새로 닥친 위기는 항상 이전의 위기보다 더 심각해 보인다. 따라서 악재를 무시하는 것은 언제나 어렵다.

다음 화면은 대표적인 투자자의 심리를 나타내는 '공포와 탐

129

| 공포와 탐욕 지수 |

이전 클로즈 익스트림 극도의 공포	17
일주일 전 극도의 공포	24
한 달 전 **공포**	35
1년 전 중립	51

| 2022년 초 S&P500 주가 흐름 |

욕' 지수이다. 2022년 4월 기준 미국 금리 인상과 우크라이나 전쟁으로 투자 심리는 '극한 공포'의 구간으로 진입하고 있다.

두 번째 그래프는 2022년 연초 S&P500의 주가 흐름이다. 1월엔 금리 인상 공포, 2월엔 우크라이나 전쟁 공포로 주가는 2월까지 15% 단기 급락하였고 급기야 3월 초순에 공포와 탐욕 지수는 극한 수준까지 진입했다. 하지만 시장은 그 즈음에서 단기 저점을 형성하고 다시 상승하고 있다. 공포 지수의 쏠림은 단기이든 중장기이든 방향 전환의 중요한 시그널이 될 수 있다. 이후 장기적인 매크로 흐름에 따라 중장기 시장 방향은 다시 결정되겠지만 극단적 공포 심리는 그 순간 저점을 형성한다.

한국은행은 미국 샌프란시스코 연방은행이 발표하는 '뉴스 센티멘트 인덱스'를 벤치마킹하여 '뉴스 심리 지수'를 만들어 발표한다. 이것은 50개 매체의 경제기사를 긍정, 부정, 중립으로 분류하여 지수화한 것이다. 실제로 소비자심리지수와 상관계수는 0.75나 되고 주요 경제지표에 1~2개월 선행한다는 결과값을 얻을 수 있었다. 주요 언론은 좋을 때는 더 좋은 것을, 나쁠 때는 더 나쁜 것을 찾아서 집중 보도하는 경향이 있다. 신문 1면에 '사상 최저'라는 기사가 나오면 최저를 지나고 있고, '사상 최고'라고 하면 이미 최고를 지나고 있다고 봐야 한다. 현재 상황에서의 사실을 보도하는 언론의 한계이다. 주식 시장은 미래의 상황을 현재에 반영하며 움직이기에, 현재 좋거나 나쁜 것은 이미 반영된 것이다.

가장 대표적인 심리 지표로는 헐버트 나스닥 뉴스레터 심리 지수HNNSI(시장 전문가들에게 향후 시장에 대한 의견을 물어 만든 지표), 미국 개인 투자자 심리 지수AAII(시장 참여 개인 투자자들에게 시장에 대한 의견을 물어 만든 지표), 그리고 위에서 살펴본 공포와 탐욕 지수Fear and Greed Index(일곱 가지 지표의 수준에 따라 만든 지표)가 있다. 시장 참여자들의 심리와 언론의 기사는 시장 흐름을 파악하는 데 매우 중요한 지표로 사용된다. 심리의 극단적 쏠림과 그로 인한 수급의 쏠림으로 고점과 저점을 판단하는 것은 기관 투자가들이 흔히 사용한다. 공포 심리가 커질수록 시장의 수급은 아래 방향으로 쏠린다. 공매도, 풋 옵션이 급격히 증가한다. 풋콜비율PUT-CALL Ratio은 대표적인 수급 왜곡을 판단하는 지표이다. 풋은 시장 하락에 베팅하고 콜은 상승에 베팅한다. 어느 한쪽으로 극단적으로 치우친 베팅이 발생하면 머지않아 시장은 반대 방향으로 움직일 것이라고 분석하는 것이다.

시장이 크게 상승하거나 하락할 때 애널리스트들은 기업 이익과 환율을 고려한 적정 가격 구간을 제시하고 고평가 또는 저평가되었다고 한다. 그러나 우리는 그 분석보다 더 상승하거나 더 하락하는 시장을 빈번히 경험했다. 하지만 전문가들의 분석 보고서에 반해서 투자하기란 쉽지 않다. 흔히 애널리스트들은 강세 시황일 때는 평균보다 더 높은 평가를 하고, 약세 시황일 때는 낮춰 잡는다. 서두에 언급한 피터 린치의 조언처럼 주식 투자를 하는 동안에는 군중의 심리로부터 벗어나기란 쉽지 않다. 결국 내 심리를 군중에 휩쓸리지 않도록 하는 객관적인 지표를 설정하는 것이 중요하다. 거의 모든 투자자들이 비슷한 경험을 하고 있기에, 여러 종류의 심리 지표들이 만들어지고 있는 것이다.

전문가가 되려는
투자자들

주식 투자에서 포트폴리오는 위험을 줄이고 투자 수익을 극대화하기 위해서 분산 투자하는 것을 의미한다. 유동성, 안정성, 수익성을 고려해 전략을 구성하며 실제로 대형 운용사에는 포트폴리오 관리자가 있다. 보다 엄격한 의미의 위험 분산 포트폴리오는 공간의 분산space portfolio을 뜻한다. 전혀 다른 시장인 부동산, 원자재, 다른 국가, 채권 등에 나누어 투자하는 것이다. 하나의 시장 안에서 분산하는 것이라 함은 대형주와 소형주, 성장주와 가치주 등으로 나누어 보유하는 것이다. 우리는 주식 시장이 하락할 땐 거의 모든 주식이 동반 하락하고, 상승할 땐 그중 일부가 상승한다는 것을 알고 있다. 한 시장 내에서 주식을 분산하여 보유하면 변동성이 다소 줄어드는 것은 맞지만 수익률 추구에도, 위험을 분산하는 것에도 그다지 효과가 크지 않다.

우리는 투자의 고수도 유능한 기업 분석가도 아니다. 대규모 자금을 적절하게 분산 운용하는 펀드매니저도 아니다. 단기 트레이딩의 고수처럼 매매해 수익을 내기도 쉽지 않다. 많은 기업의 재무제표를 내 잔고를 보듯이 꿰뚫어볼 수도 없다. 전 세계 시장에 상품별로 적절히 분산 투자할 지식도, 자금도 없다. 그럼에도 우리는 그들의 투자법을 공부하고 그들의 조언을 따라 투자하려 한다. 흔히 주식은 '우량 주식을 장기 투자해야 한다'고 한다. 그러나 시황이 오랫동안 박스권으로 진입할 땐 일정한 주기로 끊어서 투자하는 것이 현명한 방법일 수 있다. 흔히 위험 분산을 위해 '포트폴리오를 잘 구성해야 한다'고 하지만 우리의 포트폴리오는 대개의 경우 주식과 현금뿐이다. 현금 비중의 조절은 포트폴리오의 개념보다는 위험 관리의 개념이 더 맞다. 시장이 위험할 때 주식 보유를 줄이고 좋을 때는 늘리는 것이다. 그나마도 소극적이고 보수적인 일부 투자자들은 현금을 보유하고 있지만, 대부분의 투자자들은 거의 주식으로 보유하고 있다. 많은 기업들의 속사정을 잘 알기는 힘들다. 따라서 분산 투자보다는 역으로 잘 아는 기업에 집중해야 안전할 수 있다. 잘 모르는 기업에 분산 투자해 봐야 결국 이런저런 이유로 하락하는 주식을 보유하게 된다.

우리는 자신의 한계를 인정하고 그 안에서 답을 구해야 한다.

차트를 잘 알고 주가 움직임의 독특한 특징(사람들의 심리가 작용하며 주가가 움직이기 때문에 일반화할 수 있는 몇몇 특징이 있다)을 잘 아는 투자자는 그것을 무기로 삼아 투자해야 한다. 많은 기업의 성장 스토리를 알 수 없는 투자자는 몇 개 정도의 기업에 집중할 필요가 있다. 개인 투자자들이 모든 산업과 기업을 알 필요는 없다. 자신이 투자하는 섹터 및 기업만 잘 알면 된다. 시장 안에서 자신의 영역을 찾아 구축하는 것이 효율적이며 성과도 좋다.

어떤 이는 '장기 투자가 답'이라고 하고 어떤 이는 '단기 거래가 덜 위험하고 수익 내기가 쉽다'고 한다. 어떤 이는 포트폴리오 분산을 하라고 하고 어떤 이는 '달걀을 여러 바구니에 담아서 관리하지 못할 바엔 한 바구니에 담아서 잘 관리해야 한다'고 한다. 급등한 주식에 추종하여 투자하는 사람이 있는가 하면 급락하는 주식에 투자하는 사람도 있다. 시장에서 소외된 주식을 골라 투자하는 사람이 있는가 하면, 현재 시장에서 인기 있는 주식에 투자하는 사람이 있다. 전문가들은 이론적으로든 경험적으로든 자신이 옳다고 생각하는 투자법을 주장한다. 모든 것에 사실상 정답은 없다. 나 자신은 그들과 달라야 한다. 내가 통제할 수 있는 범위에서, 가장 잘할 수 있는 방법으로 분석하고 투자해야 한다.

'앞으로 시황이 어떻게 될지'에 대해 끊임없이 분석하고 고민하지만 늘 정답도 없고 잘 맞지도 않는다. 이번에 잘 맞혔더라도 다음에 맞힐 것이라는 보장도 없다. 다만 아무 생각 없이 투자하는 것은 변수가 발생했을 때 대응할 수 없기 때문에 나름의 시황관을 가져야 하는 것이다.

매년 연말이면 각 증권사 리서치센터에서는 이듬해의 시장 전망을 내놓는다. 결과는 어떠했나. 대부분의 경우 틀렸다. 상승과 하락의 방향을 맞히지 못할 때도 많다. 예상 지수의 숫자를 얘기하지만 어림도 없다. 그들은 고액의 연봉을 받고 시황과 기업 분석을 하는 전문가들이다. 우리가 시황과 기업 분석을 직업으로 하는 사람들과 똑같이 하려 한다면 너무 피곤하고 스트레스가 심할 것이다. 우리는 그들의 분석 자료를 바탕으로 종합적인 생각만 하면 된다. 각각의 데이터를 직접 찾아보고 분석할 필요도 없고, 할 수도 없다. 자신이 할 수 있는 만큼만 하자. 전문가들의 시황을 애써 따르려고도 비판하려고도 하지 말자. 여러 의견을 듣고 종합하여 '내 생각'을 만들면 된다. 생각이 많아질수록, 분석 도구들이 많아질수록, 참고하는 데이터가 많을수록 결론을 내기가 쉽지 않다. 선택지가 많으면 결정하기 어렵다. 적당히 활용하고 단순화해야 한다. 중요한 것은 주식 투자 전문가가 되는 것이 아니라 내가 가장 잘할 수 있는 것에 집중하여 수익을 내는 것이다.

'이번엔 다를 거야'라는
생각이 가져오는 허무함

우라가미 구니오는 시장이 고점을 찍고 하락할 때, 늘 '이번에는 다르다'고 생각하다가 급락 시장과 마주하게 된다고 설명했다. 주식 시장은 늘 새롭게 맞닥뜨리는 사건을 반영하며 움직인다. 좀 멀게는 2008년 부동산 서브프라임 모기지발 금융위기도 처음이었고, 가깝게는 2020년 코로나 팬데믹 위기도 그랬다. 위기가 생길 때마다 늘 유례없다고 하고 각종 지표들도 집계 이후 역사상 처음 있는 일이라고도 한다. 과거의 경험과 데이터를 통해 현재와 미래를 예상해 보는 과정에서 늘 과거와 같지 않다고 했다. 미래가 어떻게 과거와 똑같을 수 있겠는가. 당연한 것일 수 있다.

그러나 아이러니하게도 주식 시장의 역사를 보면 매번 유사한 흐름으로 시황의 변화가 발생했다. 아마도 투자자들이 만들어놓은 이론에서 벗어나지 못하거나, 스스로 벗어나지 않기 때문인 듯하다. 뻔한 듯하면서도 벗어나지 못하는 것들, '이번에는 다를 거야'라고 생각하지만 여전히 과거와 같은 경로를 거치고 있는 것들에 대해 알아보면 향후 시황과 주가 움직임의 판단에 도움이 될 것이다.

주식 시장은 경기를 선반영한다. 통상 6개월 정도라고 하는데 최근 들어 경기 순환 주기와 주가의 반영 주기가 점점 더 빨라지고 있다. 늘 이번에는 잘 극복하여 경기의 큰 침체 없이 넘어갈 수 있을 것이라고 주장하지만 경기 하강기에 접어들면 늘 연착륙에 실패하고 시장에 충격을 주었다. 우라가미 구니오는 수십 년 전에 경기 흐름과 중앙은행의 금리 정책에 의해 움직이는 주식 시장의 흐름을 이해하기 쉽게 설명하였다. 수십 년 전의 이론을 지금에 적용하려면 맞지 않는 부분이 많이 있다. 하지만 금리와 주식 시장의 상관관계를 설명하는 가장 훌륭한 이론으로 이번에도 여전히 그 틀에서 벗어나지 못하는 시장을 보게 된다.

경기가 침체기에 빠지면 중앙은행은 통화 팽창, 신용 팽창을 통해 시장에 유동성(돈)을 제공한다. 금리 인하를 통해 기업은 더 낮은 금리로 자금을 융통할 수 있도록 하고 개인들은 예금보다 소비와 투자를 하게 유도한다. 금융 및 실물 경제에 활력을 불어넣기 위한 조치인 것이다. 금리 인하만으로 부족하면 중앙은행은 시중의 채권을 매입함으로써 채권을 보유하고 돈을 시장에 제공한다. 2008년과 2020년에 미국의 연준은 국가가 발행하는 국채를 무제한 매입하며 시장에 유동성을 제공했다. 이른바 양적 완화이다. 시장에 돈이 풀리면 직접 투자로 인해 주가는 상승하고 향후 경기 회복에 대한 낙관으로 시장은 고점을 돌파하며 상승하기도 한다. 중앙은행의 금리 인하와 양적 완화는 늘 시장을 상승시켰다. 양적 완화의 규모가 클수록 주가는 급등했다. 2020년 팬데믹으로 인한 양적 완화가 대표적이었다.

| 2020년 코스피 지수 차트 |

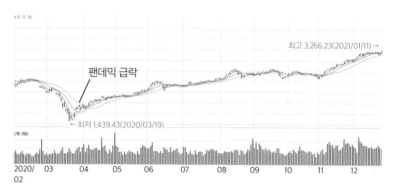

주식 시장과 자산 가격이 급등하면 거의 모든 투자자들이 몰려들어 투기적 확장이 일어난다. 수요가 늘면서 물가가 상승하고 자산 가격에 거품이 발생하기 시작한다. 중앙은행은 거품의 급작스런 붕괴를 막기 위한 조치를 한다. 금리 인상 즉 신용 축소를 시작

하는 것이다. 그즈음이 되면 향후 경기에 대한 전망이 나쁘지 않음에도 주식 시장은 하락하기 시작한다. 금리 인상으로 시장의 유동성이 줄어드는 효과와 경기 둔화를 선반영하는 것이다. 더불어 중앙은행은 그동안 시장에 풀어놓았던 돈을 회수하기 시작한다. 양적 완화의 반대인 양적 긴축을 하는 것이다. 중앙은행의 금리 인상과 양적 긴축은 늘 시장을 하락시켰다. 금리 인상의 폭이 크거나 양적 긴축의 규모가 클수록 시장은 급락했다. 2022년 상반기 미국은 제로금리에서 단 세 차례 인상만으로 금리를 1.75%까지 올렸다. 시장은 단숨에 20% 넘게 급락했다.

| 2022년 코스피 지수 차트 |

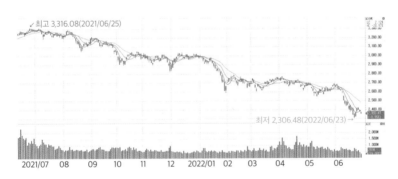

금리 인상을 하면 재무상태가 좋지 않고 자금 유치를 계속해야 하는 성장주들은 하락하고 자산 가치와 현재의 이익이 좋은 가치주가 상대적으로 좋다는 이론 역시 매번 이번에 다를 것이라

는 주장과 맞선다. 2021년 연말 연준은 금리 인상을 예고했다. 지난 10년간 시장을 이끌었던 미국의 대표적인 성장주인 팡주들은 과거의 이익이 뒷받침되지 않은 성장주와는 다르다고 평가되었다. 주식 투자는 미래의 이익 성장에 투자하는 것이며 4차 산업이 본격적으로 활성화되는 시점이므로 플랫폼 회사들과 성장 파이프라인이 있는 기업들은 괜찮을 것이라고 했다. 그러나 2022년 상반기 대표적인 성장주들은 반토막 이상 하락했다. 글로벌 펀드들은 이번에도 기본적인 룰에 따르는 투자를 했고 대표적인 성장주 펀드인 ARKK는 무려 70% 이상 폭락했다. 우리 시장에서도 네이버와 카카오 같은 플랫폼 기업, 메타버스 기업, 게임주들이 반토막 이상 하락했다. 반면 조선주, 해운주, 음식료주 등 대표적

| 2022년 금리 인상 시기 애플 주가 |

| 2022년 금리 인상 시기 엔비디아 주가 |

단위 : 달러

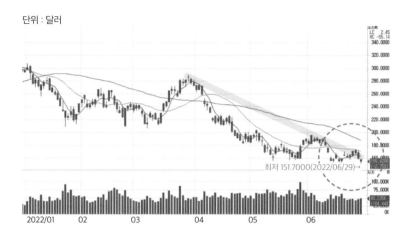

최저 151.7000(2022/06/29)→

| 2022년 금리 인상 시기 테슬라 주가 |

단위 : 달러

최저 620.5700(2022/05/24)→

| 2022년 금리 인상 시기 넷플릭스 주가 |

단위 : 달러

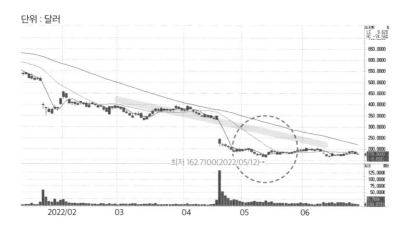

최저 162.7100(2022/05/12)→

| 2021년 고점 후 NAVER 주가 |

단위 : 원

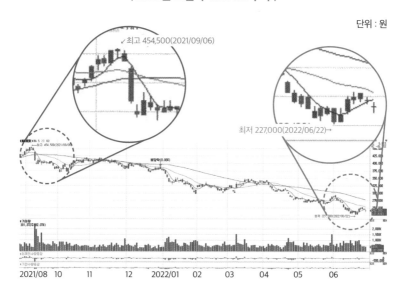

최고 454,500(2021/09/06)

최저 227,000(2022/06/22)→

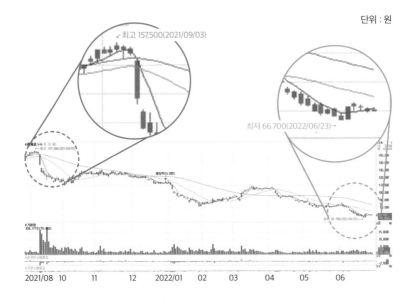

| 2021년 고점 후 카카오 주가 |

단위 : 원

↗최고 157,500(2021/09/03)

최저 66,700(2022/06/23)→

2021/08 10   11   12   2022/01   02   03   04   05   06

인 가치주와 필수 소비재들은 선방하며 이번에도 다르지 않음을
증명해냈다.

미국이 강한 금리 인상을 하고 나면 달러 강세가 되고 상대적
으로 신흥국 통화 가치가 하락한다. 미국 금리가 높아지면 글로
벌 자금은 상대적으로 안전한 미국 국채와 달러로 집중된다. 그
과정에서 달러 보유액이 부족한 국가는 외환위기에 처하고 경기
둔화로 경제력이 취약한 국가는 경제 위기에 봉착한다. 미국의
금리 인상과 양적 긴축은 1~2년 후 경기 침체를 유발했고 취약국
의 위기를 만들었다는 과거의 경험 역시 이번에도 가능성이 높아

지고 있다. 연준은 미국의 금리 인상이 경기 침체로 가지 않을 것이라고 주장한다. 이번의 금리 인상과 양적 긴축은 수요 사이드의 인플레이션과 경기 과열이 아닌 코로나 팬데믹과 우크라이나 러시아 전쟁으로 인한 공급 사이드의 인플레이션으로 결국 시간이 지나면 해소될 것이라는 설명이다. 그러나 2022년 상반기를 지나면서 물가는 지속 상승하고 경기 지표는 둔화되며 경기 침체의 확률은 높아지고 있다. 미국과 유럽의 경기 침체는 취약국의 위기를 암시한다. 이번에는 다를 것이라 하지만 결국 세계 경기는 침체와 위기로 빠져들고 있고 주식 시장은 이를 반영하며 급락하고 있다.

급락한 시장이 저점을 찍고 다시 상승하려면 중앙은행이 다시 유동성을 제공해야만 한다. 과거 경기 과열과 버블 붕괴 우려로 금리 인상을 했던 시기에는 시장이 급락하고 경기 위축이 되면 다시 금리 인하로 대응하였다. 하지만 또 이번에는 다르다고 한다. 이번 금리 인상은 경기 과열이 아닌 공급망 왜곡으로 인한 물가 급등을 제어하기 위한 것으로 경기가 위축되어도 감수하며 금리 인상을 지속할 것이라고 주장한다. 실제로 경기 지표들이 마이너스로 전환되고 있지만 연준은 금리 인상 속도를 줄일 의사가 없다. 그러나 급등한 물가를 안정시키기 위한 연준의 급격한 금리 인상은 물가의 안정 후에는 다시 속도를 줄이거나 인하할 가능성이 높다. 과거의 패턴 그대로이다. 이번에는 다르다는 주장이 과연 맞을까? 경기가 침체기로 들어서면 각종 원자재 가격이 하락한다. 다음의 화면은 대표적인 산업재인 구리와 은 가격의 하락을 보여주고 있다. 경기 침체 우려가 이미 반영되고 있는 것이다. 당연히 물가도 하락하게 된다. 수요가 줄어들기 때문이다. 그사이 '과거와는 다를 것'이라는 금융 정책 관계자들의 말과는 다르게 주식 시장은 또다시 대혼란을 겪으며 하락했다가 연준의 정책이 바뀔 때쯤 대세 상승으로 전환될 것이다.

시장이 하락 추세에서 급락할 때 그 마지막은 꼭 외국인들의 대량 매도, 기관들의 룰에 의한 기계적인 로스컷, 개인 투자자들의 반대매매에 의한 수급 불균형 폭락이 있었다. '이번에는 좀 다

| 2022년 구리 가격 차트 |

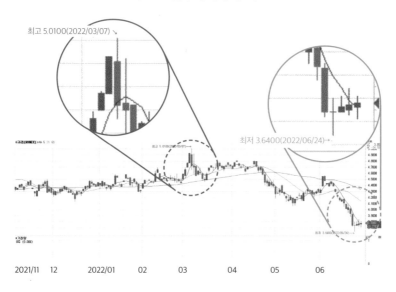

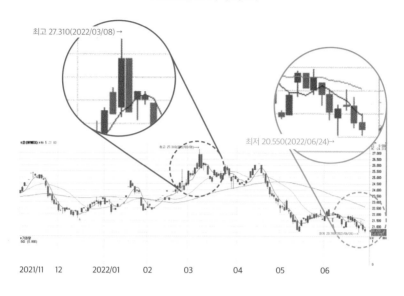

최고 27.310(2022/03/08)→

최저 20.550(2022/06/24)→

2021/11   12   2022/01   02   03   04   05   06

르면 안 되나?' 하고 푸념들을 하지만 결국은 투매가 나와야 단기이든 장기이든 바닥을 형성하고 반등했다. 외국인들은 글로벌 자산 배분, 환율에 의해 기계적인 매도를 한다. 기관은 기업의 성장과 상관없이 정해진 매도 원칙에 따라 거래한다.

개인들은 그러한 룰이 없다. 그래서 장기 보유할 수 있는 장점이 있다. 그러나 그 장점이 단점일 수 있다. 시장 하락기에 손절매하지 않아 복구하기 어려울 정도의 하락을 고스란히 안고 투자하는 경우가 많다. 신용이나 스톡론, 차액 결제 제도를 이용한 레버리지 투자를 한 개인 투자자들은 시장 급락 시기에 거의 깡통에 이르는 손실로 마감한다. 이후 다시 강한 상승기가 오더라도 레버리지로 인한 투자는 결국 버티지 못한다. 일정한 하락률이 되면 돈을 빌려준 기관은 강제적으로 매도를 한다. 이러한 매물이 나올 때는 가격 불문, 낮은 가격에 매도하기 때문에 주가는 급락한다. 이러한 급락은 다시 매물을 낳게 되어 또다시 수급 불균형이 발생한다. 이때 주가는 급락하고 이 급락 이후 주가는 단기에 반등한다. 이러한 타이밍에만 투자하는 사람들도 있는데, 좋은 표현으로 '스마트 머니'라고 한다. 시장의 급락에 단기 투자하는 체리 피킹 역시 같은 투자법이다. 개인들이 많이 현명해졌고 레버리지 투자 비중이 작아 이번에는 다르다고 하지만 2022년 시장 역시 계단식으로 하락하는 동안 몇 차례의 투매로 급락과 급반등을 반복한다.

나의 전작인 『매매의 기술』에서는 가격이 상승한 상태에서 거래량이 급증하며 음봉이 발생하거나 긴 위꼬리 십자형이 발생하면 일부이든 전량이든 매도하는 것을 원칙으로 설명했다. 가격이 상승하지 않았다 하더라도 거래량이 급증하며 장대 음봉이 발생하면 이후 주가는 추세적으로 하락할 확률이 매우 높다. 대량 거래가 발생하면서 급락을 하는 과정에서도 많은 투자자들이 '저가에 살 기회'라며 매수한다. 이것은 떨어지는 칼날을 잡는 것과 같다. 특히 개별 주식이 홀로 대량 거래와 함께 하락하는 것은 중대한 악재가 있기 때문이며 이후 추가 하락하는 것을 많이 봐왔다. 그럼에

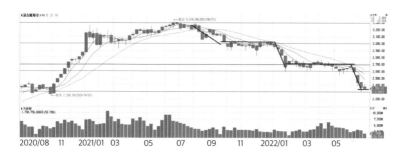

도 그 주식을 보유하고 있던 투자자들은 매도가 아닌 추가 매수하는 것 역시 '이번에는 다를 것'이라는 기대의 매수일 뿐이다.

이번에는 다를 것이라는 기대와 달리 여전히 같은 것이 또 있다. 우리의 투자 대응이다. 금리 인상과 양적 긴축을 하면 시장은 하락하고 웬만한 주식들은 하락할 것이라는 과거의 흐름을 알지만 여전히 내 주식은 괜찮을 것으로 생각한다. 투기적 팽창으로 자산 시장이 열광하면 곧 통화 긴축과 가격 하락이 있을 수 있다는 생각을 하지만 우리의 행동은 열광에 동참하고 있다. 금리 인상을 하면 고평가 성장주는 하락할 것이라고 생각하지만 내가 투자한 성장주는 괜찮을 것이라며 보유한다. 주가가 하락하면 저가 매수라며 물타기 매수를 한다. 레버리지로는 장기 투자하지 못하고 10배로 오를 주식도 중간에 급락하면 버티지 못하고 매도하게 된다는 것을 알고 있지만 여전히 레버리지 투자의 달콤함에 빠져 있다. 단기 급락을 하며 투매가 나오면 곧이어 강한 반등이 있다는 것을 알지만 막상 급락하면 공포에 매도하게 된다. 논리적이고 이성적인 판단을 함에도 실전에서는 감정적 행동을 하고 있는 우리들의 투자 패턴 역시 변하지 않는 것 중 하나이다.

미스터 마켓과의 대화

주식 시장은 종종 투자자들의 심리를 알고 있는 것처럼 오르 내린다. 투자자들이 환호할 때 고점을 형성 후 하락하기도 하고, 비관적 전망으로 우울할 때 언제 그랬냐는 듯 강하게 상승하기도 한다. 간혹 개별 주식은 자금력이 있는 특정 세력에 의해 주가가 움직이기도 하지만 시장은 특정 세력의 뜻대로 조종할 수 없다. 간혹 외국인이나 연기금이 집중 매수하는 동안 시장이 상승하고 팔 때 시장이 하락하기도 하지만 그들의 수급이 곧 시장의 방향 이라고 할 수는 없다. 시장의 규모가 크고 유동성이 풍부할수록 움직일 수 있는 세력은 없다. 투자자들은 그러한 시장을 향해 '미 스터 마켓'이라고 부른다. 미스터 마켓이 상승하려 하는지, 하락 하려 하는지를 판단하고 추종하는 것이 투자자들의 몫이다.

시장은 종종 지표들을 추종하다가도 갑작스럽게 전혀 예상치 못한 행보를 한다. 어린아이처럼 우왕좌왕하기도 하고, 파생 상품 시장에 의해 끌려다니기도 한다. 계속해서 달릴 것처럼 하다가도 곧 멈추고 지쳐 쉬거나 뒷걸음치기도 한다. 시장에 외부의 충격이 가해지면 깜짝 놀라 큰 변동성을 보이기도 한다. 시장은 그렇게 우리의 예상 범위 밖의 행동을 하며 투자자들을 곤혹스럽게 한다. 시장이 마치 자신의 손바닥에 있는 것처럼 얘기하는 투자자들은 얼마 지나지 않아 쓴맛을 보게 된다.

주식 투자자들은 매일매일 시장과 소통하고 실전 투자를 통해 개별 주식과 소통하고 있다. 현재가 창의 호가와 주가 움직임을 보면서 '오늘은 상승하려고 하는구나', '지금은 상승하고 있지만 결국 오늘은 하락하겠구나'라는 주가와의 소통이 이어지고 그것을 통해 지금 사야 하는지, 더 기다려야 하는지, 오히려 팔아야 하는지 등의 매매 판단을 한다. 투자자들은 주가 움직임과 거래량 그리고 호가 잔량과 차트를 통해 주식과 소통한다. 거의 대부분의 주식들은 미스터 마켓의 방향에 역행하지 못한다. 변덕스러운 주식이 아니라면 어느 정도 가이드 라인의 범위 안에서 움직이고 그 안에서 투자자들은 매매를 결정할 수 있다. 그러나 시장의 변덕스러움은 고스란히 주가의 변동성을 키운다.

시황 판단에서 남들보다 좀 더 시장과 소통을 잘하는 사람들에게 '통찰력'이 있다고 한다. 끊임없이 오랫동안 시장과 소통하면서 지표가 말해주지 못하는 시장의 마음을 좀 더 잘 읽을 수 있는 것이다. 시장은 이론대로 똑같이 따라다니는 것을 싫어한다. 조용한 호수 같기도 하다가 거칠게 움직일 때도 있다. 시장이 화가 나면 아주 짧은 시간에 '텐트럼(발작)'을 보이기도 하고 활황이 되면 거침없이 위를 향해 달려간다. 시장의 변동성은 투자자들을 혼란스럽게 하고 혼란스러운 투자 심리는 수급 왜곡을 만든다. 급락할 때는 투매가 나오고 급등할 때는 탐욕스런 매수를 유발한다. 투자자들의 심리가 투영된 왜곡된 수급은 시장이 만든 것이 아니다. 시장의 변덕에 혼란스러워하는 투자자들로 인해 변동성이 만들어진다. 비정상적 상황이 되면 시장은 빠른 시간 안에 자기 길로 돌아온다.

미스터 마켓과의 대화는 매우 까다롭지만 끊임없이 대화를 건네야 한다. 시장과의 대화 없이 투자하는 것은 목적지 없이 길을 가는 것이다. 시황은 그렇게 만들어진다. 그것이 틀리든 맞든 방향을 설정하고 투자를 해야 한다. 만일 자신의 판단이 틀리면 반대 포지션을 취해야 하며 맞았을 땐 수익을 극대화해야 한다. 시황관이 없는 투자자는 주가가 상승을 해도 '왜 상승을 하는지', '언제 다시 하락할지' 알 수 없어 늘 불안할 수밖에 없다. 주가가 하락을 하면 '왜 하락을 하는지', '보유해야 하는지, 매도해야 하는지'를 몰라 당황할 수밖에 없다. 물론 시장은 확실한 답을 말해주진 않는다. 그러나 어떤 상황인지를 유추할 수 있는 소통은 할 수 있다.

미스터 마켓과의 대화에서 우리가 피해야 할 것들은 시장에 대한 편향된 생각, 선입견, 착각 등이다. 익숙한 것으로부터 벗어나기 힘든 심리적 부조화로 인해 시장을 자신의 의지대로 판단하거나 대화를 유도해서는 안 된다. 강세 시장의 친숙함은 시장의 변덕을 읽어내지 못하고 약세 시장의 친숙함은 달라지고 있는 시장 심리와 수급을 알아채지 못할 수 있다. 과거에 그랬으니 이번에도 그럴 것이라는 생각은 상대의 현재 마음을 알아채지 못하게 한다. 시장이 극단적인 선택을 하지 않을 것이라는 막연한 낙관은 얼마 가지 않아 후회로 귀결된다. 시장이 급락하더라도 내 주식은 괜찮을 것이라는 생각은 위험하다. 시장이 불안해하면 '왜 그런지'를 생각하고 내 주식들을 관리해야 한다. 실패하는 투자자들은 자신이 옳고 시장은 이런저런 이유로 잘못된 길을 가고 있다고 생각하는 경향이 있다. 시장이 가는 길이 우리가 가야 할 길이다. 시장이 잘못되었고 내가 옳다는 생각은 위험하다. 시장의 방향과 다른 생각을 갖고 그 생각을 합리화하는 그럴듯한 이유를 찾아서는 안 된다. 시장과 마주할 땐 항상 명심해야 한다. 시장이 늘 옳다.

익숙한 것으로부터의 탈출

사람들은 '원래 그런거야'라는 말을 습관적으로 한다. 사실 '원래 그런 것'은 없다. 우리나라 시장에서는 종가가 시가보다 높게 상승하면 봉차트를 빨간색으로 표시하지만 미국은 파란색으로 표시한다. 따라서 우리가 말하는 양봉의 빨간색은 원래 그런 것이 아니다. 그냥 그렇게 하자고 약속한 것일 뿐이다. 결혼할 때 남자가 신혼집을 마련하는 것은 내가 결혼할 때만 해도 원래 그래야만 하는 것이었다. 그러나 요즘 젊은 세대들에게는 당연한 일이 아닐 수 있다.

군중의 익숙함은 심리적으로 편안함을 제공한다. 따라서 그것으로부터 벗어나는 것이 불편하다. 마치 신호등이 빨간불임에도 거의 모든 사람들이 건너는 상황에서 혼자만 파란불이 켜질 때까지 기다리는 불편함과 같다. 주식 시장에서의 군중의 심리도 마찬가지이다. 군중이 환호하는 강세 시장에서 고점 판단으로 매도하기란 쉽지 않다. 모두들 두려움에 매도하는 상황에서 매수할 수 있는 투자자도 많지 않다. 이론적으로는 우리 모두 현명하다. 그러나 어리석은 군중 속에서 벗어나기란 이론처럼 쉽지 않다. 2020년 3월 코로나 팬데믹 이후 2배 가까이 지수가 상승하는 15개월 동안 우리는 그 분위기에 익숙해져버렸다. 주식은 매수하여 보유하면 수익이 나는 투자라고 생각했다. 몇몇 전문가들은 주식은 파는 게 아니라 사서 보유하는 것이라고 조언했다. 실제로도 남들 따라 좋다는 주식을 매수하여 보유하면 가격이 올라주었다. 상승에 익숙한 시장이 한동안 진행되면서 투자자들은 주식은 원래 그런 것이라는 생각을 하게 했다.

하지만 2021년 7월부터 2022년 6월 현재까지 시장은 12개월 간 하락을 하고 있다. 금리 인상, 양적 긴축, 하이퍼 인플레이션, 전쟁, 경기 침체 등 온갖 악재들이 시장을 뒤덮고 있다. '경기 침체에 진입했다'는 이야기가 심심치 않게 들린다. 꽤 오랫동안 시장은 약세 시장에 머물 것이며 주식 투자로 돈 벌기가 쉽지 않을 것이라고 한다. 지금은 하락장에 익숙해 있다. 방송에서 시장의 반등과 저가 매수를 얘기하면 부정적인 댓글이 엄청나게 늘어난다. 이미 하락장에 익숙해진 투자자들은 주식은 매수하여 보유하면 결국 손해 본다는 생각으로 바뀌고 있다. 타이밍에 맞춰 단기 거래나 해야지, 장기 보유하면 결국 손실일 뿐이라고 한다. 주식을 사는 것이 불편해졌다. 수익이나 손실의 결과보다는 주식 투자 자체가 심리적으로 불편해진 것이다.

2022년 1월 코스피 시장은 급락을 했다. 미국 금리 인상이라는 악재 속에 LG에너지솔루션이란 시가총액 2위의 기업이 상장하면서 수급적 왜곡 현상이 있었기 때문이다. 우리 시장이 급락하는 1월, 미국 시장은 소폭 하락에 그치며 강세 기조를 유지했다. 2008년 이후 10년을 넘게 강하게 상승하며 시장을 끌고 온 페이스북, 애플, 아마존, 구글, 넷플릭스, 마이크로소프트 등은 여전히 건재했다. 투자자들은 또다시 익숙한 것에 쉽게 접근하였다. 한국 시장은 '안되는 장'이고 '미국 시장만이 답'이라며 국내 주식을 팔고 익숙해 있던 시가총액 상위 빅테크 주식들을 매수했다. 10년 동안 강세였던 주식이었기 때문에 별다른 의심을 할 필요도 없었고, 하지도 않았다. 늘 해왔던 대로 매수한 것이다. 2022년 4월 익숙한 것들이 불편하게 만들었다. 넷플릭스가 고점 대비 70%에 이르는 폭락을 했다. 페이스북과 테슬라, 아마존이 폭락했다. 편안함은 당황스러운 심리로 전환되었다. 익숙한 것들의 변화에 대응은 쉽지 않았다.

삼성전자와 현대차는 불편하지 않게 매수 진입을 한다. 코스닥 주식이나 중소형 주식은 익숙하지 않기 때문에 불편하다. 사실 코스피 대형주나 코스닥의 중소형주는 한 번 하락으로 전환되면 20~30% 정도는 쉽게 내려간다. 대형주라고 하락 폭이 작은 것은 아니다. 다만 그렇게 생각할 뿐이다. 반면 코스닥의 변동성을 이용한 거래에 익숙한 투자자들은 대형주 투자를 꺼린다. 수익률이 낮다는 생각 때문이다. 하지만 2021년 LG이노텍은 단기간에 100% 이상 상승했다. 대형주들이 급등하면 '마치 소형주처럼 움직이네'라는 표현을 한다. 원래라는 것은 처음부터 없었다. 원래 대형주는 낮은 변동성이고 중소형주는 큰 변동성이라는 생각은 개별 주식에 적용하면 정확하지 않다. 기간을 늘려서 장기적으로 보면 성장 대형주들이 중소형주들보다 더 큰 가격 변동성이 있었다. 중소형주는 단기적인 변동성이 컸을 뿐이다.

주식 시장은 늘 변한다. 따라서 그때마다 상황에 맞는 판단을 해야 한다. 늘 새롭고 늘 변화하는 시장 속에서 '원래 그런 거야'라며 차트 분석을 하고 시황 분석을 할 때 판단 오류에 빠진다. 주식 시장이 힘들면서도 재미있는 것은 늘 익숙한 것으로부터 변화를 일으키며 투자자들을 괴롭히기 때문이다. 익숙한 것으로부터 탈출하기가 어려운 성향의 투자자들은 늘 시장으로부터 괴롭힘을 당한다. 너무나 자연스럽고 편안해지면 곧 불편해진다는 생각을 해야 한다. 시장은 익숙해지면 곧 우리를 불편하게 만든다.

급락 후에야 되돌아보는 것들

주식 시장은 지난 수십 년 동안 투자자들에게 시장의 위험과 신중한 투자 전략에 대해 큰 교훈을 주었다. 대부분의 위험은 과거에도 경험했던 것의 반복이었으나 유감스럽게도 투자자들은 그때마다 어찌할 바를 모르고 당혹스러워했다. 정상적인 시장에서는 당연시했던 '공감'이 깨지면서 급락 시장에서는 그동안의 모든 게 비정상이었으며 정상적으로 회귀할 것이라는 주장으로 바뀐다. 시장의 열광이 끝나고 차분해지는 시기에 이르러서야 되돌아보는 것들이 있다.

밸류에이션은 시장의 고점과 저점을 판단하는 지표가 되지 못했다. 미국의 역사적인 평균 PER는 17배 정도이지만 2021년에는

30배에 육박했다. 그 과정에서 많은 구루들이 고평가되었다며 버블 붕괴를 주장했지만 시장은 비웃듯이 상승세를 이어갔다.

반면 2022년 1월에 들어서자마자 급락한 시장은 4월 말 기준 17배 수준까지 하락하였다. 그러자 시장의 목소리는 대세 하락 국면으로 진입한 것이라며 추가 하락에 대해 경고하고 있다. 밸류에이션이 역사적인 평균으로부터 낮게 형성될 때와 높게 형성될 때 저점과 고점에 대한 보고서들이 발표되지만, 실전에서의 매수 타이밍과 매도 타이밍은 아니었다. 저성장 구간에서 밸류에이션을 낮추고 고성장 구간에서는 높은 밸류에이션을 책정한다고 하는 것도 시장 참여자들의 공감이 형성될 때 가능한 것이다. 공감이 깨지는 변곡점의 기간에는 어떤 것도 정상적이라고 단언할 수 없다.

'원래'라는 것은 원래 없었다. 당연시했던 것은 공감했기 때문이었다. 시장의 급락은 밸류에이션과 주가의 연동은 절대적이 아니라는 것을 일깨워준다.

쏠림과 편향의 최대 수혜였던 펀드나 주식은 가장 크게 하락한다. 캐시 우드가 이끄는 아크 인베스트의 간판 펀드인 '아크 이노베이션 상장지수펀드ARKK'는 2020년 코로나 팬데믹 이후 수익률 153%로 1위를 기록했지만, 2022년 시장 급락 기간에서 순식간에 반토막 이상 하락하였고 마진콜이 발생하며 성장 테크주들의 하락을 부추기는 수급 요인이 되었다. 세계적으로 가장 각광받았던 섹터인 플랫폼 사업을 하는 기업의 주가 역시 대부분 50% 이상의 하락률을 기록했다.

군중이 유행처럼 몰려 버블을 만든 곳에는 반드시 붕괴가 뒤따랐다. 버블의 형성과 붕괴의 역사를 기억하고 있음에도 시장에서는 늘 새로운 것처럼 다시 버블이 만들어지고 투자자들은 기억 상실증에 걸린 듯 열광한다. 그 과정에서 큰돈을 번 소수의 투자자들과 큰 손실을 보는 대부분의 투자자들이 발생한다. 테마를, 밈을 만들어 시장에서 붐을 일으킨 일부 세력들은 이미 시장 밖에서 다른 기회를 노리고 있다. 뒤늦게 참여한 대부분의 투자자들은 손실인 주식을 보유한 상태로 시장과 자신의 행동에 '화'를 내며 후회한다.

'가치주의 장기 투자가 답'이라는 주장은 반드시 그리고 언제나 옳은 투자법은 아니라는 것을 알게 된다. 시장이 강세를 이어가는 수년 동안 '주식 투자는 우량주를 매입하여 장기 보유하는 것'이 정답으로 여겨졌다. 시장 상승과 함께 주가 역시 상승하기 때문에 오래 보유한 투자자의 수익률이 높았기 때문이다. 웬만한 하락에도 투자자들은 매수 대응하며, 결국 주가는 다시 상승할 것이라고 굳게 믿는다. 그러나 시장이 약세로 전환되면 의심하기 시작하고 주가가 30% 이상 하락하기 시작하면 '주식은 절대로 장기 보유하면 안 된다'로 바뀌기 시작한다. '주식 투자법의 유일한 정답은 없다'는 것을 잊고 있는 듯하다. 강세 시장에서 유행처럼 인기를 끌었던 투자론과 테마 등은 시장이 급락하고 나면 '그것만이 답은 아니었다', '한때의 유행이었다'로 바뀌게 된다. 장기 투자이든 단기 트레이딩이든 각자의 투자 스타일에 따르는 것이지만, 많은 투자자들은 어떤 기간에는 장기 투자가 어떤 기간에서는 단기 거래가 옳은 투자법이라고 생각한다.

시장은 과거와 똑같이 반복되지는 않지만 그 흐름은 반복되었다. 1998년 아시아발 외환위기, 2008년 미국 부동산발 금융위기, 2012년 남유럽발 국가 채무위기, 2020년 글로벌 팬데믹 위기 등 원인과 지역은 조금씩 달랐지만 흐름은 유사하게 이어가고 있다. 2022년 시장이 걱정하는 앞으로의 위기는 표면적으로는 경기 침체이다. 어떤 대륙에서, 어떤 국가에서, 어떤 트리거로 인해 위기가 발생할지에 대해서는 의견이 분분하다. 그러나 주식 시장은 비슷한 주기로 비슷한 위기의 경험을 반복하고 있다. 이번에도 위기를 겪고 나야 저점을 찍고 상승 추세로 전환할 것이라는 의견이 대다수이다.

팬데믹 이전부터 10여 년 동안 자본 시장이 걱정했던 미래의 위기는 채권발 위기였다. 2008년 이후 각국에서 발행한 막대한 채권을 회수하지도 못한 상태에서 팬데믹으로 더 막대한 금액의 채권을 발행해 자금을 시장에 풀어놓은 상태이다. 일본은 끝도 없는 금융 완화 정책으로 엔화 가치가 폭락하고 있다. 미국 연준의 채권 매각은 글로벌 주식 시장을 급락시키고 있다. 2021년 연말 이후 2022년 봄까지 미국을 비롯한 주요국 채권 가격은 폭락하였다. 이러한 변동성을 위기 없이 잠재울 수 있는 각국의 정책이 중요한 시기인 것이다.

개별 기업의 실적은 여전히 투자 판단의 주요한 기준이지만 '시장이 있어야 종목도 있다'라는 말처럼 시황을 이겨낼 수는 없다. 막대한 자금을 운용하고 있는 장기 투자의 구루들은 급락 시황에서 미래의 호실적 기업들에 투자를 한다. 대부분의 개인 투자자들은 이성적으로는 맞다고 생각하지만 실천하지 못하고 오히려 매도하기에 바쁘다.

약세장에서는 호실적, 미래의 이익 성장이 확인되고 있는 주식들조차 시장 하락에 연동하며 주가가 하락한다. 이런 상황은 '실적도 의미 없이 하락하는 단기적인 비정상적 상황을 투자 전체의 논리'로 만들어버린다. 시황 판단, 주도 섹터의 선정, 주도 종목의 판단, 주가의 위치와 수급으로 인한 매매법의 선택이라는 흐름은 투자하는 동안 언제나 잊지 않아야 한다.

시장 급락에도 개별 기업의 이익 성장을 전망하는 보고서들은 계속 나온다. 당연히 투자자들은 시큰둥하고 수급은 반응하지 않는다. 약세 시황에서의 호재는 묻히고 강세 시장에서의 악재는

묻히기 마련이다. 시장 급락 기간에서는 늘 그랬듯이 호재도, 호
실적도 반영되지 않는다. 장기 투자의 수급은 군중의 심리와 다
르게 꾸준히 매수를 하지만 대부분의 투자자들은 약세 시장에서
더욱 부각되는 악재 뉴스에 민감하게 반응한다.

　이번에도 어김없이 같은 상황을 보고 있다. 오래지 않은 미래
에, 투자자들은 2022년 상반기의 상황을 뒤돌아보고 자신들의 행
동을 복기하게 될 것이다. 지금의 판단을 그때는 어떻게 평가할
지 생각해 보자.

박병창의 돈을 부르는
매매의 심리

4장

가치 분석의 마음

'주가가 싸다, 비싸다'라는 판단은 군중 심리의 결과

주가가 '싸다' '비싸다'는 것은 사람들이 만들어낸 논리에 의해 결정된 것이다. 일반적으로 가격P은 주당 순이익EPS에 주가 수익 비율PER을 곱한 값이다. 주당 순이익은 기업이 벌어들인 이익을 총 주식 수로 나눈 것이므로 객관적인 결과물이다. 그러나 PER는 EPS의 몇 배를 적정 주가로 인식할 것인가의 군중의 인식 또는 가변적인(언제든지 지켜지지 않을 수 있는) 공감이다. 시황이 좋아서 주가가 상승하고 있을 때에는 PER 10배가 낮다고 한다. 즉 싸다고 한다. 그러나 시황이 좋지 않아 하락하고 있을 때에는 10배도 비싸다고 한다. 주가가 상승할 때 '싸다'라고 평가하는 기준과 주가가 하락할 때 '싸다'라고 하는 기준이 투자자들의 공감에 의해 변화한다. 그러다 보니 주가가 비싸다고 회자되지만 더 상승

169

하거나, 싸다고 얘기하지만 더 하락하는 경우가 많다. 즉 주가가 싸거나 비싸다는 것은 매수나 매도의 훌륭한 지표가 되지 못할 수 있다. 그보다는 다수의 군중이 공감하는 일정 시점이 매매 타이밍이 된다. 결국 군중의 심리적 상태를 알아내야 하는 것이 중요하다.

시황이 좋지 않아 '싼 주식'들이 많아질 때가 있다. 싸다는 기준이 밸류에이션이든, 기술적 분석이나 수급의 이유이든, 흔히들 '싼 주식이 많아져서 사고 싶은 주식이 많다'고 한다. 코스피 소속 기업 이익의 총합을 추정하고 적정 PER를 곱하면 코스피의 시가 총액이 구해지고, 적정 지수를 구할 수 있다. 그 적정 지수의 하단을 돌파하며 시장이 하락하면 저평가 구간으로 진입하는 것이므로 주식을 매수해야 한다. 그렇지만 우리가 예상한 적정 주가의 하단에서 매수한 뒤 더 큰 폭으로 하락한 경우를 쉽게 볼 수 있다. 개별 종목의 경우엔 더더욱 그렇다.

밸류에이션, 그 자체가 사람들의 심리일 수 있다. 시장의 거의 모든 참여자들이 현재 밸류에이션이 싸다고 판단하면 주가는 그로부터 반등할 것이다. 그러나 시장 참여자들의 마음(판단)이 모두 똑같지 않다. 어느 한 사람이 강력히 주장한다고 결정되는 것도 아니다. 군중들이 지금 주가가 한참이나 싼 구간에 진입했다고 느끼지만, 아직은 매수할 자신이 없으면 심리적 밸류에이션은 싼 것이 아니다. 군중의 심리가 어느 순간 일치하여 시장에 진입하는 순간이 발생한다면 그 순간은 강력한 거래량과 강한 상승 폭을 수반할 것이다. 그렇기에 기술적 분석에서는 하락하던 주가의 움직임에서 어느 날 대량의 거래량과 큰 폭의 상승이 나타나면 바닥의 신호로 판단한다(『매매의 기술』에서는 매수 3원칙으로 설명했다).

군중의 심리가 바닥이라는 확인을 할 수 없기에 시황이 좋지 않을 때에는 많은 전문가들이 하나같이 '기다려라, 바닥을 확인하고 투자해라'라고 한다. 그러나 바닥을 확인하고 많은 투자자들이 이미 시장에 진입한 이후에는 개별 주식의 주가는 벌써 꽤 상승해 있기 마련이고, 그때 매수에 동참하려면 오히려 단기 차익 매물이 나올까 두려움이 생긴다. 결국 저가에 매수도 못하고, 추격 매수도 못하는 상황에서 상승하는 주식을 쳐다보고 있게 된다. 매수 판단이 늦어 기회를 놓치는 것이다. 싸게는 사고 싶지만, 추가 하락에 대한 두려움이 있다. 최저점에 가장 싸게 산다는 것 자체가 '신의 영역' 혹은 '운이 좋은 것'일 수 있다. 많은 전문가들은 싸다고 느끼는 구간에 진입하면 '분할 매수해야 한다'고 권고한다. 저점을 못 맞히니 저점 구간이라고 생각될 때 분할 매수하여 '바이 앤드 홀딩Buy And Holding'하면 결국 수익을 낼 수 있다고 한다. 저점은 아무도 모른다. 그러나 군중이 매수 진입하는 시점은 거래량과 주가 움직임으로 알 수 있다. 그 신호를 지키며 투자하고자 하는 것이 매매의 기술이다.

저가 영역이라는 판단을 위해서는 밸류에이션의 확신이 중요하다. 군중의 심리가 훼손되지 않으려면 밸류에이션의 훼손이 없어야 한다. 거의 모든 가치 판단은 미래의 이익에 대한 추정이 기본 자료이다. 미래의 예상 이익에 대한 확신이 있어야 한다. 안타깝지만 우리에겐 그 확신이 부족하다. 시황이 좋을 때는 애널리스트들의 분석 자료를 추종하지만, 시황이 나빠지면 그들의 자료를 불신하게 된다. 실제로도 많은 자료들이 시황이 좋을 때는 더 좋게, 나쁠 때는 더 나쁘게 나오기 마련이다. 미래 이익의 추정을 현재 상황을 바탕으로 추세적으로 판단하기 때문이다. 미래 이익의 추정이 어렵다면 세상의 변화를 생각해 보고, 세상의 변화에 연동하며 성장하는 산업을 판단하고 그 산업의 주도 기업에 집중할 필요가 있다. 산업의 성장은 기업의 이익 성장을 필연적으로 견인할 것이기 때문이다. 하락 시황에서 기관, 외국인 등의 투자자들이 팔지 않거나, 오히려 매수하는 종목은 미래 이익 성장이 기대된다고 볼 수 있다. 하락 국면에서 주가 하락 폭이 작거나 잘 버티는 기업은 이유가 있는 것이다. 그러한 주식은 시황 안정 시 빠르게 상승할 것이다.

시장의 고점과 저점은 어느 누구도 맞힐 수 없다. 어떤 전문가가, 혹은 투자의 구루가 '자! 여기가 저점입니다. 오늘부터 매수해도 됩니다'라고 한들 그 지점이 저점일 리 없다. 주가의 저점과 고점 역시 마찬가지이기 때문에 이 정도면 주가가 싸다, 비싸다라고 주장하는 것 자체가 주관적이고 개인적인 의견일 뿐이다. 주가가 싸다고 판단하고 강력한 매수세가 진입하는 것은 '시장의 보이지 않는 손', 바로 '군중의 공감된 심리'가 만드는 것이다.

명품 가방,
명품 구두와 명품 주식

경제학자 페르 빌룬드는 이렇게 말했다. "경제적 가치의 개념은 쉽다. 누군가 원하는 것은 가치가 있다. 그 이유는 상관없다. 원하는 사람이 많을수록 그리고 희소성이 높을수록 그만큼 가치는 올라간다."

최근 샤넬 '오픈런' 열풍이 줄었다는 뉴스가 있었다. "옆집 언니도 들더라"라는 말이 떠돌 정도로 희소성이 떨어지면서 명품족들의 관심이 줄어들었다는 것이다. 명품은 소재, 디자인 등의 가치보다 가격이 비싸 아무나 사용할 수 없는 희소성을 더 큰 가치로 인식한다. 값비싼 명품 하나쯤은 가지고 있어야 스스로의 가치를 높이는 도구로 사용할 수 있다고 생각하기 때문이다. 드라마에서 볼 수 있는 것처럼 명품 가방이나 구두를 집에 진열해 두면 보는 것만으로도 흐뭇하다고 한다. 중요한 회의에서는 주머니에서 몽블랑 펜을 꺼내 필기를 하는 마음과 같다.

　비슷한 맥락으로 가방이나 구두 대신 가지고만 있어도 흐뭇한 주식을 모아가는 것은 어떨까? 과거 수십에서 수백 배의 상승이 있었던 마이크로소프트, 애플, 테슬라, 삼성전자와 같은 투자 자산을 쌓아가고 있는 투자자는 경제적으로도 부자이지만 정서적으로도 풍요로운 삶을 살 것이다. 명품 가방과 명품 구두를 소장하고 싶은 마음처럼 명품 주식을 기회가 될 때마다 매수하여 보유하는 것은 굉장한 투자의 즐거움이 될 수 있다.

　비록 당장 경제적인 가치가 높지 않더라도 마음의 부자가 될 수 있는 명품 주식은 어떤 것일까? 구두나 가방, 보석처럼 희소성이 있고 남들도 사고 싶은 주식이면 좋을 것이다. 과거에는 모두가 사고 싶어 하는 주식이었는데, 지금은 관심에서 멀어졌다면 명품 주식이 아니다. 한때 유행하고 금방 시들해지는 테마, 밈 주식들은 명품이라고 할 수 없다. 이미 명품이 된 주식은 가격이 비싸져 있다. 다른 경제 활동을 통해 돈을 벌어 비싼 명품을 구매하는 것과는 다르게 주식에서의 명품 투자는 지금은 작고 보잘것없어 보이지만 미래의 어느 시점에는 희소성을 가질 주식에 투자하는 것이다. 주식 시장에서의 그 희소성은 기업이 보유하고 있는 경제적 해자를 말한다.

팻 도시의 책『경제적 해자』를 인용해 보면 다음과 같다. 경제적 해자를 가지고 있는 기업에 투자하여 보유해야 한다. 성장의 핵심은 그 기업만의 독보적인 가치 창출 능력을 말한다. 해자란, 적의 침입을 막기 위해 성곽을 따라 파놓은 못을 말한다. 경제적 해자는 경쟁사로부터 기업을 보호해 주는 진입 장벽과 확고한 경쟁 우위를 말한다. 명품 주식이 되기 위해서는 오랜 세월이 흐른 뒤에도 그 가치가 훼손되지 않아야 한다. 기업이 오랫동안 망하지 않고 경제적 이익을 지속하여 이뤄낼 수 있어야 명품 주식이 될 수 있다. 한때 인기가 많아 주가가 폭등했지만 결국 사라지고 마는 주식은 경제적 해자가 없어 단기적인 인기에 부합한 모래성과 같다. 대부분의 밈 주식들이 여기에 해당된다. 밈 주식은 명품이라기보다는 유행을 따르는 패션과 같다.

경제적 해자를 갖고 있는 기업은 시황의 일시적인 어려움이 있더라도 회복이 빠를 뿐 아니라 더 큰 성장의 발판을 마련한다. 단기적인 이익의 증가나 특정한 사람의 능력으로 인한 성과는 해자가 될 수 없다. 실체가 없는 해자로는 인기 있는 제품과 높은 시장 점유율, 운영 효율성, 우수한 경영진 등이다. 물론 이런 요인들도 기업 경쟁력 제고에 매우 중요하다. 그러나 일시적인 인기 제품은 유행이 지나고 나면 기업 이익에 크게 기여하지 못한다. 시장 점유율은 역사적으로 후발 경쟁 기업의 성장으로 늘 바뀌어 왔다. 단순히 시장 점유율이 높은 것이 아니라 '어떤 이유로 점유율이 높은가가 중요하다. 그것이 해자이다. 운영 효율성이나 우수한 경영진 등은 변화하는 산업과 기업 구조 속에서 언제든지 바뀔 수 있다. IT 기업의 신기술이나 신제품은 일시적으로 높은 수익을 줄 수 있지만 더 진화된 기술이 나타나면 기존 제품을 생산하던 기업은 도태되기 마련이다.

진정한 경제적 해자는 경쟁자들이 도저히 따라올 수 없는 무형 자산, 전환 비용, 네트워크 효과, 원가 우위 등이다. 단순히 인기 브랜드가 아니라 소비자가 더 많은 돈을 지불하더라도 구입하는 경쟁 우위의 브랜드여야 한다. 또 고객이 경쟁사의 제품이나 서비스를 사용하려면 전환 비용이 높아야 한다. 그것은 단지 금전적인 것만이 아닌 고객 충성도와 같은 심리적인 것까지 포함한다. 충성 고객이 많을수록 기업은 네트워크 효과로 더 많은 수익을 창출할 수 있다. 정보를 공유하고 사용자들을 서로 연결해 주는 서비스는 기업의 강력한 경쟁력이 될 수 있다. 경쟁 기업에 비해 낮은 가격에 제품을 만들고 서비스할 수 있는 원천적인 자원을 가지고 있는 것도 해자에 해당된다.

경제적 해자의 개념 설명을 듣다 보면 우리들의 머릿속에 떠오르는 기업들이 있다. 코카콜라, 애플, 마이크로소프트, 아마존, 테슬라 등이다. 갤럭시 폰을 사용하던 사람들이 아이폰으로 바꾸는 경우는 있지만 아이폰 사용자가 갤럭시로 바꾸는 경우는 흔치 않다. 코카콜라를 마시던 사람들은 그 맛을 흉내 내어 만든 다른 어떤 콜라도 인정하지 않는다. 열이 나거나 머리가 아프면 사람들은 약국에 가서 별생각 없이 타이레놀을 달라고 한다. 바이오 기업 중에는 원천 기술을 보유하고 있어서 최초 연구개발비는 많이 들었지만 개발 완료 후에는 큰 수익을 얻는 기업들도 있다.

변화하는 세상에 영원한 승자가 없듯이, 강한 경제적 해자를 보유한 기업들도 끊임없이 도전을 받고 있다. 따라서 기업은 기술의 발전에 더 집중해 해자에 위협이 될 요인들을 찾아 제거해야 한다. 해자로 벌어들인 수익은 새로운 해자의 발굴 또는 기존 해자의 공고한 구축에 사용해야 한다. 워런 버핏은 경제적 해자를 보유한 기업에 집중 투자하여 장기 보유했다. 진정한 명품족이라 불릴 만하다. 경제적 해자는 아무 기업이나 보유한 것이 아니다. 그래서 희소성이 있다. 희소성이 가치인 것처럼, 다른 기업이 갖지 못하는 해자를 갖고 있는 것이 가치이다. 당장의 주가 움직임과 다른 사람들의 시선에 신경 쓰지 말고 전 세계의 수많은 주식 중 진짜 명품이 무엇인지를 찾아내야 한다.

우리는 흔히 이런 얘기를 한다. "가방이나 옷은 자질구레하게 많은 것보다는 제대로 된 하나를 가지는 게 중요하다." 주식도 마찬가지이다. 단 하나의 주식이라도 명품 주식에 투자하여 장기 보유하는 것이 주식 투자의 성공을 이끌 것이다.

기업 분석 작성자의 심리

2021년 11월 시장은 5개월째 하락한 뒤 반등 심리가 작용하고 있었다. 당시 증권가에서 발간한 종목 보고서들의 제목을 살펴보고 워딩에 따른 작성자의 심리를 생각해 보자.

우선 긍정적 워딩의 보고서 제목들을 살펴보자.

삼성바이오로직스 : 글로벌 바이오 위탁 생산 개발 1위의 위엄(KB), 경쟁하지 않는다, 앞서 나갈 뿐이다(신한)

LG이노텍 : 호실적, 저평가만 보자(대신), 화려한 실적, 초라한 주가(DB)

하이브 : 혁신에 혁신을 거듭하다(IBK), 낮은 관점을 버려야 할 때(NH)

기아 : 있으면 다 팔림(신한)

삼성전기 : 이런 실적 처음 본다(DB), 이익의 양도 질도 역대 최고

(키움)

아프리카TV : 고공행진, 플랫폼과 광고 모두 좋았다(교보)

KH바텍 : 이만한 성장주도 흔치 않다(한투)

인터로조 : 사상 최대 실적 달성, 내년은 더 좋다!(유안타)

리메드 : 기대감이 현실로, 날아오를 주가(유안타)

이녹스첨단소재 : 서프라이즈의 연속(키움)

에스엠 : 올해도 좋지만 내년은 더 좋다(키움)

스튜디오드래곤 : 실적은 어디 안 갑니다(케이프)

현대미포조선 : 부당한 저평가(신한)

송원산업 : 사상 최대 실적 향후 2~3년간 지속될 것(한화)

제이에스코퍼레이션 : 놀라운 이익률, 더 놀라운 저평가(대신)

부정적 워딩의 보고서의 제목들은 다음과 같다.

현대모비스 : 구조적인 부담의 해소가 필요(신한)

한화솔루션 : 견고한 본업, 큐셀 회복만 기다리면 된다(신한)

삼성에스디에스 : 새로운 성장 동력 확인이 필요(삼성)

디오 : 선제적 투자 집행으로 영입이익 컨센 하회(삼성)

솔루엠 : 알려진 악재보다 체질 개선에 주목(DS)

동아에스티 : 실적은 좋으나 아직 매력은 부족(삼성)

한올바이오파마 : 꼬였던 실타래가 풀리는 중(신한)

현대위아 : 방향성은 유효하나 느린 속도(KTB)

DL : 기다림의 시간(교보)

아모레퍼시픽 : 기대하기 어렵다(메리츠), 중국 수요 기대 난망(유안타, KB, IBK)

호텔신라 : 녹록치 않은 시장 환경(신영), 경쟁 심화(유안타)

현대로템 : 밸류를 정당화하기에는 아직 부족한 이익(신한)

화승엔터프라이즈 : 조금 천천히, 그러나 개선되고 있다(대신)

한섬 : 내수 확장성이 관건(대신)

POSCO홀딩스 : 안정적인 실적 VS. 확인하고 싶은 업황(SK)

녹십자 : 분기 최대 실적 확인, 다만 목표가는 13% 하향(KTB)

LG생활건강 : 예상했던 아쉬움(교보), 선방한 이익, 감소한 매출(유안타)

더존비즈온 : 점진적인 성장, 신사업 가시화 필요(삼성)

　　기업 분석 보고서는 하루에도 수십 개씩 발표된다. 보고서 내용대로 기업이 성장하고 목표 주가대로 움직여 준다면 주식 투자는 아무런 고민 없이 보고서만 따르면 된다. 보고서와 주가의 움직임이 잘 연동되면 좋겠지만 대부분은 그렇지 않다. 투자자들이 해야 할 몫이 있다. 직접 기업 탐방을 하고 기업의 성장을 확인할 수는 없으므로 분석 보고서를 읽고 향후 전망을 읽어내야 한다.

수많은 주식 중에서 매수 종목을 고르듯이 수많은 보고서를 읽고 선별할 수 있어야 한다. 보고서를 읽으며 워딩의 행간과 작성자의 의도를 읽어내는 것은 기업 탐방 못지않게 중요하다.

긍정적 보고서들의 특징은 '호실적', '저평가', '빠른 성장', '지속성'이란 단어 혹은 단호하거나 재밌는 표현들이 많다. 그만큼 자신 있거나 상황이 좋다는 것이다. 애널리스트의 자신감은 기관 투자자들에게 통할 것이고 매수로 이어져 주가에 반영된다.

반면 부정적 보고서들의 워딩은 실적에 대한 언급 이외에 대체로 '기다림', '○○가 필요하다', '아쉬움', '선방', '확인', '느린 속도', '믿음' 등이 많다. 정리하면 '지금은 좋지 않으나 기다리자', '○○가 된다면 좋아질 것이다', '믿어보자'라는 식이다. 탐방 후 부정적인 판단이 되었더라도 '좋지 않다', '매도하는 게 좋을 것 같다'라고 쓰지 않는다. 따라서 미래의 성장을 보고 지금은 기다려 보라는 의견이 대부분이다. 해당 주식을 보유한 투자자는 '앞으로 좋아질 수 있다니 희망을 갖자'라는 심리가 생긴다. 그러나 주가는 멈춰 있는 것이 아니고 하락한다. 하락하는 주가를 보며 분석 보고서에 대해 의심을 한다. 주가가 계속 하락하면 애널리스트를 원망하며 매도하고 만다. 선택은 내가 하는 것이고 투자도 내가 한다. 스스로 투자 리포트의 워딩과 행간을 읽고 판단할 수 있어야 한다.

분석 보고서의 맨 마지막에는 항상 경고의 글이 함께 쓰여 있다. "이 보고서는 투자에 참고로 하기 위한 것이다. 컴플라이언스의 승인을 득했으며 실전 투자는 본인의 책임 하에 하는 것이다."

타이밍에
맞춰 나오는 보고서

기업 분석 보고서들은 대체로 주가가 상승할 때 많이 나온다. 대부분의 보고서들은 시황이 좋을 때 더 많이 나오고 침체기에는 줄어드는 경향이 있다. 어떤 주식의 가격이 급등하면 여러 증권사에서 앞다투어 미래 전망에 대해 장밋빛 보고서들을 내놓는다. 가격이 오르면 목표 주가의 변경이 이어진다. 한동안 긍정적 의견들을 내놓다가 주가가 고점을 찍고 하락하기 시작하면 단기 하락한 주가와 기업 가치를 비교하는 보고서들이 나온다. 주가가 고점 대비 30% 이상 하락하면 보고서의 횟수가 줄어들기 시작한다. 주가가 추가로 많이 하락하여 시장에서 소외되기 시작하면 관련 보고서는 거의 없어진다.

마치 유행을 타듯이 기업 분석 보고서들도 주가 움직임에 따라 나오는 것을 알 수 있다. 특히 대형주가 시황이나 산업 사이클에 따라 상승하는 구간에서는 경쟁하듯이 분석 자료들이 쏟아진다. 주가가 좋지 않을 때에도 담당 애널리스트들은 꾸준히 기업 탐방을 한다. 주가가 좋을 때와 나쁠 때 기업의 가치가 갑자기 돌변하는 것도 아니다. 기업 분석 담당자들은 꾸준히 탐방을 하고 자료를 작성한다. 단지 주가에 따라 발표되는 횟수가 달라질 뿐이다. 주가가 오르면 향후 전망을 좋게 보는 보고서들이 쏟아져 나오다 보니 투자자들은 '추천 보고서들이 나오면 이제 매도할 때가 되었다'라고 생각하기도 한다. 마치 보고서를 통해 수요 홍행을 만들고 그때 미리 매수한 기관이나 일부 투자자들은 매도할 것이라는 왜곡된 의견도 있지만 오해의 소지가 높다. 우리나라는 '선행매매 금지'라는 엄격한 제도가 있기 때문이다.

주가가 올라야 비로소 그 기업의 좋은 전망들이 나오는 데는 나름 담당자들의 고충이 있다. 예를 들어보자. A라는 기업이 시황이나 업황 부진 속에 주가가 많이 하락했다. 기업 가치의 변화는 크지 않다. 그럼에도 '지금은 좋지 않지만 시황이 좋아지고, 업황 사이클이 반전하면 주가도 좋아질 것'이라고 매수 보고서를 내기가 쉽지 않다. 보고서 발표 후 오랫동안 주가 움직임이 없거나 오히려 하락한다면 한동안 곤혹스러운 해명을 해야 하기 때문이다. 기업 분석 보고서는 주가를 예측하는 것이 아니라 기업 성장에 대한 현황과 전망을 있는 그대로 전달하는 것이지만, 투자자들은 전망과 주가의 움직임이 다를 때 원망하고 성토한다.

결국 그들은 시황과 주가 움직임을 고려할 수밖에 없다. 주가가 상승하기 시작하면 평소 준비하고 있었던 분석 자료를 내놓으며 동조하게 되는 것이다. 시황을 잘 맞히고 기업 전망과 주가 움직임의 동조화가 잘 되는 애널리스트들의 연봉이 높다. 반도체 시황이 좋을 때는 반도체 애널리스트들의 연봉이 높고 제약 바이오의 시황이 좋을 때는 해당 애널리스트들의 연봉이 높다. 수년간 내수주가 좋지 않으면 내수 담당 애널리스트들은 찬밥이 된다. 자신이 담당하는 섹터의 시황이 좋고 기업들의 주가가 좋아야 연봉도 높고 더 많은 자료들을 발표하는 것이다.

방송에 출연하여 시황이나 종목 추천을 하는 전문가들은 더욱 심하다. 증권 방송이나 유튜브에서 '현재 새로운 기술을 개발하였고 향후 신제품 출시에 따라 이익 성장이 될 수 있는 기업'을 소개한다고 생각해 보자. 이때 '기술 구현은 약 3년이 걸리고 제품이 상용화되기까지는 약 5년으로 예상하니 지금부터 5~10년쯤 투자해 보자'라고 한다면 거의 모든 투자자들에게서 외면받을 것이다. 증권 방송에서 거론하는 주식들은 거의 대부분 지금 현재 상승하고 있는 종목들이다. 그게 한계이다. 전문가들의 '자질의 한계'라기보다는 주식 시장의 현실적인 한계이다. 단기 거래 전문가가 방송에서 '여러분, 우리 함께 모멘텀을 이용하여 투기합시다'라고 하면 욕 먹기 십상이다. 사실 거의 대부분의 투자자들이 단기 모멘텀을 이용한 거래, 즉 투기를 하고 있지만 투기라는 부정적 어감을 싫어한다. 반대로 기업을 보고 장기 투자하자고 하면 수긍한다. 그럼에도 지금 투자하여 5년 이상 주가 움직임에 연연해하지 말고 기다리자고 하면 그 역시 싫어한다.

대중의 이해관계를 무시한 보고서는 나올 수 없다. 주가 움직임에 따라 보고서의 타이밍을 맞춰야 한다. 이러한 전문가들의 심리를 고려할 때 몇 가지 유의미한 활용 팁을 얻을 수 있다. 경제방송 등에서 가장 많은 전문가들이 가장 자주 언급하는 주식이 지금 현재 강한 주식이다. 거들떠보지도 않았던 주식을 언급하기 시작하면 그 주식의 가격이 상승하기 시작하였거나 기업의 이익 성장에 뭔가 중요한 변화가 발생한 것이다. 거의 대부분의 전문가들이 매수를 외치는 주식들은 거의 모든 사람들이 매수하고 싶은 상투에 가까이 다가가고 있는 것이다. 강한 어조의 분석 자료들이 나오기 시작하면 빠르게 주가가 움직이고 있는 것이다. 애널리스트, 전문가들의 보고서가 나오는 타이밍과 워딩으로 그 주식의 현재 상황을 이해할 수 있다.

가치 분석 지표의
불편한 진실

 가치 분석 지표로 가장 기본적인 것은 ROE(자기자본이익률), EPS(주당 순이익), BPS(주당 순자산 가치), PER(주가수익비율), PBR(주가순자산비율)이다. 미래의 기업 가치를 보다 잘 판단하기 위해 EV/EBITDA(기업의 시장 가치를 세전 영업이익으로 나눈 값), PDR(주가희망비율), PSR(주가매출비율), PEG(주가이익증가비율) 등 다양한 지표들을 사용하지만 가장 기본이라고 하면 PER와 PBR이다.

 PER란 특정 주식의 한 주당 시가를 한 주당 이익으로 나눈 것이다. 즉 한 주당 현재 가치의 몇 배로 현재가가 형성되어 있는가를 의미한다. 가령 어떤 기업의 현재 주가가 10,000원이고 주당 순이익이 1,000원이라면 PER는 10배가 된다. 결국 PER가 높다는 것은 이익에 비해 주가가 높게 거래되고 있다는 의미이며 낮다는 것은 주가가 이익에 비해 싸게 거래되고 있다는 의미이다. 같은 업종 내에서 상대적으로 PER가 낮으면 주가가 싸다고 판단하고 국가별로도 다른 국가에 비해 낮은 PER로 지수가 형성되어 있다면 상대적으로 저평가되어 있다고 분석한다. PER 산정에 앞서 중요한 것은 주당 순이익을 계산하는 것이다. 주당 순이익은 당기 순이익을 총 주식 수로 나눈 값이다. 주당 순이익이 높다는 것은 그만큼 경영 실적이 좋다는 것이고 주당 순이익이 높을수록 PER는 낮아지는 것이다.

PBR는 특정 주식의 한 주당 시가를 한 주당 순자산으로 나눈 것이다. 주가가 한 주당 순자산의 몇 배로 형성되어 있는가를 의미한다. 가령 어떤 기업이 현재 주가가 10,000원이고 한 주당 순자산이 10,000원이라면 PBR는 1이 된다. 주당 순자산이 20,000원이라면 0.5배, 주당 순자산이 5,000원이라면 2배가 되는 것이다.

결국 PBR가 1 이상이란 것은 현재가가 자산 가치에 비해 높게 거래되고 있다는 것이며 1 이하라는 것은 현재가가 자산 가치에 비해 낮게 거래되고 있다는 것이다. 여기서 '순자산'이란 표현을 사용하는데, 순자산은 기업이 청산할 때 주주에게 분배되는 금액으로 대차대조표상 자산에서 부채를 차감한 것이다. 자산을 평가하는 방법, 자산의 질에 따라 순자산의 계산에 많은 편차가 있을 수 있지만 여기서는 간단히 총 자산에서 총 부채를 뺀 것으로 설명한다.

전통적으로 주가를 설명할 때 가장 기본적으로 보는 것이 PER 와 PBR이다. 현재의 주가가 주당 순이익 대비, 주당 순자산 대비 얼마나 높게 또는 낮게 평가되어 거래되는지를 판단하는 것이다. 당연히 순이익 대비, 순자산 대비 저평가되어 있는 주식에 투자하면 가격이 기업 가치에 수렴하면서 수익을 낼 수 있을 것이다. 증권사에서는 주기적으로 저低 PER, 저低 PBR 종목을 선정한다. 단순하게 애널리스트들이 분석한 저평가 주식에 투자하여 수익을 낼 수 있다면 주식 투자는 간단 명료해질 것이다. 그러나 실전 투자에서는 이론과 다른 불편한 진실이 숨어 있다.

우선 저 PER 주식들을 선호하는 시기가 있다는 사실이다. 시장에 유동성이 풍부하여 시장이 상승하는 시기에는 시장 전체 혹은 강세 업종의 평균 PER 대비 낮은, 즉 저 PER 주식을 찾아서 투자하려 한다. 가령 반도체 업종의 주식들이 대세 상승을 하는 구간에서 업종 전반적으로 PER가 10배 구간에서 거래되고 있는데, 같은 업종 내의 어떤 종목이 7배 구간에서 거래되고 있다면 매수하려 할 것이다.

PER가 절대적인 기준이 될 수 있다면 우리는 단순하게 저 PER 주식을 찾아 투자하면 될 것이다. 그러나 실전에서는 PER의 평가를 고무줄처럼 이랬다저랬다 한다. 우리나라 코스피 지수의 PER 평가가 대표적이다. 미국 등 주요 시장이 상승을 하고 코스피가 연동해서 상승할 때에는 다른 국가 대비 저평가라고 한다. 2021년 미국 시장이 PER 26배에 거래될 때 코스피는 12배 수준으로 상대적 저평가라고 하였다. 반면 글로벌 시황이 나빠지면, 우리나라는 지정학적 리스크와 낮은 ROE로 인해 상대적으로 낮은 PER 적용이 타당하다고 한다. 시장의 급격한 하락으로 PER가 수십 년간의 평균보다도 낮아지면 매수 타이밍으로 보아야 함에도 우리나라는 적정 PER가 낮은 것이 타당하다는 논리를 편다. 팬데믹 이후 막대한 유동성은 미국 시장의 PER를 26배까지 끌어올렸지만 월가는 PER가 높지 않다고, 더 큰 성장을 기대할 수 있다고 했다. 그러나 2022년 상반기 본격적인 하락을 하며 PER가 17배에까지 하락하였지만 대부분의 분석가들은 여전히 고평가라며 향후 추가 하락을 경고하고 있다.

2000년 IT 버블의 시기에는 웬만한 IT 주식들의 PER가 100배를 넘었다. 지나친 고평가임에도 불구하고 성장성을 볼 때 높지 않다고 주장한 전문가들이 부지기수였다. 그러나 곧 붕괴되었다. 2015년 바이오 열풍 시기에는 웬만한 제약, 바이오 주식들의 PER가 50 ~100배에 이르렀다. 제약, 바이오 산업은 미래 성장산업이기 때문에 PER 30배는 기본이라고 했다. 2016년 이후 바이오 추락 시기에 주가는 반토막 이상이 되며 PER가 30배 이하로 하락하였지만, 대부분 투자자들은 여전히 바이오는 너무 지나친 고평가라며 아직 싼 것은 아니라고 하였다.

적정 PER를 산정하는 일이 시장의 상황, 업종의 상황에 따라 고무줄처럼 바뀔 수 있다. 특히 서로 다른 업종 간의 PER는 비교 대상이 아니다. 자동차 업종과 IT 업종, 음식료 업종과 전기차 업종의 PER가 같을 수 없다. 대부분이 경우 자동차 산업의 PER는 6~7배 수준에서 거래된다. 그러나 자동차 업황이 좋아지고 시장 주도주로 나서면 완성차기업은 10배, 부품회사는 12~15배까지도 높여서 적정주가를 계산한다. 2017년 IT 섹터가 시장 주도로 대세 상승을 할 때 섹터 PER는 10배 이상이었다. IT 기업 중 실적이 급증하는 일부 주식은 PER를 15~20배 이상 책정하는 보고서들이 나왔고 주가는 연일 급등하였다. 업황이 좋아지고 기업의 상황이 좋아져서 수익이 증가하는 구간에서는 평소보다 높은 PER로 주가가 형성된다.

3차 산업보다 신기술의 4차 산업군에 속한 기업에 더 높은 PER를 부여하는 것은 당연하다. 다만, 미국은 26배인데 한국은 11배라는 것은 누가 정한 것인가? 반도체는 12배이고 섬유의복은 10배, 자동차는 7배라는 것은 또 누가 정한 것인가? 반드시 그렇다고 약속한 것은 아니다. 반드시 지켜지지도 않을 것이며 순식간에 돌변할 수 있다. 그 순간, 그 시기의 상황에 맞춰 시장이 정한 것이다. 시장에 참여하는 군중이 정한 것이다. 투자자 자신이, 혹은 애널리스트가 임의로 정하고 그것을 고집하는 경우 자칫 크게 실패할 수 있는 요인이 될 수 있다.

막연히 저 PER의 주식에 투자하라는 이론은 구태의연한 주장이 되었다. 주식 시장은 미래의 기업 가치에 투자하는 것이다. 높은 성장성은 높은 PER로 현재가가 형성된다. 높은 PER의 주식은 고평가가 아니라 미래의 고성장을 반영하는 것이다. 미래에 더 큰 이익 가치의 성장이 있을 것이라는 '군중의 합의'가 반영된 것이다. 반면 아주 낮은 PER의 주식들은 현재는 물론 미래의 성장 가치가 낮다고 판단한 것이다. 주식 투자는 성장기업에, 미래의 가치에 투자하는 것이므로 PER가 높다 하더라도 높은 이익 성장으로 정당화할 수 있는 기업이라면 투자 대상이 된다. 대표적인 기업이 테슬라나 애플이다. PER보다 이익 성장이 높은 기업이면 투자해야 한다. 즉 PEG가 높은 기업에 투자해야 한다. 반면 이익 성장이 멈춘 기업을 낮은 PER이라고 하여 투자하는 것은 잘못된 방법이다. 군중의 판단이 합의되어 반영된 주식 시장은 순간적인 왜곡이 있기도 하지만 결국 현명하다. 높은 PER의 주식, 낮은 PER의 주식들은 그만한 이유가 있다.

PBR를 기준으로 투자하는 시기가 있다. 자산 가치를 판단의 기준으로 삼는 것이므로 성장보다는 기업의 현재 가치가 중요할 때이다. 경기가 좋지 않아 국가의, 산업의, 기업의 성장이 기대되지 않을 때, 중요한 위기로 인해 기업의 신용 위기 즉 부도 리스크가 커질 때이다. 극단적으로 1997년 외환위기를 맞을 때 우리나라의 웬만한 기업들은 부도 위기에 몰렸다. 상당수 기업들이 부도로 상장 폐지되었고 그보다 더 많은 기업들이 화의 신청을 하여 관리 종목이 되었다. 그러한 상황에서 투자자들은 기업이 청산할 때 총 자산을 매각하여 총 부채를 빼고 남은 돈이 얼마나 되는지에 관심이 쏠린다. 자산 가치가 커서 상장 폐지되어도 현재 거래되고 있는 가치보다 주당 순자산 가치가 높다면 오히려 청산되는 것이 투자자 입장에서는 좋다. 실제로 위기 상황이 아님에도 기업이 자발적으로 상장 폐지 절차를 밟으며 현재 가치보다 높은 가격으로 주주에게 배분하는 경우도 많이 있었다.

미래의 성장보다 현재의 본질 가치가 더 중요한 시기에 PBR는 유용한 지표가 된다. 경기가 좋지 않을 때에는 시장에서 소외되어 있었던 저 PBR의 주식들이 관심으로 부각된다. 2015년 고점을 찍은 '고 PER 성장주'들이 하락하는 2016년에는 소위 '저 PBR 가치주'들이 저점으로부터 강한 상승을 보였다. 당시 미국이 금리 인상을 시작하면서 성장주는 하락하고 가치주가 상승하였다. 그리고 2022년 1월, 똑같은 상황이 재연되었다. 미국이 금리 인상을 3월에 시작될 것이라는 전망으로 빅테크라 불리는 성장주들은 급락을 한 반면 정유, 조선, 철강 등 전통적인 저 PBR의 가치주들이 상승하였다. 가치주에는 이익 성장 가치주도 있으므로 PBR로 설명할 때 사용하는 가치주는 '자산 가치주'라고 하는 것이 보다 명확한 구분이라 할 수 있다.

성장주가 상승하는 대부분의 시기에는 전통적인 장치산업이면서 업황이 좋지 않은 조선, 건설, 자동차, 철강 등의 업종은 PBR가 0.4~0.6배 정도로 형성되는 시기가 많다. 0.5배라는 것은 기업이 청산해도 현재가보다 2배의 가격으로 주당 가치를 배분받을 수 있다는 의미이다. 자산 가치 대비 저평가 주식을 매수하는 것은 안전마진을 확보하는 좋은 투자 방법이라는 생각을 할 수 있다. 그러나 PER가 기업의 이익 가치에 몇 배수로 가격을 계산할 것인가의 주관적 판단이 있는 것처럼 PBR 역시 자산 가치의 계산에서 주관적 요인이 합리성을 왜곡할 수 있다.

자산 가치의 계산 방식과 자산의 상황에 따른 가격 형성의 오차, 부채의 상황에 대한 가치 산정의 오류 등 계산하는 사람에 따라 그 차이가 클 수 있다. 대표적인 것이 무형자산에 대한 평가이다. 기술이나 특허권 등을 얼마만큼의 가치로 계산하느냐는 아직 정확한 룰이 없다. 기계 장치 등도 마찬가지이다. 자동차 공장의 생산 라인은 자동차 공장으로 존재할 때 높은 가치를 갖겠지만 청산하여 그 자리에 맥주 공장이 들어선다면 그 가치는 거의 없다고 봐야 한다.

PBR의 계산에 있어 자산 가치 산정에 오류가 많을 수 있다는 것을 차치하더라도 저 PBR 주식에 무조건 투자하는 것은 잘못이다. 회사에 땅이 많고 건물도 있어서 자산 가치는 높지만 주력 산업도 부진하고 성장성도 없는 기업에 투자한다면 결국 그 회사가 청산하기만을 기다리는 것과 다름 없다. 대규모 장치 산업인 굴뚝 산업들은 부동산을 많이 보유하고 있다. 그렇다고 그 기업의 주가가 크게 상승할 수 있는 것은 아니다. 자산 가치는 안정성을 담보하는 것이지만 성장 가치는 미래의 이익을 기대할 수 있는 것이다. 결국 PER가 수십 배가 넘는 성장주에 투자하는 것도 위험하지만 반대로 성장이 멈춰서 PER와 PBR가 낮은 주식에 투자하는 것도 위험하다. 신기술, 신제품, 신약 등의 개발로 미래 성장성이 높은 기업인데 PBR가 1배 미만이라면 최적의 투자 대상이 될 수 있다. 그러나 정상적인 시장에서 그런 주식은 없다.

현실적으로 성장주들은 PER만이 아니라 PBR 역시 매우 높다. 반면 PBR도 1 미만으로 낮지만 PER 역시 시장 평균 PER인 10배보다 현저히 낮은 5배 정도라면 거의 성장이 멈춘 기업이라고 볼 수 있다. 이러한 주식에 투자할 경우 주가 상승으로 인한 수익을 기대하기 어렵다. PER, PBR 두 지표 모두 상황에 따라 시기에 따라 적용이 다르고 절대적이라기보다는 상대적이다. 따라서 천편일률적으로 제시되는 자료를 무작정 따르는 것은 매우 위험하다. 상황에 따라 유연하게 사용할 때 유용한 지표가 될 것이다.

리서치 센터의 보고서를 믿지 않는 투자자

기업 리포트를 많이 읽어본 투자자라면 목표주가 제시에 대한 의구심이 있을 것이다. 주가는 연일 하락 추세인데 현재 주가 대비 너무 높은 목표가를 제시한다든지, 주가가 상승함에 따라 목표주가를 지속하여 상향 조정하는 것을 빈번히 접한다.

반면 하락 초기엔 목표주가를 유지하다가 주가가 큰 폭으로 하락한 뒤에야 목표주가를 수정하는 경우가 빈번하다. 기업 분석 리포트를 그대로 따라서 투자를 할 경우 수익률은 얼마나 될까? 수없이 많은 기업 분석 보고서들이 시장에 쏟아져 나오고 있는데, 외면하는 투자자들의 심리와 리포트의 현실적인 한계를 생각해 봐야 한다.

보통 기업 분석 리포트의 목표주가는 12개월 포워드로 제시한다. 현재로부터 12개월 이내에 리포트의 내용과 같이 사업이 진행되어 실적이 나와주면 목표주가에 도달할 수 있다는 의미이다. 대형주들은 성장과 상관없이 주기적으로 리포트가 나오지만 중소형주들의 리포트는 상대적으로 적기 때문에 의미가 크다. 어떤 기업이 향후 실적이 부진하거나 성장이 없을 것으로 판단되면 리포트를 쓰지 않을 것이다. 기업 탐방을 하고 리포트를 쓰기 시작한다는 것은 해당 기업의 성장을 기대할 수 있기 때문이다. 대부분 보고서의 목표주가는 현재가보다 현저히 높다. 보고서를 통한 투자의 성공 여부는 '기업의 성장을 정확히 분석하였는가' 와 '기업이 리포트의 내용대로 성장을 하느냐'이다.

고액의 연봉을 받는 애널리스트는 개별 기업을 분석하는 팀과 경제, 환율 등 매크로 환경을 분석하는 팀으로 나눌 수 있다. 여기서는 개별 기업을 분석하는 애널리스트에 한정한다. 그들이 탐방후 리포트를 작성하는 근본적인 목적은 기관 투자자들에게 제공하기 위해서이다. 애널리스트들은 보고서를 작성한 뒤 매니저들에게 세미나를 통해 설명한다. 분석 자료가 잘 맞아서 미래의 기업 실적과 주가가 예상대로 움직인다면 그 애널리스트의 몸값은 올라갈 것이다. 기업 담당 애널리스트들은 시장의 누구보다도 그 기업을 잘 안다. 전기전자 담당 애널리스트는 삼성전자나 LG전자 출신이 많고, 제약, 바이오 담당 애널리스트는 해당 업종 연구

원 출신이 많다. 물론 애초에 증권사로 입사하여 사원 시절부터 기업 분석 훈련을 받은 애널리스트들도 있다. 어떤 경우이든 자신들이 담당하는 섹터가 있고 해당 섹터 내의 기업들 위주로 집중 분석한다. 애널리스트 리스트를 보면 섹터별로 구분되어 있는 것을 볼 수 있을 것이다. 그들은 담당 섹터 내의 기업들을 오랫동안 자기 집 드나들 듯 방문하여 체크한다. 투자자들은 그들을 폄하하는 측면이 있지만 그들만큼 기업을 잘 아는 시장 관계자는 없을 것이다. 투자자들은 그들의 분석 보고서를 열심히 보고 들어야 한다.

그럼에도 애널리스트의 의견을 신뢰하지 않는 투자자들이 점차 많아지고 있다. 심지어 '보고서의 발표일이 주가 하락일'이라고 주장하는 투자자들도 있다. 애널리스트의 리포트대로 투자하여 좋은 결과를 얻었다면 오늘의 불신은 없었을 것이다. 따라서 리포트의 한계를 명확히 인식하고 효율적으로 이용하기 위해 기억해야 할 세 가지 문제에 대해 이야기해 보겠다.

첫째, 타이밍의 문제이다. 주가가 좋지 않을 때 애널리스트들은 미래에 좋을 기업을 추천하기보다는 앞으로 좋아질 기업을 보고 있다가 주가가 상승하기 시작하고 수급이 들어오기 시작하면 그제야 리포트를 발표하는 경우가 많다. 많은 탐방을 통해 좋은 기업을 선정하고 확신이 있다 하더라도 수급이 들어오면서 주가가 일정 부분 상승한 후에야 리포트를 다수의 투자자들에게 제공한다. 대부분의 투자자들은 주가가 상승하고 나서야 추천 리포트를 접하게 되는 경우가 많다. 타이밍의 다른 관점은, 기업 분석 자료는 12개월 포워드이기 때문에 기간이 길다. 그 사이 주식 시장에는 많은 일들이 벌어질 수 있다. 시장 상황이 안 좋아지면서 주가가 폭락할 수도 있다. 수개월이 지난 후에 국내외 경기의 급변으로 기업의 미래 성장 스토리가 변질될 수도 있다. 12개월 포워드로 보고서는 나왔지만, 수급이나 시장 상황에 따라 1개월 만에 급등하여 목표주가를 넘어서는 경우가 발생할 수도 있다. 애널리스트의 분석이 틀리지는 않았지만 주가 움직임은 다를 수 있다. 그렇기에 기업 담당 애널리스트들은 시황과 투자 타이밍의 문제는 투자자 각자의 몫이라고 얘기하곤 한다.

둘째, 시황의 문제이다. 증권사에는 시황을 분석하는 시황팀이 따로 있다. 기업 분석을 하는 애널리스트들은 시황과 연계하여 기업의 가치를 분석하고 투자 타이밍을 제공하지는 않는다. 시황의 눈치를 볼 수밖에는 없지만 정확히는 기업 분석에 집중하는 것이지 시황의 변화에 따른 주가 움직임을 분석하는 것은 아니라는 뜻이다. 따라서 투자자는 시황 보고서와 기업 분석 보고서를 따로 보지만 함께 분석해야 한다. 흔히 펀더멘탈과 센티멘탈이란 용어를 쓴다. 기업이 아무리 좋아도 시장이 폭락하면 주가도 같이 폭락한다. 해당 기업이 속한 산업 상황이 좋지 않거나,

해당 기업이 속한 업종에 매물이 나오고 있어도 주가는 하락한다. 수급의 쏠림은 흔히 발생한다. 삼성전자가 상승하면 IT 관련 기업들 대부분의 주가는 상승한다. 반면 제약, 바이오 업종의 주가는 하락하는 경우가 많다. 은행이나 건설주가 상승하면 코스닥의 중소형주는 하락하는 날이 많다. 수출주들이 상승하면 내수주들은 매물이 나오며 하락한다. 쏠림 현상과 차별화는 세계 모든 나라에서 일어나지만 우리나라의 쏠림 현상은 특히 더 심각하다. 연기금과 외국인들의 비중이 높은 우리 시장은 기관 투자자들의 자금 부족에 의한 단기 쏠림 현상이 나타나기 때문이다.

셋째, 리포트 내용 사전 반영의 문제이다. 애널리스트들의 추천 보고서가 발표되면 매물이 나오고 주가는 하락하는 경우가 빈번하다. 시장에서는 아이러니하게도 추천 보고서가 나오는 날 매도해야 한다는 얘기들을 한다. 효율적 시장 가설에 따르면 주가에 영향을 줄 수 있는 과거 및 현재의 모든 재료는 주가에 반영되어 있어야 한다. 애널리스트들이 파악한 주가 상승의 재료들은 이미 주가에 반영되었다고 보아야 한다. 그러나 현실은 그렇지 않다. 호재성 재료의 리포트가 나오면 주가는 상승하고 나쁜 리포트가 나오면 주가가 하락한다. 그렇기에 투자자들은 정보를 알려고 노력한다. 긍정적인 보고서가 나오는 날 주가의 하락은 이론적으로 재료의 사전 반영이라고 설명하지만 결국 수급의 문제이다. 내가 접하는 재료, 내가 보고 있는 보고서는 이미 다른 투자자들은 알고 있을 수 있다. 이미 그들은 매수하여 주식을 보유하고 있을 수 있다. 리포트를 보고 매수하려고 하는 지금 그들은 차익 실현 매도를 할 수 있다. 시장에 흘러 나오는 보고서를 비롯한 거의 모든 정보들은 이미 많은 투자자들이 나보다 먼저 접했을 것이라 생각해야 한다.

리포트를 효율적으로 활용하기 위해서는 타이밍의 문제, 시황의 문제, 사전 반영의 문제를 극복하는 방법을 고민해야 한다. 리포트가 나오면 액면 그대로 믿고 따를 수는 없다. 보고서의 객관성, 신뢰성, 진실성을 확인하는 투자자 스스로의 탐방 노력이 중요하지만 현실적으로 쉽지 않다. 제목과 목표주가만을 읽는 것에서 벗어나 이익 성장의 스토리 정도는 꼼꼼히 읽어야 한다. 해당 기업의 홈페이지와 재무제표 정도는 살펴보아야 한다. 그렇게 여러 보고서를 통해 투자할 만한 주식을 미리 선정하고 관심을 가지며 투자 종목을 업데이트해야 한다. 자신만의 투자 풀을 만들어놓는 것이다. 투자 풀의 기초자료로 애널리스트들의 리포트를 이용해야 한다.

주식 투자의 기본 플로우는 가장 먼저 시황 분석을 하고, 시장을 주도하는 업종이나 테마를 선정하고 그 업종 내의 주도 주식에 투자하는 것이다. 지금부터 호황 사이클로 진입하는 섹터의 톱픽 주식에 투자해야 한다. 시장의 방향이 시황이다. 시황 판단이 되었다 하더라도 주식 투자는 늘 '어떤 종목에 투자하느냐'의 문제에 봉착한다. 기회가 왔을 때 주저하지 않고 빠른 베팅을 할 수 있기 위해서는 투자 풀을 항상 가지고 있어야 한다. 그 투자 풀은 평소 기업 분석 보고서를 통해 만들어두어야 한다.

자신의 투자 풀에 각 섹터별, 테마별로 몇몇의 종목을 선정해 두었다면 언제든 그 시기에 맞는 기업에 투자할 수 있다. 가령 반도체 업황 사이클이 호황이어서 반도체 관련주들이 상승하고 있다면 그제야 어떤 주식에 투자할지 찾는 것이 아니라 자신의 투자 풀 속 이미 정해둔 주식에 투자한다.

세월이 흘러 톱픽 주식이 바뀔 수 있다. 따라서 투자하고 있지 않을 때에도 보고서를 통해 업데이트하고 있어야 한다. 준비한 투자자는 남들 얘기만 듣고, 주가 움직임에만 추종하며, 잘 모르는 기업에 투자하는 실수를 하지 않을 수 있다. 보고서가 나와서 주가가 급등할 때 무작정 추격 매수하는 실수를 하지 않을 것이다. 단지 수급만으로 하락할 때 매도하지 않고 기다릴 수 있을 것이다. 좋지 않은 업종 내 종목을 매수하지 않게 될 것이다. 애널리스트들의 보고서는 투자할 기업을 선정하는 기초자료로 사용해야지 매매의 기초자료가 되어서는 안 된다. 투자 풀을 만드는 자료로 사용하고 실제 투자는 시황, 업황, 수급으로 움직이는 주가 움직임의 타이밍이 되었을 때이다.

어닝 서프라이즈
어닝 쇼크

주식 시장은 분기별 실적 발표를 하는 4월, 7월, 10월, 1월에 주기적으로 큰 변동성이 있다. 3월, 6월, 9월, 12월 둘째 주 목요일에 선물, 옵션 등의 만기 결제가 있기 때문에 분기말부터 시장 변동성과 함께 종목별 차별화 장세가 이어진다. 글로벌 경기 사이클이 회복에서 호황에 있을 때는 대부분의 기업 실적이 좋을 것이다. 호실적이 발표되면 주가 역시 분기별로 계단식 상승하며 추세 상승을 만든다. 경기 둔화기로 접어들어 기업들의 실적이 감익되는 시기에는 반등 시도를 하다가도 결국 기업 실적 부진을 이유로 주가가 하락하고 시장은 추세적으로 하락하고 만다. 시장은 여러 매크로 이슈로 등락하다가 실적 시즌이 되면 다른 이슈들은 잠시 묻어두고 실적에 집중한다. 3, 6, 9, 12월 프리 어닝시즌이 되면 분기 실적이 좋을 기업 찾기에 주력한다.

프리 어닝시즌이 되면 리서치센터에서는 기업들의 분기 예상 실적을 바탕으로 앞다투어 자료를 발간한다. 지난 분기 기업의 매출액을 추정하고 영업이익과 영업이익률의 추정치를 제공한다. 개인 투자자들만이 아닌 기관 투자가들 역시 애널리스트들의 기업 분석 자료를 바탕으로 투자할 종목을 결정한다. 주가의 기울기는 영업이익 증가율의 기울기와 같다. 기업 실적이 전 분기 대비 그리고 전년 동기 대비 크게 증가한 기업일수록 주가는 급등한다. 분기 실적이 좋을 것이라고 알려진 기업의 주가는 실적 발표를 하기 전에 이미 매수세가 급증하여 주가가 상승하고 반대의 경우 주가는 하락한다.

'어닝 서프라이즈', '어닝 쇼크'는 실적 시즌에 주식 시장에서 가장 많이 언급되는 단어이다. 실적을 추정하고 그 자료를 바탕으로 투자하고 있는 투자자의 입장에서 서프라이즈니 쇼크니 하는 단어는 달갑지 않다. 주식 투자를 하면서 가장 대응하기 어렵고 곤혹스럽게 하는 것은 바로 불확실성이다. 예상과 비슷한 경로로 기업이 성장하고 실적이 나오면 편안하게 좋은 기업에 투자하면 된다. 그러나 현실은 딱 부러지게 맞아떨어지지 않는다. 실적 추정이 단적으로 보여주는 사례이다. 2014년 3분기 현대미포조선의 실적은 600억 전후의 영업이익 적자를 예상했다. 그러나 정작 발표는 6,060억 적자였다. 그야말로 어닝 쇼크이다. 가뜩이나 한 해 동안 부진한 실적으로 주가가 연초 19만 원에서 13만 원까지 하락하던 중이었는데, 실적 발표 후 7만 원선까지 급락하였다. 쇼크의 원인은 대규모 잠재 손실 충당금이었다. 회사가 그 정도 규모의 손실 충당금을 반영할 것이라고는 애널리스트들이 추정하지 못했던 것이다. 2014년 LG이노텍은 시장이 생각하지 못한 실적을 발표하면서 8만 원대였던 주가가 15만 원대까지 급등하였다. 2분기 영업이익 899억으로 서프라이즈를 발표하면서 3분기 실적은 다시 감소할 것이라고 예상했지만 3분기 영업이익은 1,029억으로 그야말로 서프라이즈였다.

서프라이즈와 쇼크가 빈번한 이유를 알아야 시장 대응을 할 수 있다. 기업의 재무 담당 부서에서도 추정은 하지만, 정확한 실적은 막판에 연결 재무제표를 만들면서 알 수 있다. 그러나 주식 시장에 돌아다니는 실적 예상 자료는 그보다 훨씬 이전에 작성된다. 즉 분기 결산월이 지나고 나서야 집계가 끝나는 실적을 직전 1~2개월의 확정된 매출 실적과 분기말 1개월간의 예상 매출을 추정하여 집계한다. 1분기 실적은 3월 말이 끝나야 정확한 집계 자료를 알 수 있지만 주식 시장은 이미 3월 초가 되면 지난 1~2월의 실적 자료와 3월의 예상 자료를 바탕으로 추정하기 때문에 정확한 수치가 나올 수 없다. 정확한 수치가 아니더라도 비슷하게 예상할 수 있어야 하겠지만 기업들의 불투명한 회계 관행과 예상치 못한 영업 수익 및 손실이 꽤나 많다는 것이다.

예상 실적과 실제 사이의 오차를 적게 예측하는 애널리스트가 가장 유능한 애널리스트일 것이다. 한때 실적이나 주가에 영향을 미칠 만한 중대한 내부 정보를 사전에 특정 애널리스트에게 전달하여 사회적으로 큰 문제가 되기도 하였다. 결국 기업의 재무 담당자의 입장에서는 이미 세상에 알려진 자료 외에 추정하거나 예상되는 자료를 제공하기를 더욱더 꺼릴 수밖에 없다. 애널리스트 입장에서는 기초자료의 불확실성과 부족으로 실적 추정치의 예상이 어려워지고 '어닝 미스'도 더욱 많아지게 된다.

어닝시즌에는 실적에 영향을 주는 시황과 업황의 큰 변수가 있었는지를 고려해야 한다. 시황과 업황의 급변은 기업 실적을 변화시킬 수 있기 때문이다. 보유 또는 투자하려는 기업의 실적 발표가 과거 경험으로 볼 때 '어닝 미스가 많았는가'도 중요하다. 실적이 분기별, 연도별로 들쭉날쭉하는 기업은 추세적인 신뢰를 할 수 없다. 분기별과 연간으로 꾸준한 실적이 이어지고 있는지를 재무상태표를 통해 확인해야 한다. 무엇보다도 자신이 잘 아는 산업이나 기업 안에서 주식을 선택한다면 어닝시즌의 큰 변동성에서 위험을 줄일 수 있을 것이다.

투자자들은 자신의 보유 주식이 어닝 서프라이즈로 주가가 급등하길 바란다. 분기별로 발표되는 호실적 예상 주식들을 나열해 두고 수급과 차트를 보며 확인한다. 주가의 단기 급등을 바라는 마음 못지않게 어닝 쇼크로 급락할 확률에 대한 두려움이 있다. 변동성이 큰 주식에서 수익의 기회가 있지만 변동성을 제어하거나 대응할 자신도 없다. 그렇다면 최대한 안전하게 투자해야 한다. 턴어라운드를 기대하며 적자 회사에 투자하거나 이번 실적부터 좋아질 주식을 찾아 투자하려면 위험을 감수해야 한다. 확률적으로 위험을 회피하기 위해서는 이익 성장의 안정성을 최우선으로 해야 한다. 윌리엄 오닐의 투자 기법인 'CANSLIM'에서 C(현재의 주당 분기 순이익)와 A(연간 순이익 증가율)가 바로 그것이다. 분기별, 연간 실적이 추세적으로 성장하고 있는 기업에 투자해야 한다. 기관 투자가는 단기적으로 수익을 내어 투자 명분과 실력을 인정받아야 한다. 반면 대부분의 개인 투자자들은 그렇게 서두르지 않아도 된다. 실적 시즌이 큰 수익을 낼 수 있는 기회이지만 단기적인 모멘텀으로 투자할 때 반대로 큰 손실의 가능성도 높아진다. 어닝 서프라이즈도 쇼크도 없는 꾸준한 기업에 투자하는 것도 하나의 방법이다.

에스피지의 분기 실적, 연간 실적, 장기 차트 사례를 보며 확인해 보자. 분기별 매출이 꾸준히 늘어나고 있다. 영업이익은 더 큰 폭으로 증가하고 있는데, 영업이익률이 높아지고 있기 때문이

| 에스피지 분기 실적표 |

○재무제표   ○재무비율   ○투자지표   ○경쟁사비교   ○Disclosure

Financial Highlight [연결|분기]   단위 : 억원, %, 배

IFRS(연결)		Net Quarter			
	2020/12	2021/03	2021/06	2021/09	2021/12
매출액	1,004	898	1,002	1,091	1,172
영업이익	**44**	**48**	**52**	**75**	**60**
영업이익(발표기준)	44	48	52	75	60
당기순이익	25	48	27	84	70
지배주주순이익	25	48	27	84	70
비지배주주순이익					
자산총계	2,884	2,923	3,303	3,441	3,651
부채총계	1,436	1,407	1,612	1,628	1,720
자본총계	1,448	1,516	1,691	1,813	1,931
지배주주지분	1,448	1,516	1,691	1,813	1,931
비지배주주지분	0	0	0	0	0
자본금	104	107	111	111	111
부채비율 ⃠	99.18	92.83	95.30	89.78	89.08
유보율 ⃠	1,329.71	1,364.25	1,465.25	1,575.18	1,663.79
영업이익률	**4.37**	**5.37**	**5.20**	**6.90**	**5.11**

| 에스피지 연간 실적표 |

○재무제표   ○재무비율   ○투자지표   ○경쟁사비교   ○Disclosure

Financial Highlight [연결|연간]   단위 : 억원, %, 배, 천주   연결

IFRS(연결)		Annual					
	2017/12	2018/12	2019/12	2020/12	2021/12	2022/12(E) ⃠
매출액	**2,958**	**3,054**	**3,152**	**3,548**	**4,163**	**4,580**
영업이익	**64**	**121**	**103**	**181**	**235**	**321**
영업이익(발표기준)	64	121	103	181	235	
당기순이익	-41	80	68	141	229	277
지배주주순이익	-32	78	74	135	229	277
비지배주주순이익	-9	3	-6	6		
자산총계	2,467	2,752	2,757	2,884	3,651	
부채총계	1,500	1,499	1,445	1,436	1,720	
자본총계	967	1,254	1,312	1,448	1,931	
지배주주지분	984	1,258	1,323	1,448	1,931	
비지배주주지분	-18	-4	-11	0	0	
자본금	104	104	104	104	111	
부채비율 ⃠	155.18	119.55	110.12	99.18	89.08	
유보율 ⃠	928.43	1,147.63	1,209.89	1,329.71	1,663.79	
영업이익률	**2.15**	**3.96**	**3.27**	**5.10**	**5.65**	**7.01**

다. 연간 이익은 보다 확연하게 성장을 지속하고 있다는 것을 확인할 수 있다. 매출액은 지난 5년간 지속하여 증가하였다. 2020년 팬데믹으로 인한 경기 침체 기간에서도 훌륭한 성과를 내었다. 영업이익과 순이익은 더 큰 폭으로 증가하고 있다. 기존 시설투자로 인한 성과가 나타나기 시작하며 매출액 대비 영업이익과 순이익이 늘어나고 있는 것이다. 영업이익률의 두 자릿수 진입 후에는 폭발적인 성장이 기대되고 있다.

2022년 1월부터 시장은 급락을 하고 있지만 이 기업의 주가는 우상향하며 상승하고 있다. 기업의 이익 성장과 주가 흐름을 가장 확연히 알 수 있는 움직임이다. 분기별, 연간 실적 성장이 꾸준한 기업은 어닝 미스의 확률이 낮다. 이익 성장이 꾸준한 기업에 투자하는 것은 실적 시즌의 변동성에서 벗어나 편안한 투자를 할 수 있는 방법론이 될 수 있다.

| 에스피지 장기 차트 |

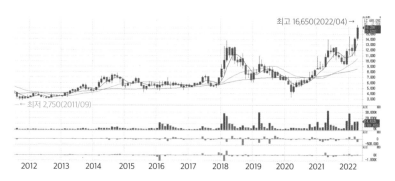

어닝 서프라이즈 후 하락
어닝 쇼크 후 상승

실적은 좋은데 주가는 하락하는 경우가 있다. 왜 하락하는지 혼란스럽고 화가 나기도 한다. 2022년 4월 삼성전자는 52주 신저가를 기록했다. 1분기 잠정실적은 사상 최대이고 매출과 영업이익 역시 시장의 기대를 뛰어넘었다. 그럼에도 외국인과 기관은 연일 매도하고 있고 주가는 하락하고 있다. 기관 투자가들이 실적 좋은 기업의 주식을 미리 매집하고, 호실적 발표에 매도하기 때문이란 얘기를 하지만 보편화할 수는 없다.

효율적 시장 가설 이론에 의하면 호실적 발표에 매물이 나오는 것은 개연성이 있다. '현재의 주가에는 과거와 현재의 실적과 미래의 예측 가능한 실적까지 포함되어 있다'는 이론적 가설을 바탕으로 생각해 보면 호실적은 이미 주가에 반영되었기 때문에 차익 실현 매물이 나오는 것은 일면 타당하다. 그러나 실전 투자에서 좋은 실적이 예상되는 기업의 주가는 실적 발표 때 매도가 있긴 하지만 매물을 소화한 이후에 다시 상승하는 경우가 많다. 업황이 개선되는 기업의 실적은 몇 분기 동안 연속적으로 좋아지기 때문이다.

실적이 나쁜 기업의 주가는 실적 발표 전에 이미 하락세를 보인다. 그러다가 막상 최악의 실적 발표를 하고 나면 단기적으로 반등하는 경우가 많다. 이론적으로는 그럴듯하다. 이미 악재는 반영이 되어서 하락했고, 향후 좋아질 것이라는 기대치가 반영되며 저가 매수세가 유입되기 때문이다. 그러나 이 경우 다음 분기에도 실적이 좋지 않아 저점 반등 후 추격 매수하면 손실을 보는 경우가 대부분이다. 결국 어떤 경우이든 핵심은 미래의 실적이다. 좋은 실적으로 주가가 많이 올랐지만 향후 몇 분기 동안 지속하여 실적이 증가할 것이라고 예상되면 실적 발표 후 단기 차익 실현 매물로 하락하지만 곧 상승 추세를 회복한다. 나쁜 실적으로 주가가 많이 하락했지만 향후 실적이 지속하여 좋지 않을 것이라고 예상되면 반등하더라도 이내 하락 추세를 이어간다.

우리는 흔히 어닝 서프라이즈로 주가가 급등하면 매도하고 어닝 쇼크로 주가가 급락하면 매수해야 한다는 생각을 한다. 주가가 상승할 땐 세력들이 좋은 뉴스로 급등시켜 고가에 매도하고 주가가 하락을 할 땐 나쁜 뉴스로 주가를 급락시켜 낮은 가격에 매수하는 세력이 있다고 생각한다. 실제로 시장에서는 그러한 심리 플레이를 하는 세력들도 있다. 그러나 대부분의 경우에는 실적 발표를 하는 시점의 현재 가격이 좋은 혹은 나쁜 실적을 얼마나 반영했는가에 따라 차익 실현 매도 또는 저가 매수의 거래가 형성된다.

'빅 배스Big Bath'라는 용어가 있다. 기업이 과거로부터 쌓아온 대손 충당금 등의 손실이나 미래에 발생할 수 있는 손실을 한꺼번에 회계 처리할 때 사용하는 용어이다. 빅 배스인 경우 그 기업은 더 이상 추가적인 우발 손실에 대한 우려가 없어지고, 기저효과에 의해 향후 좋은 실적으로 내놓을 가능성이 높다. 그러한 경우에는 어닝 쇼크로 단기적으로 주가가 급락하지만 저가 매수세의 진입으로 반등을 할 수 있다.

어닝 서프라이즈이지만 해당 기업의 이익이 향후 추가로 성장하지 못할 것이라고 판단되면 주가가 급락할 수 있다. 이때 기준은 영업이익률이다. 너무 높은 영업이익률이 지속될 경우 향후 더 높은 이익률을 기대하기 어려워진다. 분기별로 발표되는 기업 실적은 지속하여 서프라이즈로 발표하지만 주가는 지속하여 하락하는 경우가 있다. 난감한 상황이 아닐 수 없다. '실적이 좋다는데 왜 주가가 힘이 없고 하락하는지' 물으면, 애널리스트들을 비롯한 전문가들은 단기 조정 후 다시 상승할 것이라고 한다. 그렇게 기다리다가 손실의 폭이 커지고 결국은 반 토막이 난 상태에서 이도 저도 못하고 주식을 보유하게 되는 경우가 많다. 그러한 상황은 향후 1~2년 동안 기업이 이루어낼 최대한의 실적을 주가가 모두 반영하고 있을 때 흔히 발생한다. 이번 분기 그리고 다음 분기에 실적이 좋다는 것 외에 현재 주가가 미래의 이익을 어느 정도 반영하고 있는지를 판단하는 것이 핵심이다.

주식 투자는 기업의 미래 실적을 예상하고 그 성장성에 투자하는 것이다. 기업의 미래 성장(실적)을 정확하게 예상하는 것 자체가 힘들기 때문에 주가는 추세적으로 하락과 상승을 반복한다. 기업 분석을 아무리 잘했다 하더라도 글로벌 경기와 같은 매크로 변수를 잘못 판단하면 낭패인 경우도 많다. 우리가 단지 현재의 기업 실적만을 믿고 주가를 이해하려는 것은 우물 안에서 당장 내려오는 빗줄기만을 바라보며 판단하는 것과 다를 바 없다. 주가가 실적에 연동하지 않을 때는 왜 그런지 의심해야 한다. 주가가 실적으로 이해할 수 없는 움직임을 보이면 답을 '가격 움직임' 그 자체로부터 찾아야 한다. 호재 후 주가가 상승하지 못하면 수급의 매도가 있는 것이다. 호재를 기다리며 보유하고 있는데 주가가 호재에 반응하지 않는다는 것은 주가가 호재를 모두 반영했거나 내가 모르는 악재가 있는 것이다. 악재 후 주가가 하락하지 않으면 수급의 매수가 있기 때문이다. 악재에 매수가 있다는 것은 악재의 온전한 반영이 끝났다고 보거나 새로운 호재가 있다는 것이다. 답은 주가에 있다. 주가 움직임에 반하여 보유할 이유를 억지로 찾아서는 안 된다. 군중이 어리석고 내가 현명한 것은 아니다.

심리에 의한 수급 변화가 일어나고 있는데 가치 투자자, 장기 투자자라고 하면서 주가 하락을 쳐다보고 있는 것은 관리 소홀이다. 가격은 결국 기업 가치에 수렴하는 것이 맞다. 그러나 기업 가치에 대한 판단이 틀리면 낭패이다. 미래의 가치 평가에 대한 지나친 확신이 손실을 키울 수 있다. 미래의 가치에 대한 투자자들의 판단이 다르기 때문에 매매가 형성되는 것이다. 남들이 팔 때는 이유가 있다. 남들이 살 때도 이유가 있는 것이다. 수급 변화로 인한 주가 움직임이 자신의 판단과 다를 때는 의심해 봐야 한다.

주가가 오르는 이유
내리는 이유

'삼성전자를 매수하여 몇 년 들고 있으면 수익이 나겠지'라는 생각으로 투자하는 사람들이 많다. 장기 투자를 하기 위해서는 여유 자금이 있어야 하고, 자금 유동성의 위험에 처했을 때 기다릴 수 있어야 하며, 주가 변동성을 참아낼 수 있어야 한다. 반면 투자한 기업의 측면에서는 '고잉 컨선Going Concern' 즉 기업이 망하지 않고 지속 가능 경영을 할 수 있는가, 이익이 지속하여 증가할 수 있는가, 경쟁으로부터 도태되지 않을 핵심 기술이 있는가 등을 살펴야 한다. 그런 기업에 투자하고자 하지만 어떤 기업이 지속 성장을 하여 주가의 상승이 있을지에 대해 판단이 어렵다. 그래서 '그냥' 삼성전자를 선택하는 경우가 많다.

'영국 투자자들의 스승'이라는 별칭으로 불리는 짐 슬레이터는 개인 투자자들의 경우 '자신이 잘 아는 소형 성장주에 장기 투자' 하는 것이 가장 효과적인 투자법이라고 주장하였다. 이러한 투자 전략을 '줄루 투자법'이라고 하며, 그의 저서『줄루 투자법』에서 소개했다. 불확실성의 시황과 수천 가지의 기업을 모두 알려 하지 말고 자신이 잘 아는 작은 기업에 정통하여 그것에 집중하는 것이 성공의 열쇠라는 것이다. 그러나 대부분의 투자자들은 중소형 기업에 투자하면 고잉 컨선에 대한 확신과 이익 성장에 대한 신뢰가 없기 때문에 특정 국가의 일등 기업에 투자한다. 국내 주식은 삼성전자나 현대차, 미국 주식은 애플이나 아마존 등에 투자하는 게 대표적이다.

물론 시장 대표 종목에 투자하는 것이 나쁜 방법은 아니다. 시장 대표 종목은 시장이 하락할 때 비교적 덜 하락하고 시장이 상승할 때 플러스 알파의 수익을 거둘 수 있다. 마치 시장을 매수하는 것과 유사한 투자가 된다. 시장 대표 종목의 투자는 대부분 시장 변동성을 이겨낼 수 없으며, 시황을 예측할 수 없고, 지금은 작지만 크게 성장할 소형주를 골라낼 수 없다는 전제가 있기 때문이다. 그러나 진정한 성장 가치주의 장기 투자는 세상의 변화와 연동하여 성장할 수 있는 기업에 투자하는 것이다. 지금은 작지만 크게 성공할 수 있는 기업 말이다.

시스템 반도체 기술을 보유한 소형주에 투자하면 마음이 불안

하지만 삼성전자는 마음이 놓인다는 투자자들이 많다. 그러나 삼성전자도 현대차도 과거 작은 기업으로부터 출발하여 오늘에 이르렀다. 테슬라는 전기차 상용화에 대한 끊임없는 '회의' 속에서도 결국 성공하여 오늘의 글로벌 기업이 되었다. 기업의 미래 성장에 투자하는 것이 주식 투자이지만, 아이러니하게 가장 어려운 것이 기업의 미래 성장을 판단하는 일이다.

미래 기술을 보유한 중소형주에 투자한 이후에는 주가 변동성에 민감해진다. 주가가 급락하면 '망하는 거 아닌가' 하는 의심이 든다. 갑자기 급등하는 경우에도 이유를 몰라 당황스럽다. 주가가 상승하는 이유와 하락하는 이유를 모를 때 수익을 떠나서 마음은 늘 불안하다. 흔히 주가가 하락하거나 상승하는 초입에 매도하게 된다. 주가가 하락하면 우선 시황의 영향인지를 판단해야 한다. 기업 가치의 변화 없이 시황 영향으로 하락하였다면 기업을 믿고 기다려야 한다. 여유 자금이 있으면 추가 매수해야 한다. 시황은 늘 주기적으로 하락과 상승을 반복한다. 어려운 시기에 팔고 좋아지면 다시 사는 투자를 해서는 안 된다. 주식에 투자 후 매도 타이밍은 기업 가치를 온전히 가격으로 반영했을 때와 최초 기대하던 성장 스토리의 변화가 발생했을 때이다. 시황과 수급만의 변화로 주가가 급락하면 매수 타이밍이지만, 기업 가치 훼손은 매도 타이밍이다. 반대로 기업 가치의 변화 없는 이슈로 급등하면 매도해야 한다.

해당 기업이 속한 산업 사이클의 변화로 주식이 하락할 수도 있다. 어떤 시기에는 반도체가, 어떤 시기에는 자동차가 상승한다. 산업 사이클의 변화는 기술 발전과 기준 금리의 변동으로 인한 스타일 펀드들의 수급 변화로 발생할 수 있다. 기술이 발전하고 있는데 자신이 투자한 기업의 기술은 뒤처지는 상황이 되었다면 매도해야 한다. 반면에 기업이 기술 발전의 경로를 잘 추종하고 있다면 잠시 어려운 상황이 되었더라도 보유해야 한다. 가장 대표적인 것이 소위 'S 커브 이론'과 '캐즘 이론(제품이 아무리 훌륭해도 일반인들이 사용하기까지 넘어야 하는 침체기를 뜻함)'이다.

기술 발전의 초기 기업은 기술이 일상에 침투되기 전 깊은 계곡과 같은 어려움에 처할 수 있다. 그러나 그것은 세상의 변화가 일어나는 과정의 하나이다. 그것을 극복한 기업은 큰 성공을 할 수 있다. 기준 금리 변경으로 인한 소위 성장주와 가치주의 자금 이동은 절대적인 매도 이유가 되지 못한다. 스타일 펀드들의 자금 이동으로 인한 수급으로 주가 등락이 클 수 있다. 따라서 수익률 관리를 위한 비중 조절이 필요할 뿐이다. 결국 스타일은 바뀔 것이며 성장 기업은 다시 시장에서 부각될 것이다. 단기 성과를 내야 하는 기관 투자가나 증권사 직원들은 수급 사이클의 변화에 대응해야 하겠지만 개인 투자자들은 그러한 대응이 쉽지 않을 뿐더러 반드시 그렇게 할 필요도 없다.

수급에 의한 주가 변동성도 있을 수 있다. '수급은 모든 재료에 우선한다'는 증시 격언이 있다. 기업 가치의 변화가 없음에도 기관들의 리밸런싱, 선물 연계한 프로그램 거래, 글로벌 펀드의 리밸런싱, ETF의 종목 교체 등으로 가격 변동성이 있을 수 있다. 물론 기업의 성장에 대한 시각 차이로 매도가 나올 수 있지만 대체로 운용 전술로 인한 리밸런싱이 대부분이다. 유무상 증자나 전환사채의 주식 전환으로 매물이 나올 수도 있다. 때로는 아무런 이유를 알 수 없는 수급이 발생하여 가격 하락이 나타날 수 있다. 유통 주식 수가 많아지거나 기관, 외국인들의 리밸런싱은 수급 불균형을 초래해 꽤 오랫동안 주가가 좋지 않을 수 있다. 매수 주체들의 외면은 주가 상승의 큰 걸림돌이다. 기업 가치의 성장은 장기적 관점이고 당장은 수급이 우선한다. 강한 오버행 이슈가 생기거나 기관, 외국인의 변심이 확인되면 보유 수량의 조정이 필요하다. 수급 왜곡이 해소되는 기간이 꽤 길어질 수 있기 때문이다.

주가 하락의 이유를 명확히 할 수 있다면, 대응법도 명확해진다. 하락하는 주가를 보며 당황해하는 것은 하락의 이유를 모르기 때문이다. 주가가 상승할 때도 마찬가지이다. 상승하는 동안 기분은 좋지만 마음은 불안할 수 있다. 언제 다시 하락할지, 그래서 언제 매도해야 할지, 하락할 때와 마찬가지의 불안함이 있다.

주가가 하락하여 체념할 때보다 주가가 상승하여 매도 타이밍을 고민할 때의 스트레스가 훨씬 심하다고 한다. 상승할 때 역시 명확한 이유를 모르기 때문이다. 실적이 좋아서인지, 호재성 뉴스 때문인지, 시황이나 업황의 상승으로 떠밀려 상승하는 것인지, 단순한 수급의 변화인지를 구분해야 한다. 그래야 매도할지, 보유할지, 일부 매도할지를 결정할 수 있다.

결국은 주식을 매수할 때 기업 가치의 변화, 수급의 변화, 투자자들의 심리가 반영된 차트의 상황 등을 고려하여 어떤 상황이 되면 매도할 것인지를 분명히 할 필요가 있다. 판단에 따라서 가격 하락이 있더라도 보유하거나 추가 매수할 수도 있고 소폭 하락에도 빠른 매도를 할 수도 있다. 10%라도 상승하면 매도할 수도 있고 몇 배로 상승할 때까지 기다릴 수도 있다. 그 결정은 매수할 때 이루어져야 한다.

세상의 변화와
주가의 변화

전문가들은 흔히 '주식 투자는 세상사를 읽어내는 것으로부터 시작해야 한다'라는 말을 한다. 기술의 변화, 정책의 변화, 제도의 변화, 인식의 변화로부터 발생하는 세상사의 변화는 주식 시장의 변화를 이끌어낸다. 사회적 통념과 인식의 변화가 나타날 때 작은 기업이 큰 기업으로 성장하기도 하고, 시장 선호도 만년 3등인 주식이 1등으로 바뀌기도 한다. 기업을 바라보는 사회적 인식의 변화가 주가를 급등시키기도 급락시키기도 한다. 세상사의 큰 조류가 중장기 시황이 되고 중간중간의 잔파도가 주가의 등락을 만든다. 우리는 늘 세상의 변화에 관심을 갖고 그 흐름에 투자의 방향을 맞춰야 한다.

아주 먼 시기 전기가 처음 발명되고 자동차와 배, 비행기가 생산되기 시작할 때 주식 시장에서 가장 혁명적인 성장주는 자동차, 조선, 철강, 화학 등의 산업이었다. 20세기 말 PC의 보급과 인터넷 혁명은 스마트폰이라는 새로운 생필품을 만들어냈고 전자 상거래, 전자 금융 환경의 변화를 불러왔다. 전기차가 처음 소개될 때 많은 사람이 불가능하다고 생각했다. 그러나 우리는 전기차 대중화 시대에 살고 있다. 엔터테인먼트는 주요국의 핵심 산업이 되었고 네이버, 카카오와 같은 인터넷 기반의 플랫폼 사업은 변신을 거듭해 '메타버스'의 시대를 열어가고 있다.

주식 투자자가 바라보는 주식 시장의 변화는 매일매일이 새롭다. 하루가 다르게 새로운 일들이 벌어지고 있고 그 영향으로 어떤 산업은 쇠퇴하고 어떤 산업은 성장하여 새로운 주도주가 탄생한다. 주식 투자를 한다는 것은 MTS를 열어서 주가가 오르고 내리는 것을 보는 것이 아니다. 주가가 오르면 추격 매수하고 내리면 매도하는 단순한 매매 행위가 아니다. 그 시기 유행하는 테마나 많은 사람이 선호하는 미인주를 고르는 것이 아니다. 어쩌면 MTS는 닫아두고 세상의 변화에 관심을 가져야 성공할 수 있다. 마치 SF 영화에 나오는 새로운 기술들이 현실화되는 것에 관심을 가져야 한다.

「스타워즈」, 「백 투 더 퓨처」, 「레지던트 이블」, 「터미네이터」, 「매트릭스」, 「블레이드 러너」, 「마이너리티 리포트」, 「아바타」, 「바이센테니얼 맨」, 「아이언맨」, 「슈퍼맨」, 「아이 로봇」, 「매트릭스」
「HER」, 「A.I」 등 수많은 영화에서 우리가 상상하는 것들을 볼 수
있었다.

「스타워즈」에서는 홀로그램과 대화를 나누고, 「레지던트 이
블」에서는 유전자 연구소 '하이브'를 조정하는 인공지능을 보여
주었다. 사람이 되고 싶은 감정을 가진 로봇을 선보인「A.I」, 하늘
을 나는 보드와 안경 모양의 통신기기를 선보인「백 투 더 퓨처」,
맨손으로 허공에서 정보를 찾을 수 있는 인터페이스 기술의 「마
이너리티 리포트」, 증강현실을 보여준「아바타」, 인공지능과 음성
인식 기술을 보여준「HER」등 인류가 미래에 꿈꾸는 기술들은 많
은 영화에서 볼 수 있었다. 이러한 기술들은 빅데이터, AI, 웨어
러블, 가상현실, 증강현실, 헬스케어 로봇 등 소위 4차 산업혁명
의 키워드와 일치하고 있다. 과거 영화 속의 기술들은 이제 하나
씩 현실화되고 있다. 우리는 그 과정에 살고 있는 것이다.

하늘을 날아다니는 자동차, 말만 하면 척척 알아서 목적지까
지 데려다주는 자동차, 휘발유가 아닌 전기나 수소로 움직이는
자동차 등은 주식 시장에 자율주행과 전기차라는 큰 테마로 자리
잡고 있다. 물리적으로 먼 곳의 사람과 마치 함께 있는 듯한 상황
을 연출할 수 있는 홀로그램 기술 등은 가상현실과 증강현실을
통해 이미 우리 생활에 접목되고 있고 게임 등에 활발히 적용되
면서 중요한 테마가 되었다.

스마트폰 기술, 무선 통신의 발달과 웨어러블 기술이 접목하면서 우리 일상의 모든 것을 바꿔놓고 있다. 이러한 기술의 근간인 하드웨어엔 반도체가 있다. 그래서 4차 산업 혁명의 최대 수혜는 반도체라고 하는 것이다. 땀 한 방울, 피 한 방울로 각종 질병을 추적해내는 기술도 빠르게 진화하고 있다. 주식 시장에서는 이러한 기술을 분자·체세포 진단 기술이라고 한다. 우리나라에서도 진단 서비스를 하고 있는 기업들이 이미 많이 있다.

「새벽의 저주」, 「28일 후」, 「REC」, 「월드 워 Z」, 「웜 바디스」, 「나는 전설이다」 등의 좀비 영화들, 「투모로우」, 「2012」, 「코어」, 「아마겟돈」, 「인투 더 스톰」 등의 재난 영화들, 「더 문」, 「미션 투 마스」, 「콘택트」, 「2001 스페이스 오딧세이」, 「가디언즈 오브 갤럭시」, 「그래비티」, 「스타쉽 트루퍼스」, 「인터스텔라」, 「프로메테우스」, 「에일리언」 등의 우주 영화에서도 미래의 성장 기술을 엿볼 수 있다. 좀비, 지구 종말에 가까운 대재앙, 외계인의 지구 침공 또는 지구인의 먼 우주로의 여행 등의 영화는 아직 현실과 동떨어져 있다. 그러나 의학 기술의 발달 속도로 볼 때 결국 인간은 죽지 않고 각각의 인체 기능들을 이식하며 사는 날이 올 것이다. 비약을 한다면 그 부작용으로 나타나는 것이 좀비 아닐까? 먼 우주로의 여행이나 미지의 행성으로 인한 재앙들도 우리가 알지 못하지만 가능성을 염두에 두고 과학 기술이 발전되고 있다. 그렇다면 조금은 먼 듯하지만 결국 현실화될 재난·질병·우주 과학과 관련된 영화 속 상황들에 대한 대응 기술 역시 미래의 핵심 변화의 요인일 것이다.

21세기 들어서면서 전 세계는 저성장 국면에 들어섰다. 과거에는 고성장을 할 수 있는 국가를 근간으로 글로벌 경제 성장이 이루어져 왔다. 미국과 유럽, 일본과 같은 선진국에 이어서 한국과 대만, 중국과 같은 신흥국들이 그러했다. 아직도 고성장의 가능성이 남아 있다면 아프리카처럼 아직 개발이 되지 않은 국가들일 것이다. 과거처럼 후진국들이 있어야 그 국가들에서 고성장을 하고 그 성장의 과실을 선진국과 신흥국들이 얻을 수 있는 구조가 된다. 이젠 후진국이란 표현을 하지 않는다. 이미 지구상 거의 모든 국가가 눈부신 발전을 해왔기 때문이다.

후진국이 중진국으로 다시 선진국으로 발전하는 단계에서 철강, 화학, 정유, 건설, 기계 등의 굴뚝 산업들이 성장할 수 있었다. 그런데 이제는 그러한 성장의 고리가 멈춘 것이다. 결국 새로운 성장 모멘텀을 찾을 수밖에 없다. 그러한 의미에서 우리는 영화나 만화 등에서 상상력을 동원해 만든 새로운 세상에, 그리고 새로운 세상을 열 신기술에 대해 관심을 가져야 한다. 나아가 주식 시장에 상장되어 있는 기업들 중 신기술에 집중하는 산업과 기업에 주목할 필요가 있다.

제약, 바이오, 자율 주행, 전기차, 수소차, 웨어러블, 증강현실,

가상현실, 빅데이터, 인공지능, 로봇, 우주과학 등의 카테고리에서 사업을 하고 있는 기업을 눈여겨보자. 진정한 성장 기업은 지금은 작은 회사이지만 독특한 기술력을 바탕으로 미래 성장 산업을 준비하고 있는 기업이다. 신기술로 인한 신제품 출시는 주가를 수십 배, 수백 배 상승하게 한다. 주식 시장 내부만 쳐다보지 말고 세상의 변화를 흥미롭게 바라보자.

5장

차트 분석의
마음

차트는
직관적으로 보자

김춘수의 시 「꽃」에서는 '내가 그의 이름을 불러주었을 때 그는 나에게로 다가와 꽃이 되었다'고 하였다. 살면서 우리는 많은 것에 의미를 부여하며 산다. 그래야만 우리 삶이 값지게 된다. 그러나 투자자들의 심리가 투영된 차트는 의미를 부여하기보다는 있는 그대로 그리고 직관적으로 보아야 한다. '주식을 사랑하지 말라'란 증시 격언이 있다. 보유 주식을 애지중지하면 소유효과에 의한 편향이 나타나기 때문이다. 투자에서의 심리적 투영은 왜곡된 판단을 하게 된다.

차트는 사려는 사람들과 팔려는 사람들의 심리가 반영된 수급의 결과이다. 사려는 사람이 강하면 양봉을 만들고 거래량도 늘고 추세적인 상승 차트를 만든다. 팔려는 사람이 강하면 음봉을 만들고 거래량도 늘고 추세적인 하락 차트를 만든다. 기술적 분석가들은 차트를 보며 양봉과 음봉, 추세, 패턴, 과열과 침체, 거래량, 변동성의 밴드, 가격 움직임과 모멘텀의 방향 등을 분석하기 위한 수많은 보조지표를 만들어 사용한다. 가격과 거래량의 움직임을 통해 만든 보조지표들은 사후적이기 때문에 미래 가격을 예측할 수 없다. 다만 가격과 거래량의 과거와 현재 움직임을 추적하여 방향성을 추정할 뿐이다.

차트 전문가들은 미래 가격을 과거의 차트로 설명한다. 아무리 현재라고 해도 1초만 지나면 과거이기 때문에 현재 만들어지는 차트는 과거의 흐름일 뿐이다. 과거의 숫자를 조합하여 일정한 '룰'을 만들어 사용하는 알고리즘 매매나 퀀트 투자가 유행이지만 그것 역시 제한적인 범위 내에서 사용된다. 만일 과거의 방대한 데이터를 통해 미래의 가격을 예측할 수 있다면 통계학이나 컴퓨터 프로그래밍에 능숙한 전문가들은 모두 큰 수익을 낼 수 있을 것이다. 기관 투자가들 역시 매매 타이밍에 차트를 사용하지만 판단의 결정적 요인은 아니다.

복잡하고 어려운 각종 지표의 기본 데이터는 가격과 거래량이다. 굳이 보조지표들을 사용해 가며 해석하거나 정당화하려 하면 오히려 사실을 왜곡할 수 있다. 판단이 애매한 차트도 있다. 그럴 경우 매매하지 않고 판단을 유보하면 된다. 추세가 상승하는 차트와 추세가 하락하는 차트에 '속임형'이라든지 '반전'이라든지의 추가적인 의미를 부여하지 말자. 주관적 의미 부여가 많아질수록 판단은 어려워지고 왜곡된다. 지금은 좋지 않은 흐름이지만 '미운 오리 새끼'처럼 백조가 되어 내게 수익을 줄 것이라고 주관적인 의미를 부여하지 말아야 한다. 나중에 백조로 탈바꿈되려 하면 그때 사면 된다. 마음에 들지 않는 꽃을 사놓고 예뻐지기를 기다리지 말자.

마음에 들지 않은 꽃도 계속 보면 마음에 드는 구석이 생기게 된다. 주식 투자를 하면서 큰 손실을 만드는 대부분의 경우가 그렇다. 이미 시들어서 미운 꽃이 되었음에도 예쁜 꽃이 될 거란 생각으로 붙들고 있다가 큰 손실을 본다. 주식 시장에서 예쁜 꽃(주식)은 내게 수익을 주는 꽃(주식)이다. 주식 시장에서 미운 꽃(주식)은 내게 손실을 주는 꽃(주식)이다. 그뿐이다. 자신이 보유한 주식에 인위적인 의미를 만들지 말아야 한다. 남들과 다르게 나만 좋아하는 스타일의 꽃(주식)이 있을 수 있다. 그러나 대개는 군중이 좋아하는 꽃이 결국 예쁜 꽃으로 피어나기 마련이다.

실망과 자괴감은 주식 투자에서 반드시 회피해야 할 심리이다. 끊임없는 판단의 연속에서 매번 훌륭한 판단을 할 수 없다. 꽃은 그냥 꽃일 뿐이다. 주식은 그냥 주식일 뿐이다. 어떤 주식은 내게 수익을 주고 어떤 주식은 내게 손실을 준다. 수익을 주는 꽃은 예쁜 꽃이고 손실을 주는 꽃은 미운 꽃일 뿐이다. 꽃이 시들기 시작하면 버려야 할 때가 된 것이다. 버릴 땐 미련 없이 버려야 한다. 군중이 사려는 마음이 강한 차트라면 계속 보유해야 한다. 팔려는 심리가 나타나기 시작하면 마음의 준비를 하면 된다. 팔려는 심리가 더욱 강해지기 시작하면 즉시 매도해야 한다(『매매의 기술』에서 눌림목에서 거래량이 실린 양봉이면 매수 2신호로, 거래량이 실린 큰 음봉이 발생하면 매도 2신호로 설명하는 이유이다).

과거 차트는
거의 완벽하다

미국발 금융위기가 있었던 2008년 10월 어느 날 코스피 200 선물이 하한가로 마감한 날이 있었다. 주가는 처참히 폭락했다. 그날 저녁, 지인 중 유능한 트레이더의 말을 잊지 못한다. '자신의 가용 현금 모두를 모아 매수했고 만일 자신의 판단이 틀렸다면 주식 시장에서 떠날 것'이라고 했다. 다음 화면은 2008년 10월 당시의 코스피 지수 차트이다. 결국 그의 판단은 옳았고 지금도 훌륭한 트레이더로 살고 있다.

2020년 봄, 전 세계에 불어닥친 코로나19 팬데믹으로 시장은 급격히 공포에 휩싸였다. 급기야 3월 23일 미국 선물 가격이 시작하자마자 하한가에 진입하여 거래가 중단되는 사태에 이르렀다. 다음 화면은 2020년 3월의 코스피 차트이다.

| 2008년 10월 코스피 지수 차트 |

| 2020년 3월 코스피 지수 차트 |

두 사례 모두 비정상적인 가격 왜곡으로 저점을 형성했다. 다음 화면은 코스피의 장기적 흐름이다.

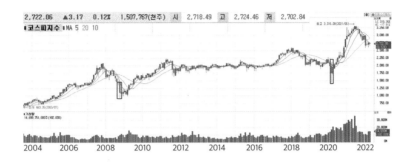

앞서 살펴본 2008년과 2020년이 포함된 장기 차트이다. 주식 시장은 위기를 겪으며 곤두박질쳤지만 장기 흐름은 여전히 고점을 높여가며 상승하고 있다. 지나고 나서 보면 이렇게 쉬울 수가 없다. 이렇게 단순할 수가 없다. 결국은 시간이 지나고 나서 차트를 보면 그때가 가장 훌륭한 매수 타이밍이었다는 것을 단숨에 알 수 있다. 그러나 당시 상황에서 수많은 투자자도 그렇게 생각했을까? 세계적인 석학이나 투자의 구루들조차 시장은 회복하기 어려울 것이며 경기 침체는 오래갈 것이라고 주장했다.

간혹 알고리즘 매매나 퀀트 투자의 유용성을 설명하면서 자신들의 로직을 검증하기 위한 '백 테스트Back Test'를 보여주는 전문가들을 본다. 백 테스트란 자신들이 만든 매매 로직을 과거 가격에 대입하여 실제로 얼마나 승률이 있는지 확률적 검증을 해보는 것이다. 거의 대부분 아주 훌륭한 결과가 나온다. 아마 여러분이 몇 개의 조합으로 만든 로직 역시 훌륭한 결과가 나올 가능성이 높

237

다. 그렇다면 그 로직으로 지금부터 투자한다면 결과는 어떨까? 승률은 50% 수준일 가능성이 높다. 많은 실험을 통해 그 확률이 10%라도 높은 60%가 나온다면 그 로직은 매우 훌륭하다고 말할 수 있다. 심리적 요소를 배제한 수학적 모델링인 퀀트 투자는 분명 장점이 많다. 그러나 과거의 데이터로 검증할 경우 데이터 사용 기간에 따라 어떤 때는 잘 맞고 어떤 때는 맞지 않는다. 시중에 나온 전략들은 대개 잘 맞는 구간의 결과값을 보여준 것이다. 세상은 늘 변하고 예기치 못한 사건들이 발생한다. 과거에 맞았던 로직이 미래에도 맞을 것이라고는 장담할 수 없다.

일반적으로 접하는 추세와 패턴 역시 그렇다. 상승과 하락 추세, 갠의 각도론에 의한 주가 움직임, 다양한 패턴에 따라 예측하는 기법들은 대개의 경우 잘 맞는다. 상승 추세의 주식들은 이후에도 상승 추세를 이어갈 확률이 높다. 반전 패턴이 나타난 이후에는 하락하는 경우가 많다. 그렇기 때문에 아직도 유용하게 사용한다. 그러나 '보조적 검증'의 도구로 사용되어야 한다. 상승 추세의 주식은 가격이 상승한 이후에 추세가 형성된 것이며 하락 반전 패턴은 가격이 하락하였기 때문에 만들어진 것이다. 결국은 가격 움직임이 어떻게 진행되었는가에 따라 추세나 패턴 등이 만들어진 것이다. 다음 화면은 현대미포조선의 추세 하락과 상승의 차트이다. 추세선을 그어놓고 추세선 상단에서 매도, 하단에서 매수 표시를 해보았다. 잘 맞는다.

그러나 『매매의 기술』 추세 편에서 설명했듯이 결과론적으로 잘 맞지만 우리가 투자할 당시에는 추세가 만들어지기 전이거나 초입의 상황이 많다. 추세가 확실히 만들어졌다 하더라도 앞으로 꼭 그 추세대로 진행될 것이라는 보장은 없다. 다음의 화면은 위 화면의 맨 마지막 부분 2022년 4월 급등하기 직전의 차트이다.

| 2022년 4월 급등 직전의 현대미포조선 차트 |

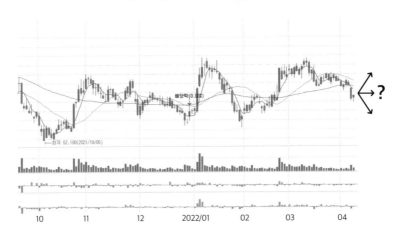

화면에 표시한 것처럼 투자자들이 매매를 하는 상황은 결과가 아니라 현재진행형이다. 지금부터 미래의 가격에 투자하는 것이다. 현재 상황에서 미래를 예측하기란 지나고 나서 하는 말처럼 쉽지 않다. '삼성전자를 매수하여 장기 보유하면 수익이 날 거야. 왜? 과거에도 그랬으니까'와 다르지 않다. '주식은 우량주를 매수하여 장기 홀딩하면 수익이 나는 투자'라는 말도 결과론적인 것이다. 우리는 항상 지금부터 미래를 판단한다. 과거의 경험이 미래의 판단에 조언이 될 수 있겠지만 정답은 아니다. 특히 차트가 그렇다.

최적의 매매 타이밍은 심리의 반전 타이밍

차트는 시장 참여자들의 심리로 만들어진다. 어떤 주식에 투자할 것인가는 기업의 이익 가치와 미래 성장 가치로 결정한다. 가치 분석가들의 매매 타이밍은 기업 가치의 변화가 발생할 때이고 차트 분석가들의 매매 타이밍은 주가에 대한 투자자들의 심리가 변화할 때이다. 기업 가치의 변화가 발생하든, 가격과 수급의 변화가 발생하든 주가 등락의 모멘텀이 발생할 때 투자자들의 심리는 드라마틱하게 변화한다. 그 순간이 매매 타이밍이 된다. 다음 화면은 삼성전자가 2021년 1월 고점 후 하락한 일봉차트이다.

2020년 11월 56,000원에서 2021년 1월 11일 고점까지 무려 72.8%나 올랐지만 기간은 불과 두 달 반이 채 되지 않았다. 코스피 시가총액 1위 기업의 상승률로는 극히 이례적이다. 팬데믹 이

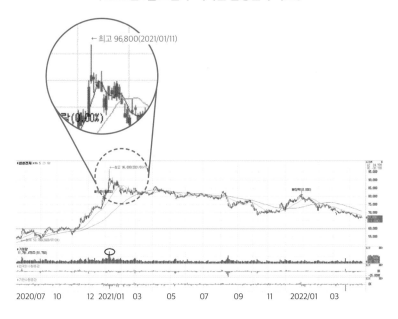

후 시장으로의 자금 유입 속도는 가속화되었다. 특히 뒤늦게 참여한 개인 투자자들의 자금 유입은 대형주에 집중되었다. 팬데믹으로 인한 사회적 거리두기는 가전 수요의 증가와 연동한 반도체 수요 증가를 이끌었고 시장에서는 반도체 빅사이클 보고서들이 인기를 끌었다. 시장이 이미 꽤 상승한 상태에서 뒤늦게 참여한 개인 투자자들은 '우리나라 대표기업인 삼성전자에 투자하면 적어도 손실은 안 나겠지' 하는 다분히 보수적인 심리를 갖고 있었다. 시장 분위기 역시 반도체 빅사이클을 주장하고 있었다. 다음의 화면은 2020년 4월 이후 개인 투자자, 기관 투자자, 외국인 투

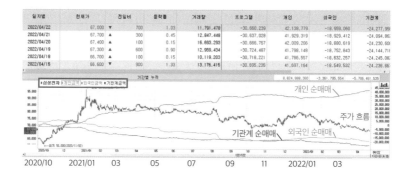

일자별	현재가		전일비	등락률	거래량	프로그램	개인	외국인	기관계
2022/04/22	67,000	▼	700	1.03	11,791,470	-30,660,239	42,138,779	-18,959,060	-24,277,95
2022/04/21	67,700	▲	300	0.45	12,847,448	-30,637,028	41,949,319	-18,929,412	-24,094,86
2022/04/20	67,400	▲	100	0.15	16,693,293	-30,666,757	42,009,206	-18,880,619	-24,230,60
2022/04/19	67,300	▲	600	0.90	12,959,434	-30,724,467	41,798,148	-18,752,843	-24,144,71
2022/04/18	66,700	▲	100	0.15	10,119,203	-30,718,221	41,786,557	-18,632,257	-24,245,08
2022/04/15	66,600	▼	900	1.33	13,176,415	-30,695,235	41,697,164	-18,549,532	-24,236,88

자자들의 삼성전자 순매수 추이를 볼 수 있는 차트이다.

2022년 4월 기준 지난 2년 동안 개인은 약 42조 원을 순매수한 반면 외국인은 약 18조, 기관은 약 24조 원을 순매도했다. 2020년 12월엔 개인, 외국인, 기관의 순매수가 거의 비슷한 수준이었다. 그러나 1월 고점 형성 후 움직임이 급변했다. 개인은 지속하여 매수하고 있는 반면 기관과 외국인은 매도하고 있다. 군중은 주가가 하락하는 동안 내내 삼성전자를 '매수하라'고 외쳤다. 2021년 1월 11일 거래량이 폭증하고 고점으로부터 밀려 위꼬리가 긴 십자형이 발생했다(『매매의 기술』에서 거래 급증 십자형 또는 음봉 발생은 1차 매도 신호로 설명했다). 이후 빠른 반전이 없었고 외국인은 1월 하순부터는 급격히 매도에 나서기 시작했다. 기관 수급은 외국인과 연동했다. 팬데믹으로 인한 호황 이후 메모리 반도체 가격 하락을 걱정하기 시작했고 실제로 고정 메모리 가격은 점차 하락이 진행되었다. 기업 가치 변화에 대한 인식이 매도를 이끌었다. 기업 가치, 주가의 고점 인식은 투자 심리의 반전을 이끌며 이후 추세적인 하락에서 벗어나지 못하고 있다.

그로부터 무려 1년 반 동안 삼성전자는 제대로 반등 한번 하지 못하고 하락을 지속하였다. 삼성전자에 투자한 개인주주가 무려 600만 명이라는 기사가 나오는 가운데 여전히 외국인과 기관은 매도하고 있다. 최근 환율 상승(원화 약세)로 외국인들의 매도 타깃이 된 것도 삼성전자의 하락에 한몫하고 있다.

기업 가치 변화의 개별 이슈와 환율에 의한 외국인 매도가 주가를 더 끌어내리고 있다. 서서히 삼성전자 위기론, 반도체 약세론이 나오기 시작한다. 주가가 상승하면 장밋빛 전망만이 부각되는 것처럼 2022년에는 부정적 전망이 점차 확산되고 있다. 결국 부정적 심리의 반전이 삼성전자 주가의 반전 타이밍이 될 것이다.

그렇다면 삼성전자의 매수 타미밍과 반전 모멘텀은 무엇이 될까? 여러 모멘텀이 있을 수 있지만 주가 움직임이 변화하려면 심리의 반전이 일어나야 한다. 투자 심리 반전을 이끌 수 있는 모멘텀이 선행되어야 한다는 것이다. 첫째, 환율의 하락 반전(원화 약세에서 강세로의 반전)이 있어야 한다. 환율 반전은 우크라이나 전쟁의 종료와 중국, 유로존의 경기 회복이 그 이면의 조건이 될 것이다.

둘째, 메모리 반도체 가격의 상승 반전이 있어야 한다. 메모리 반도체 가격 하락은 이번이 처음이 아니다. 과거 반도체 가격 치킨 게임까지 진행된 바 있다. 그때 살아남은 기업이 오늘의 영광을 누렸다. 삼성전자가 대표적이다. 기업 가치에 대한 심리적 반전은 반도체 가격 반등, 고부가가치 제품 기술력의 차별성 인정 등이 나오기 시작하면 점차 진행될 것이다.

투자 심리의 반전은 유명인의 말로, 보고서로 어느 날 문득 발생하는 것이 아니다. 군중의 심리는 서로 약속한 날짜에 맞춰 나오는 것이 아니다. 변화에 대응하는 군중의 심리가 일치하는 순간에 일어나는 것이다. 환율, 기업 가치의 반전을 확인하는 것만큼 투자자들의 심리가 반영된 수급과 주가 움직임을 확인하는 것이 중요하다. 2021년 1월 고점을 형성할 때 매도 1신호가 발생했듯이 저점을 형성하고 상승할 때는 첫 매수 신호를 만들 것이다 (『매매의 기술』에서 주가가 크게 하락한 후 거래량이 급증하며 십자형 또는 양봉 발생 시 매수 3신호라고 설명했다). 고점에서의 열광과 탐욕에 의한 대량 거래가 발생한 것과 같이 저점에서는 실망과 공포에 의한 대량 거래가 발생한다. 대량 거래 없는 반전은 쉽지 않다. 기관과 외국인들의 수급 반전은 대량 거래를 만든다. 주가가 크게 하락한 이후 저점을 형성하고 다시 상승하는 초기에는 대부분 대량 거래와 양봉이 만들어진다. 2022년 시장의 하락으로 많은 주식들이 크게 하락하였다. 어떤 주식이 저점을 형성하는지를 차트로 확인하고 대량 거래와 양봉을 저점에서 추종하는 투자는 실제로 큰 수익을 낼 수 있을 것이다.

군중의 투자 심리가 반전되면 대량 거래와 반전의 가격 변화로 큰 음봉이나 양봉이 발생한다. 양봉이나 음봉을 완성하지 못할 때는 매수 및 매도자의 치열한 거래로 인해 위아래로 꼬리가 긴 십자형이 발생한다. 투자자들의 심리는 거래량과 차트에 그대로 투영되어 있다. 차트에서 심리를 읽고 반전의 타이밍에 매수 또는 매도를 할 것이라는 원칙을 정해두고 투자하는 것은 좋은 방법이다.

떨어지는
칼날을 잡는 마음

'떨어지는 칼날을 잡지 말라'는 증시 격언이 있다. 그러나 매번 개별 주식의 가격 폭락에는 개인 투자자들의 강한 매수 유입을 볼 수 있다. 두 가지의 차트와 투자 주체별 수급을 보자. 카카오의 2021년 9월 8일 급락할 때의 차트와 수급, LG화학의 2021년 8월 23일 급락할 때의 차트와 수급이다.

주가가 하락하면 투자자들은 '왜 급락하는지'를 파악하고자 주변에 전화를 하고, 뉴스를 검색한다. 그러는 사이 주가는 급락하면서 장대 음봉을 만든다. '줍줍'이라는 표현이 있다. 급락하는 주식을 저가에 '줍는다'는 의미이다. 수급을 보면 기관, 외국인들이 대량으로 매도하는 사이 개인들은 여러 날에 걸쳐 대량으로 매수한 것을 볼 수 있다. 장대 음봉 이후 잠시 반등을 하였지만 결

| 2021년 9월 8일 카카오 차트 |

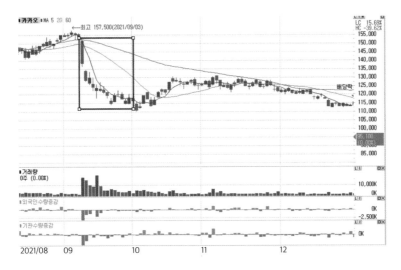

| 2021년 9월 8일 이후 카카오 수급 현황 |

일자별	현재가	전일비	전일비	등락률	거래량	프로그램	개인	외국인	기관계
2022/04/21	95,100	0	0	0	0	0	0	0	0
2021/09/27	120,000	▲ 500	▲ 500	0.42	3,635,942	-388,573	268,563	-324,210	67,450
2021/09/24	119,500	▲ 4,500	▲ 4,500	3.91	5,327,603	271,798	-165,550	120,976	39,105
2021/09/23	115,000	▼ 4,500	▼ 4,500	3.77	6,314,773	140,171	-5,205	180,950	-212,095
2021/09/17	119,500	▼ 2,000	▼ 2,000	1.65	4,807,631	-223,692	548,205	-128,331	-427,844
2021/09/16	121,500	▼ 1,000	▼ 1,000	0.82	4,770,936	133,933	75,067	46,159	-131,034
2021/09/15	122,500	▼ 1,500	▼ 1,500	1.21	9,078,817	-466,595	957,209	-814,654	-170,862
2021/09/14	124,000	▼ 500	▼ 500	0.40	18,895,148	-1,231,688	1,822,816	-1,947,600	135,283
2021/09/13	124,500	▼ 5,500	▼ 5,500	4.23	8,675,498	507,700	287,680	5,188	-323,335
2021/09/10	130,000	▲ 1,500	▲ 1,500	1.17	9,918,050	-554,089	1,092,150	-1,079,559	40,194
2021/09/09	128,500	▼ 0,000	▼ 0,000	7.22	14,534,253	-159,496	2,088,631	-1,317,826	-801,852
2021/09/08	138,500	▼ 5,500	▼ 5,500	10.06	16,920,382	-2,430,253	4,417,184	-3,058,528	-1,368,371
2021/09/07	154,000	▼ 1,500	▼ 1,500	0.96	1,072,249	82,301	9,545	68,555	-75,699
2021/09/06	155,500	▼ 1,000	▼ 1,000	0.64	1,883,428	-78,356	-33,964	-44,895	76,489
2021/09/03	156,500	▲ 1,500	▲ 1,500	0.97	1,934,669	196,804	-414,300	298,047	119,312
2021/09/02	155,000	▲ 1,000	▲ 1,000	0.65	1,649,156	394,778	-188,677	304,977	-120,101

국 수개월 동안 큰 폭으로 하락하고 말았다. 기관들은 '위험 관리'
를 확실히 한다. 일정 폭의 하락이나 기업 가치의 변동이 발생할
때 확실히 '로스컷'한다. 반면 개인들은 보유 주식의 손절매가 아

| 2021년 8월 23일 LG화학 차트 |

| 2021년 8월 23일 이후 LG화학 수급 현황 |

일자별	현재가	전일비	등락률	거래량	프로그램	개인	거래량	외국인	기관계
2021/09/08	756,000	▼ 2,000	0.26	301,550	-14,238	-25,292	301,550	-13,920	40,325
2021/09/07	758,000	▲ 8,000	1.07	411,836	-5,607	-5,234	411,836	-30,332	30,320
2021/09/06	750,000	▲ 25,000	3.45	545,952	50,669	-89,145	545,952	84,373	1,813
2021/09/03	725,000	▲ 14,000	1.97	718,380	-190,201	98,627	718,380	-108,367	26,519
2021/09/02	711,000	▼ 10,000	1.39	781,458	29,585	108,487	781,458	-108,008	-1,029
2021/09/01	721,000	▼ 37,000	4.88	906,907	35,929	342,400	906,907	-304,370	-45,120
2021/08/31	758,000	▼ 12,000	1.56	577,128	62,252	156,756	577,128	-110,778	-57,191
2021/08/30	770,000	▼ 13,000	1.66	252,845	16,721	52,370	252,845	-42,690	-21,424
2021/08/27	783,000	▼ 5,000	0.63	353,049	30,624	50,055	353,049	-33,434	-17,729
2021/08/26	788,000	▼ 11,000	1.38	240,562	15,204	34,304	240,562	-12,710	-21,638
2021/08/25	799,000	▲ 12,000	1.52	459,360	56,515	-22,155	459,360	43,764	-21,851
2021/08/24	787,000	▼ 11,000	1.38	895,863	-38,756	235,589	895,863	-263,765	24,156
2021/08/23	798,000	▼ 100,000	11.14	944,586	-195,979	333,264	944,586	-350,141	14,464
2021/08/20	898,000	▲ 4,000	0.45	220,082	17,050	-46,314	220,082	37,296	8,999
2021/08/19	894,000	▼ 2,000	0.22	250,867	59,240	-43,863	250,867	51,105	-1,440

닌 추가 매수로 대응하는 경우가 많다. 물론 '가격 하락에 손절매하지 않아도 되는 것'이 기관들은 할 수 없는 개인 투자자들의 장점이기도 하다. 그렇지만 이러한 장점이 수익으로 연결되는 것이

아니라 큰 손실을 만드는 경우가 빈번하다.

주가 하락에 매수를 하는 개인 투자자들의 마음을 생각해 보자. 대부분의 투자자들은 주식을 싸게 사고 싶어 한다. 일부 투자자들은 급락하는 주가를 보며 싸게 살 수 있는 기회라고 판단하는 것이다. 하락의 이유와 향후 기업 가치의 변화에 대한 판단이 기관과는 다르다. '주식은 싸게 사서 보유하고 다시 상승할 때 매도하는 것'이라는 생각이 강하다. 전문가들이 그렇게 가르쳐주기도 했다. 그러나 주식은 펀더멘탈 못지않게 수급이 중요하다. 수급 왜곡으로 무너지기 시작한 주가의 회복은 투자 심리의 회복이 선행되어야 한다. 그렇기 때문에 시장에서 소외된 섹터는 수년씩 주가가 회복되지 못하는 것이다. 근본적으로는 기업 가치의 변화와 무관할 순 없지만 대부분의 경우는 주가가 먼저 움직이고 사후적으로 '이유'가 알려지기 마련이다. 윌리엄 오닐은 '주가의 하락 이유를 외부에서 찾으려 하지 말라'고 조언한다. 시장 안에서 가격과 거래량이 투영된 투자 심리를 있는 그대로 받아들여야 한다는 의미로 해석된다.

주가가 가치 대비 급락할 때 매수한 뒤, 후일 시장과 가격이 정상화될 때 차익 매도하는 것은 아주 좋은 투자법이다. 그러나 여기에는 전제가 필요하다. '기업 가치의 변화가 없는' 혹은 '기업 가치의 일시적 훼손'이라는 전제이다. 기업 가치에 변화가 없는 상황에서 시장의 급락은 곧바로 반등하는 것과 같다. 시황에서 '노이즈'라고 표현하는 국지적 전쟁, 테러, 일시적 유행병, 전파력이 약한 국가나 기업의 부도, 금융 시스템의 일시적 불안 등의 요인은 장기적 기업 가치의 변화를 일으키지 않는다. 그러므로 시장은 곧 회복할 것이고 이런 상황에서의 가격 하락에 매수로 대응하는 것은 좋은 투자법이다. 반면 금리 인상으로 기업 이익이 훼손되고 경기 침체로 기업 가치가 변화되면서 하락하는 시장에는 매수 대응하지 않아야 한다. 결국 저가 매수는 기업 가치의 변화 없이 일어난 가격 하락이 전제되어야 하는 것이다.

2020년 코로나19 팬데믹으로 인한 시장 급락이 빠른 시간에 회복된 이유는 경기와 기업 이익의 훼손이 크지 않고 단기간에 회복될 수 있다는 판단 때문이었다.

개별 기업의 문제가 아닌 섹터나 테마의 수급 왜곡으로 동반 급락한 상황에서는 기업 가치의 변화에 직접적인 영향을 끼친 게 아니기 때문에 저가 매수하는 것은 좋은 투자법으로 사용되어 왔다. 그러나 개별 기업의 나홀로 급락엔 매수 대응하지 말아야 한다. 특히 거래량 증가, 장대 음봉은 매도로 대응해야 한다. 『매매의 기술』에서 설명했듯이 개별적인 주식의 급락은 분명한 이유가 있기 때문이다. '시장'은 어떤 투자자보다도 현명하다. 마구잡이로 이유 없이 급락하지 않는다. 간혹 이유 없는 하락이라며 저가 매수하는 투자자들도 있다. 이때는 시장이 알고 있는 '이유'를 내가 모르고 있다고 생각해야 한다. 개별 주식이 홀로 하락하는 경우는 대부분 기업 가치, 성장 스토리의 훼손 사유가 발생한 것이다. 무작정 싸게 사서 보유한다고 수익이 나는 것은 아니다. 싸게 보이는 주식은 싼 이유가 있다. 급락하고 있는 주식은 그만한 이유가 있는 것이다. '떨어지는 칼날을 잡지 말라'는 증시 격언이 오래전부터 회자되고 있는 이유가 분명히 있다.

자식이라고
다 같은 자식이 아니다

보유 주식을 '자식'이라고 표현하는 투자자들이 있다. 보유 주식에 대한 애정을 표현한 말일 것이다. 여러 종류의 주식을 보유하고 있으면 주식마다 사연이 있고 등락이 있기에 '바람 잘 날 없다'는 비유도 많이 한다. 많은 종류의 주식을 보유하면, 시황이 좋을 때는 그럭저럭 관리가 되지만 변동성이 심한 시황에서는 대응이 어렵다. 마치 달걀을 여러 바구니에 담아두었더니 관리가 안 되는 것과 같다. 차라리 한두 바구니에 담아 정성껏 관리하는 것이 좋다는 말이 나오는 이유이다. 주식 투자에서 선택과 집중, 그리고 베팅은 중요한 성공의 요인이다. 대부분의 운용 전문가들은 위험 관리를 위해 포트폴리오를 분산하여 투자한다. 개인 투자자들 역시 여러 주식에 분산하여 투자하는 경우가 많은데 문제는 관리이다.

　강세 시장에서 잦은 매매를 하면 수익률은 오히려 떨어진다. 본질 가치에 비해 오버 슈팅하는 시황이기 때문에 상승 중인 주식을 중간에 매도하면 추가 수익 또는 급등하는 구간을 놓칠 수 있다. 강세 시황에서는 상승 추세가 마감될 때까지 주가 등락에 연연해하지 말고 보유해야 높은 수익률을 낼 수 있다. 특별히 관리하지 않아도 매수 후 홀딩하면 수익을 낼 수 있기 때문에 좋은 주식을 매수하면 그만이다. 상승하는 주식을 바라보며 '언제 꺾일지', '수익률을 깎아먹지는 않을지' 같은 조바심의 심리만 컨트롤하면 큰 수익을 낼 수 있다. 어쩌면 초보자들이 더 큰 수익을 낼 수도 있다. 시황이나 주가 움직임에 대한 전문 지식이 없는 초보자야말로 주식을 매수하여 별생각 없이 보유하여 대박을 낼 수 있다. 노련한 트레이더들은 강세 시황에서는 매매를 줄이고 여유 있게 휴가도 즐긴다. 어설픈 트레이더일수록 강세 시장에서 수익률을 높여보겠다고 열심히 매매를 한다.

　그러나 약세 시장에서는 완전히 다르다. 좋은 주식을 매수하는 것만큼이나 관리가 중요하게 된다. 강세 시황에서는 보유 주식들이 대체로 상승할 확률이 높기 때문에 특별히 신경을 쓰지 않아도 된다. 좀 못난 자식도, 좀 약한 자식도 시황에 따라 상승 대열에는 동참한다. 시황이 약세로 전환되면 주식별로 차별화가 시작된다.

금리 인상이 시작되면 성장주들은 급락하고 가치주는 선방한다. 경기가 위축 국면으로 접어들면 현금 흐름과 성장률이 좋은 강한 주식만이 급락을 모면한다. 강세 시장에서 다른 주식들보다 상승의 힘이 약했던 주식은 약세 구간에서는 급락한다. 시황이 약세 국면으로 접어들면 보다 확실하게 진짜 강한 주식과 그렇지 않은 주식이 구분된다. 우선 하락 폭에서 차별화된다. 시황이 반등할 때 강하게 상승할 주식들은 약세 구간에서 하락 폭이 작다. 이익 및 성장 가치가 반영된 강한 주식들은 하락할 때 저가 매수세가 유입되기 때문이다. 상승할 때도 그만큼 강하다. 강세 시황에서도 약했던 주식은 상대적으로 가치 평가가 낮고 수급도 약해 하락 폭도 크고 반등도 약하다.

보유 주식들이 동반 하락하여 손실인 상태에서는 관리 측면에서의 교체 매매가 중요하다. 대부분의 투자자들이 교체 매매에서 어려움을 토로한다. 교체 후 매도한 주식이 상승하거나 매수한 주식이 하락할지 모른다는 두려움이 있기 때문이다. 그래서 어떤 주식을 매도하고 어떤 주식을 더 사야 하는지를 판단하기 어렵다고 한다. 이미 보유한 주식 역시 처음 매수할 때는 좋아 보였고 성장 스토리가 있었기 때문에 교체하기가 어렵다. 성장 스토리의 훼손이 있었다면 시황과 상관없이 매도해야 하는 것은 당연하다. 그러나 시황에 의한 하락 국면에서는 단지 어떤 주식이 앞으로 강하게 반등하고 더 크게 상승할지를 판단해야 하므로 쉽지 않다.

교체 매매의 상황에서 단순한 기준이 있다. 현재 보유하고 있는 주식을 주식이 아닌 현금으로 생각하고 현재 상황에서 다시 그 주식을 판단하는 것이다. 가령 1억 원을 투자하여 다섯 종목을 매수하였는데 현재 20%의 손실인 상태고 비중은 같다고 가정해 보자. 어떤 주식은 수익이거나 손실 폭이 작고 어떤 주식은 손실 폭이 클 것이다. 이때 손실인 2,000만 원은 잊고 현재 투자 금액이 8,000만 원이라고 생각한 뒤 기존 보유 주식 다섯 종목을 다시 판단해 보는 것이다. 현재 수익률에 상관없이 어떤 주식은 '매수'해야 하고 어떤 주식은 '판단 보류', 어떤 주식은 '매수하면 안 된다'는 판단이 내려질 것이다. 그 판단이 답이다. 매수하면 안 되는 주식을 매도하여 현금 보유하든지, 매수해야 한다고 판단이 내려진 주식을 추가 매수해야 한다. 판단 보류인 주식은 추가 대응 없이 그냥 보유하면 된다. 앞서 '드레스 가게 이야기'로 이와 같은 설명을 한 바 있다. 안 팔리는 드레스를 할인해서라도 얼른 팔고 잘 팔리는 드레스를 더 들여와 매장에 진열해야 한다.

주가 하락의 이유에는 여러 가지가 있다. 기업의 실적이나 성장 훼손은 명백한 매도 이유가 된다. 반면 기업 가치의 변화 없이도 시황이나 수급에 의한 하락이 종종 발생한다. 이때 교체 매매가 중요하다. 보유 주식이 대부분 좋은 기업이어서 결국 좋은 주식이 될 것이라고 판단한다면 굳이 교체 매매를 할 필요는 없다. 그러나 대부분의 경우 강세 시장에서 구분이 안 되는 진짜 좋은 주식은 약세 시장에서 확연히 구분된다. 하락 구간에서는 다 같이 하락하지만 상승 구간에서는 선별적으로 상승하는 시장의 속성이 있다. 하락할 때도 저마다 폭이 다르듯이 상승할 때 역시 상승 폭이 다르다. 하락한 주식들을 그냥 가만히 들고 있다면 시황이 좋아지더라도 다시 원금을 회복하기까지 하락할 때보다 더 많은 시간과 노력이 필요하다. 다 같이 상승할 때는 교체 매매가 쉽지 않다. 그러나 약세 시장에서는 하락 폭은 다르지만 대부분의 주식들이 하락하기 때문에 평소 매수하고 싶었던 종목을 살 절호의 기회가 발생하는 것이다. 약한 주식의 비중을 줄이고 강한 주식을 비중을 늘리는 비중 조절과 교체 매매를 해야 이후 시장이 상승할 때 확실한 수익을 낼 수 있다. 대부분의 펀드 매니저들은 위험 관리 못지 않게 보유 주식의 비중 조절을 중요하게 생각한다. 보유 주식 중 내게 큰 수익을 주는 몇몇이 전체 자산을 불려주기 때문이다.

실제 부모라면 약하고 부족한 자식에게 더 애정을 쏟을 것이다. 그러나 주식은 수급이 더 강한, 이익이나 성장 가치가 훌륭한 주식에 더 애정을 쏟아야 한다. 손실인 상태로 애먹이는 주식에 신경 쓰다 보면 더 좋은 주식으로 더 큰 수익을 낼 기회를 놓칠 수 있다. 약한 주식은 과감히 버릴 수 있어야 한다. 성장을 기다리기에 너무 긴 기간이 필요한 주식은 뒤로 미루어 두고 가까운 미래에 강한 상승을 할 수 있는 주식에 집중해야 한다. 기업 실적을 보고, 시세 움직임을 보고, 수급 움직임을 관찰하여 강한 주식에 집중해야 손실은 작게, 수익을 크게 낼 수 있다. 시장이 강세일 때는 긴 휴가를 가도 상관없지만 시장이 약세 또는 급락할 때는 좀 더 면밀히 종목들의 상황을 살펴보고 관리를 해야 한다. 관리가 끝나면 시장에서 한발 물러나 시간에 투자해야 한다.

달리는 말, 쉬고 있는 말, 노쇠한 말

'달리는 말에 올라타라'라는 증시 격언이 있다. 현재 추세 상승을 하는 강한 주식에 투자하라는 조언이다. 대부분의 투자자들은 강한 주식을 추격 매수하는 것에 익숙하지 않다. 그러나 강세 주식을 추종하지 못하는 습관은 강한 주식은 더 상승하고 약한 주식은 더 하락하는 주식 시장의 속성상 수익률에는 좋지 않을 수 있다. 달리는 말은 누가 보아도 추격 매수하고 싶고 큰 수익을 줄 것처럼 강한 상승을 한다.

다음 화면은 해성디에스의 2022년 4월 일봉 차트이다. 시황은 약세 국면이지만 실적과 성장 모멘텀으로 강한 상승을 하고 있다. 이른바 달리는 말이다.

차트를 보면 5일 이동평균선을 타고 상승하고 있다. 이미 탄력을 받으며 상승하고 있기에 연속적인 양봉을 만들고 있다(『매매의 기술』에서는 달리는 말에 올라타는 것을 매수 1원칙으로 설명했다). 매수 타이밍은 장 시작 후 한 시간 이내이다. 지극히 빨리 판단해야 한다. 『매매의 기술』을 읽고 공부한 투자자들로부터 매수 1원칙으로 매수하는 경우 빠른 판단이 어렵다는 말을 듣곤 했다. 맞다. 달리는 말에 올라타려는 것이니, 판단이 빨라야 하고 행동이 신속해야 한다.

체력이 건강해야 달리는 말에 올라탈 수 있다. 그렇지 않을 경우 자칫 떨어져 다칠 수 있다. 강한 상승을 하는 주가 움직임에 익숙하지 않은 투자자에게는 결코 쉬운 전략이 아니다. 이때 '그런 위험한 투자를 해야 하는가'라는 질문을 할 수 있다. 대부분의 수익은 강한 상승을 하는 짧은 구간에서 얻게 된다. 힘차게 달리는 말이 우리에게 큰 수익을 준다. 그래야만 현재 달리고 있는 말이 이후 잠시 쉬어 가더라도 다시 힘차게 달릴 수 있다.

달리는 말에 올라타기 위해서는 강한 체력과 기술이 필요하듯이 강한 상승을 하는 주식에 올라타기 위해서는 급등하는 주가 움직임의 속성을 이해하고 있어야 한다. 늘 천천히 걷던 말이 어느 날 갑자기 달리기란 쉽지 않다. 추세적으로 상승하더라도 상승 구간에서는 강력한 주가 급등이 있었어야 한다. 그런 주식은 쉬어 가는 구간이 지나고 다시 상승할 때 장대 양봉으로 강한 상승을 재현한다. 즉 어떤 말이 강하게 달릴 수 있는 말인지는 과거의 주가 움직임으로 구분할 수 있다.

주식이 달리기 시작한 뒤 추격 매수하기란 쉽지 않다. '너무 빨리 달리는 말에 올라타기'란 쉽지도 않지만 자칫 다치기 마련이다. 달리는 말이라는 판단이 섰다면 서서히 출발할 때 매수해야 한다. 생각과 다르게 달리지 못한다면 빨리 내려와 다른 말을 골라 타야 한다. 누구든 힘차게 상승하는 주식을 좋아한다. 그러나 누구나 성공할 수는 없다. 달리는 말에 올라타기 위해서는 주식 투자의 체력 그중에서도 급등하는 주가 움직임에 대한 이해와 판단력을 기르기 위해 소액 투자로 꾸준히 훈련하는 것이 좋다.

다음 화면은 해성디에스의 2021년 6월부터 12월까지의 일봉 차트이다. 하나의 주식이 어떤 흐름을 주며 움직였는지를 보는 것도 도움이 될 것이다.

| 2021년 6월~12월 해성디에스 일봉 차트 |

34,000원에서 47,600원까지 상승 후 조정 하락, 다시 38,000원에서 53,000원까지 추세 상승하였다. 두 번 모두 40%의 상승을 하였는데 지속하여 상승한 것이 아니고 상승과 하락을 반복한 것을 볼 수 있다. 주가가 단기 급등을 하면 차익 매물이 나온다. 차익 매물로 인한 하락이 상승 폭의 50%를 넘지 않고, 거래량이 감소하면, 즉 상승 시기의 매수 주체들이 강한 매도를 하지 않으면 쉬었다가 다시 상승한다. 대부분의 투자자들이 공략하는 지점이며 눌림목 매수라고 표현한다(『매매의 기술』에서는 쉬었다가 다시 상승할 때 매수 2원칙으로 설명했다). 더 달려갈 말이 잠시 쉬었다가 가는 것이다. 이때 주의할 점은 달리던 말이 잠시 쉬어 가는 것인지,

이제부터는 힘이 빠져 오랫동안 쉬어야 하는지의 판단이다. 너무 달려와서 아주 오랫동안 쉬어야 하거나 더 이상 달릴 수 없을 정도로 체력이 바닥나면 주가는 추세 반전하며 하락하고 만다. 더 달릴 수 있는지는 가치 분석의 측면에서는 기업의 이익 성장을 기초로 한 목표주가의 판단일 것이다. 반면 시장에서의 수급과 차트로는 직전 상승에서의 달렸던 힘이 이후의 움직임을 판단하는 기준이 된다. 체력이 다했다는 것은 거래량이 증가하는데 양봉이 아닌 음봉이 발생하는 것으로 판단한다. 거래량 없이 며칠간 지속하여 가격이 흘러내리면 체력이 다한 것으로 본다(『매매의 기술』에서는 거래량 증가 음봉, 직전 상승의 50% 아래로의 가격 하락을 매도 2원칙으로 설명했다).

이미 체력이 다해 오랫동안 쉬어야 다시 달릴 수 있는 말도 있다. 쉬면 다시 달릴 수 있는 말과 이제 영영 다시 빠르게 달릴 수 없는 노쇠한 말이 있을 수도 있다. 먼 길을 너무 빨리 달려온 말은 오랫동안 쉬기도 한다. 산업 사이클이나 테마로 대세 상승한 주식이 다시 상승하려면 긴 기간 동안 하락하는 것과 같다. 다음의 화면은 단기 급등하여 3개월 가량을 쉬었다가 다시 달리기를 준비하는 동진쎄미켐의 차트와 너무 달려서 1년여 동안 하락하고 있는 카카오의 차트이다.

쉬었다가 다시 달릴 수 있는지와 쉬는 기간이 아주 길어질지 그리고 더 이상 빠르게 달릴 수는 없는지의 판단은 기업의 중장기 성장 스토리에 연동한다. 보통 성장주라고 불리는 신기술 개발 기업들의 주가는 초기 급등하였다가 오랫동안 하락을 한다.

| 2021년 12월 고점 후 동진쎄미켐 주가 차트 |

| 2021년 6월 고점 후 카카오 주가 차트 |

그 하락 폭이 깊어서 S 커브 이론이나 캐즘이론으로 설명하곤 한다. 깊고 오랜 하락은 마치 더 이상 달릴 수 없어 보이지만 기술의

상용화가 이루어지는 시점에서는 다시 강하게 상승한다. 반면 새로운 기술의 출현으로 도태된 기업의 주식은 다시 상승할 가능성이 적거나 시장에서 퇴출되기도 한다. 주가가 한참이나 내려왔지만 다시 반등할 여지도 없고 시장에서 소외된 주식은 눈으로 보기에는 주가가 싸서 저가 매수 후 장기 홀딩하면 큰 수익이 날 것만 같다. 그러나 이미 체력이 바닥난 말 중에서 다시 달릴 수 있는 말을 골라내기란 쉽지 않다.

만일 시황이나 수급 왜곡에 의해서 튼튼한 말임에도 불구하고 외양간에서 쉬고 있다면 불러내어 올라탈 수 있다. 그러나 개별 기업의 이익 성장 훼손이라면 조심해야 한다. 그 구분이 쉽지 않기 때문에 시장에서는 바닥에서 저점을 함부로 판단하지 말고 추세 전환 후 발목이나 무릎에서 매수하라고 한다. 즉 다시 달리기 시작하는 것을 확인 후 매수하라는 것이다(『매매의 기술』에서는 오랫동안 쉬고 있던 주식이 어느 날 대량의 거래가 발생하면 특이 신호 발생으로 관심에 두고, 대량 거래와 십자형 또는 대량 거래와 장대 양봉이면 매수한다는 매수 3원칙으로 설명했다). 오랫동안 쉬고 있는 말을 골라 투자하는 장기 투자자들이 있다. 전제 조건은 핵심 사업과 기술의 훼손이 없어야 한다. 단지 수급에 의해 쉬고 있는 말 중에서 골라야 한다는 뜻이다. 오랫동안 쉬고 있는 말에 잘못 올라타면 오히려 더 큰 손실을 볼 수 있다.

자신의 체력, 즉 주가 움직임의 판단이나 기업 가치 분석 능력에 맞는 말을 골라 타야 한다. 남들이 신나게 타고 다닌다고 나도 똑같을 수는 없다. 단기 트레이더들이나 급등락 주식을 의도적으로 거래하는 세력들에 의해 어떤 주식들은 상한가를 여러 번 만들며 급등하기도 한다. 다음의 화면은 카나리아바이오(옛 현대사료)의 급등한 주가 움직임이다.

| 2022년 3월 급등한 카나리아바이오 주가 차트 |

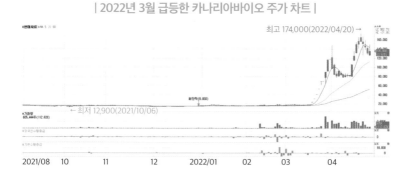

4년 동안 1만 원 대의 주가 흐름이 이어졌으나 2022년 우크라이나 전쟁 후 에그플레이션 이슈가 발생하면서 한 달도 채 안 되어 10배로 올랐다. 주식 투자자들은 이런 주식을 보유하고 싶은 꿈이 있다. 이렇게 달리는 말에 올라타기를 원한다. 평범한 투자자들이 이렇게 움직이는 주가에 대응하여 투자하기란 쉽지 않다. 보유하고 있던 주식이 이런 상승을 했다면 그건 순전히 운이다. 기업 가치와 주가 움직임을 보며 올라타는 투자자들에게

도 어렵기는 마찬가지이다. 이렇게 달리는 말에 올라타려 하지만 결과는 평균적으로 좋지 않다. 2021년 미국의 밈 주식들은 폭등했지만 1년 후 대부분 고점으로부터 70~80%에 이르는 하락을 하였다. 자신의 능력에 맞는 주가 움직임에 투자하고 자신의 성향에 맞는 주식에 투자하는 것이 좋은 결과를 불러올 것이다.

활활 타오르는 불길

주식 투자로 꾸준히 수익을 내는 것은 어렵다. 대부분의 경우 급등한 짧은 구간에서 수익을 주지만 그 타이밍을 모르기 때문에 매수 후 장기 보유하는 것이다. 급등하는 타이밍에 맞춰 절묘하게 투자할 수 있다면 큰 부자가 될 것이다.

대부분의 전문가들은 주도 업종, 주도 종목에 투자해야 한다고 조언한다. 그 시기의 주도 종목에 투자해야 시장 대비 수익률이 높고 매매 타이밍의 실수에도 손실 폭을 줄일 수 있기 때문이다. 주도주라 함은 시장의 상승을 이끌면서 시장에서 가장 각광을 받으며 큰 폭으로 상승하는 주식을 말한다. 업종별로 상승하는 시기에 그 업종의 주도주들이 있다. 테마주 역시 그렇다. 질병, 전쟁, 선거 등 사회적 이슈에 따라 테마 장세가 펼쳐진다. 그때마다 상승을 견인하는 주도 종목이 있다. 주도 종목들은 대체로 급등을 한다. 다른 주식들과는 확연히 다른 상승을 하며 서너 배에서 크게는 10배 이상 상승한다.

가장 최근을 거꾸로 되짚어보면 2021년에는 전기차와 2차전지, 2020년에는 코로나 바이러스로 인한 진단, 치료, 재택 생활 관련주, 2019년에는 5G무선통신, 2018년에는 남북경협주, 2017년에는 반도체 및 IT, 2015~16년에는 제약, 바이오와 중국 내수 관련주가 큰 상승을 하였다. 강한 상승을 하는 주도주의 움직임을 보며 추격 매수하기란 쉽지 않다. 이미 많이 상승하였을 때 주도주가 확인되기 때문이다. 이럴 경우 자칫 고점에 물릴 수 있다는 두려움이 앞선다. 상승 초기부터 이 주식이 주도주라고 미리 판단하기란 쉽지 않다. 주가가 어느 정도 상승한 후에 인지하기 때문에 매수하고자 할 타이밍에 이미 주가는 활활 타오르고 있다. 대부분의 투자자들은 급등하고 있는 주식은 피하려는 심리를 갖고 있다. 높은 가격에 매수하고 싶지 않기 때문이다. 특히 보수적 성향의 투자자들은 이미 상당히 올랐거나 상승하고 있는 주식을 매수하는 것을 꺼린다.

주식으로 큰돈을 벌어 사회적으로 성공한 지인이 있다. 여기에 함께 나눈 대화를 옮겨본다.

나 : 요즘 뭐 좋게 봐?

지인 : 많이 오르긴 했지만 ○○주식 사야 하지 않겠어?

나 : 그거 벌써 꽤 올라서 부담스러운데. 지금 쉬고 있는 업종에서

△△를 사서 기다리는 건 어때?

지인 : 활활 타오르는 불길에 화상 입을까 봐 피해다니면 수익을

낼 수 없어. 안전한 주식 사려고 하다가 소외된 주식을 사면 오히

려 얼어 죽지.

　

"소외된 주식을 매수하면 화상이 문제가 아니라 얼어 죽는다." 그가 주식 투자로 돈을 벌 수 있었던 핵심적인 얘기라고 생각했다. 쓸데없이 생각이 많고, 지나치게 분석을 하고, 막상 결정의 순간에는 주저하는 성향은 성공 투자를 할 수 없게 한다. 늘 강한 주식을 피해서 투자하고 있다면 보수적 성향 때문일 가능성이 높다. 강한 주식은 빨리 팔고 약한 주식을 장기 보유하는 것 역시 보수적 성향 때문이다. 군중의 자금이 이동하는 경로를 따라서 투자하는 것이 모든 재테크의 기본이지만 막상 투자하는 순간에는 위험 회피 성향이 발동해 좀 더 안전해 보이는 주식으로 투자하게 되는 것이다.

반도체가 상승하고 있는데 제약주를 보유하고 기다리는 투자, 금융주가 상승하는데 기술주를 보유하고 있는 투자. 실패하는 투자자들은 늘 그런 투자를 많이 하게 된다. 해당 섹터의 강세 시기

에 고점 매수하여 물린 경험이 있기 때문이다. 고점에 매수하여 물리는 경우도 문제이지만, 최초 매수 진입할 때 가격이 많이 하락한 주식을 쳐다보는 것도 심각한 투자 실패의 원인이다. 반도체가 상승할 때 제약주는 하락하여 주가가 싸게 느껴지고 금융주가 상승하는 동안 기술주들의 주가는 저평가 국면으로 보이기 때문이다. 이미 시장의 자금들은 이동하여 다른 곳에서 수익을 내고 있는데, 혼자서 매수세 없는 곳에 머물러 있는 것과 같다.

주식 시장의 흐름과 개별 기업의 가격 움직임은 철저히 돈의 이동으로 관찰해야 한다. 경기가 좋지 않아도 시장에 돈이 풀리면 주가는 상승한다. 경기 호황이지만 금융 긴축 구간에서는 가격이 하락한다. 돈의 흐름이 시황을 만든다. 2020년 팬데믹 국면에서 코스피가 1,439p에서 3,316p까지 상승한 것은 중앙은행의 금융완화 정책, 정부의 코로나 구제 금융 지원, 개인들의 신규 투자 자금 유입 등으로 막대한 돈이 시장에 흘러들어왔기 때문이다. 돈의 흐름에 따라 강세 섹터와 강세 종목이 결정된다. 돈이 흘러가는 곳에 수익이 있다. 매수 자금의 유입이 있기 때문에 주도주는 강한 상승을 하는 것이다. 가격 움직임만 보면 두려움이 생긴다. 하지만 돈의 흐름을 보고자 한다면 현재 가격이 아닌 미래의 가격이 보일 것이다.

적합성 지형 이론

적합성 지형Fitness Landscape 이론이란 '생물 종은 특정한 환경(지형)에 둘러싸여 있으며 환경에 적응함으로써 생존할 수 있다'는 의미이다. A라는 생물이 현재의 지형에서 최고 봉우리에 있지만, 경쟁자가 늘어나고 환경이 바뀌면 어느새 더 높은 봉우리가 생기고, 그곳에 B라는 생물이 버티고 있다. 이를 정복하기 위해서는 더욱 강도 높은 적응을 하지 않으면 안 된다는 것이다. 개구리의 혀는 파리를 잡아먹기 위해 끈적끈적하게 진화하였고 파리는 잡아먹히지 않기 위해 미끄러운 피부로 진화했다. 주식 시장 역시 늘 과거와는 다른 새로운 환경과 마주친다. 과거의 데이터로 다가올 환경을 설명하지만 늘 새로운 변수는 예상을 빗나가게 한다. 새로운 환경에 맞는 분석이 필요하지만 늘 상황이 지나가고 나서야 정확한 판단을 하게 된다.

차트의 분석 역시 역사적으로 지속하여 진화했다. 수십 년 동안 20일 이동평균선은 주가 추세의 중심선(생명선)으로 여겨지며 지지하면 추세 유지, 붕괴하면 추세 반전으로 보유 주식을 매도해야 한다고 믿어왔다. 군중의 신뢰는 20일 이동평균선 매매의 확률을 높여주었다. 그러나 세월이 흐르면서 20일 이동평균선 붕괴 후 상승하는 주가 움직임이 많아졌다. 그러다 보니 점차 신뢰하는 투자자들이 줄어들면서 확률은 떨어졌다. 차티스트들은 '속임형'이라는 개념을 도입했다. 잘못된 매매 신호를 의미하는 것으로 일시적 속임형이 나타날 수 있고 속임형 후 상승할 수 있다는 것이다. 그들은 속임형을 판단하기 위한 각종 보조지표들을 개발하여 진짜 추세 반전하는 것인지, 일시적 붕괴인지를 판별해 내려고 노력했고 그러한 진화 속에서 셀 수 없이 많은 보조지표들이 개발되어 사용되고 있다.

주식을 지형 이론에 따라 안정적 지형, 거친 지형, 험준한 지형으로 구분한 뒤 분석 도구와 투자 대응을 달리해야 한다. 안전한 지형은 상대적으로 안정적인 산업군, 즉 전기전자, 에너지, 자동차, 음식료 등을 말한다. 이들은 경기 순환에 따라 수익 구조가 연동하기 때문에 구조적 예측이 가능하며 상승과 하락 사이클이 느리다. 따라서 전통적인 매매법인 추세 매매로 대응할 수 있다.

엘리어트 파동이론이나 다우이론을 바탕으로 한 기술적 분석이 여기에 해당한다.

거친 지형은 기술의 발전과 사회의 변화에 빠른 적응이 필요한 산업이다. 전기전자 중에서도 기술력이 필요한 시스템 반도체나 전기차, 전통 에너지가 아닌 친환경 에너지 등의 산업이 여기에 속한다. 경기 순환에 영향을 받긴 하지만 기술 발전으로 진화하는 사회 변화에 잘 적응해야 하며 기업은 연동하여 성장할 수 있어야 한다. 개선과 혁신이 중요하기 때문에 전통적 기법에 부가적으로 윌리엄 오닐의 성장주 투자법 같은 전략을 함께 고려해야 한다. 신고가 매매나 컵위드 핸들Cup with handle(손잡이가 달린 컵 모양 차트로 손잡이 부분에서 매수하는 것을 이상적인 타이밍으로 판단함)과 같은 투자법이 주요하다.

험준한 지형은 불확실성이 크고 빠르게 진화하고 있는 산업을 말한다. 자율주행이나 핀테크의 소프트웨어 산업, 바이오, 항공우주, 신기술을 적용한 IT 등이다. 이러한 산업은 급격한 성장과 실패를 연속하기 때문에 주가 움직임의 봉우리와 골짜기가 깊다. 전통적인 투자 기법에서 벗어나 S 커브, 캐즘이론 등 상황에 맞는 대응 원칙을 만들어 사용해야 한다.

어떤 지형의 주식에 투자하는가에 따라 수익률은 크게 달라진다. 소위 '텐배거'라고 하는 10배 이상의 투자 수익률의 주식은 대부분 거칠고 험준한 지형의 주식에서 발생한다. 거친 만큼 투자 대응도 어렵고 위험도 크다. 이런 주식은 엘리어트 파동이나 다우이론으로 대응하기 어렵다. 느린 분석 도구로 빠르게 움직이는 주가를 설명할 수 없다. 단기 움직임의 각도나 속도 등으로 대응해야 한다(『매매의 기술』에서는 시간, 가격, 거래량, 움직임, 멈춤, 속도라는 6가지 속성으로 설명했다). 반면 경기와 산업 사이클에 따르는 사이클링 주식들은 전통적인 분석 도구로 충분히 대응할 수 있다(『매매의 기술』에서는 지지와 저항, 돌파, 추세, 패턴으로 설명했다). 사이클은 추세를 만들고 추세를 만드는 과정에서 지지와 저항 그리고 돌파의 상황에 마주치게 된다. 그 상황에서 판단의 원칙을 갖고 적절히 대응해야 한다.

새로운 환경을 과거의 분석 방법으로 해석하기엔 역부족이다. 변화된 환경에 맞는 분석을 해야 한다. 대형주와 소형주의 주가 움직임은 확연히 다르다. 대형주는 대체로 전통적인 차트 분석으로 대응할 수 있지만 변동성이 큰 소형주는 변동성 분석의 도구로 대응해야 한다. 시장이 추세 상승할 때와 추세 하락할 때, 박스권에 있을 때와 급등 또는 급락할 때 차트 분석은 달라야 한다. 시황에 따라 주가 움직임의 성향에 따라 적절히 분석 도구를 사용해야 한다. 주식 시장에서 '정석', '절대'라는 것은 없다. 적응과 유연성이 중요하다.

매매 타이밍은
투자자들의 심리를 읽는 것

　매수는 현재 기업의 이익이 증가하고 미래에도 증가할 것이라고 판단될 때 행해진다. 반면 매도 타이밍은 기업 가치 대비 고평가 구간으로 진입하거나 성장 가치의 훼손이 발생할 때이다. 이것이 매매의 기본적인 원칙이다. 그러나 어떤 상황에서든 매수할 때는 최대한 싸게 사야 한다. 매도할 때는 반대로 최대한 비싸게 팔아야 한다.

　주가는 하루에도 30%의 등락을 할 수 있기 때문에 매매할 당시의 판단에 따라 수익률은 크게 차이가 날 수 있다. 수개월을 기다려 20%의 수익률로 매도했는데 매도 후 곧바로 20%가 더 상승할 수도 있다. 가격이 싸다고 매수했지만 당일 추가 하락하여 하루에만 10%가 넘는 손실을 볼 수도 있다. 매매할 당시의 판단이 그동안 보유했던 기간보다 수익률에 더 큰 영향을 줄 수 있다. 매매의 기술은 수익률에 영향이 크다. 매매 타이밍은 시시각각 달라진다. 상황에 따라 투자자들의 심리가 변화하기 때문이다.

강세 시장에서는 매수하려는 심리가 강하고 약세 시장에서는 매도하려는 심리가 강하다. 따라서 강세 시장에서는 저가에 매수하려고 기다리다 보면 상승하는 주가를 바라만 보게 된다. 강세 시장이라도 대부분의 주가는 아침에 주춤하며 보합권 또는 마이너스권에서 시작한다. 그 시점이 매수 타이밍이다. 반면 약세 시장에서는 장 마감 무렵까지 기다렸다가 매수 유입과 양봉을 확인하고 진입해야 한다. 약세 시장이라도 매수하고자 하는 투자자들에 의해 아침에 반등하는 경우가 많다. 그러나 약세 시황에서는 매도하고자 하는 심리가 강하기 때문에 약간이라도 상승하면 곧 매물이 나와 장중 내내 하락하게 된다. 아침 상승에 매수하면 장중 주가 하락으로 사자마자 손실로 출발해야 한다. 따라서 장 후반까지 주가 움직임을 확인하고 당일 강한 반등을 하지 못하면 다음 날 다시 매수 신호를 기다려야 한다. 당일 장대 양봉으로 상승 전환하면 이후 추가 상승할 수 있는 매수의 힘이 발생한 것이므로 오후 장 막판 무렵에 매수하는 것이 좋다.

매도의 경우는 반대이다. 강세 시장에서 매도할 때는 아침이 아니라 장 후반까지 기다려야 한다. 아침에 매매 공방으로 하락할 수도 있지만 강세 시장에서는 매수 심리가 강해서 장중 다시 상승하는 경우가 많다. 아침에 매도해 버리고 나서 추가적으로 상승하는 주가를 바라보게 되는 낭패를 겪을 수도 있다. 당일 양봉으로 마감하면 다음 날에도 추가 상승을 하게 된다. 매도 타이밍을 잘못 잡아 이후 추가 상승으로 인한 수익을 놓치게 될 수 있다. 따라서 강세 시장에서의 매도는 아침에 성급히 하지 말고 장중 흐름을 관찰한 후 장 마감 무렵에 양봉으로 마감하면 매도 중지, 음봉으로 마감하면 그때 매도해야 한다.

반대로 약세 시장에서의 매도는 아침에 해야 한다. 약세 시장이라도 저가 매수세로 아침에는 반등을 하는 경우가 많은데 이때 매도를 해야 한다. 주저하고 기다리다 보면 주가는 급락할 수도 있다. 매도는 기회가 왔을 때 과감히 해야 한다. 매수하지 못하면 기회 비용의 손실이지만, 매도는 타이밍을 놓치면 실제 자산의 감소이다. 이미 매도하려고 마음 먹었다면 약세 시장에서는 머뭇거리지 말고 아침에 하는 것이 좋다.

시황에 따라 강세와 약세로 구분하여 설명하였지만 시황에 상관없이 강한 주식과 약한 주식이 있다. 강한 주식은 강세 시장에서의 판단과 같고 약한 주식은 약세 시장에서의 판단과 같다. 강한 주식은 아침 매매 공방할 때 바로 매수해야 한다. 5일 이동평균선을 타고 상승하는 강한 주식은 아침 약세 후 곧바로 상승 전환

한다. 이미 매수하고자 하는 투자자들이 많기 때문이다(『매매의 기술』에서는 매수 1원칙으로 설명했다). 급등하는 주식을 하루 종일 관찰하다가 타이밍을 잡으려 한다면 주가는 상승하여 도망가 버리는 것이다. 만일 장중 주가가 하락하여 낮은 가격에 매수 타이밍을 준다면 그것은 절호의 타이밍이 아니다. 매도하고자 하는 투자자의 힘이 강해졌기 때문에 이후에 추가 하락 가능성이 높다. 강세 주식도 오후에 약세로 전환하며 거래량이 늘면 매도해야 한다(『매매의 기술』에서는 매도 1원칙으로 설명했다). 그러나 강한 주식은 하락보다 상승하는 경우가 더 많다. 따라서 강한 주식의 매수 타이밍은 아침이어야 하며 매도 타이밍은 오후여야 한다.

반면 약한 주식은 이미 매물이 나오고 있는 상황이므로 매도는 빠른 판단으로 아침에 해야 한다. '오후까지 기다려 조금이라도 반등할 때 팔아야지'라는 생각은 더 낮은 가격에 매도하는 결과를 초래한다. 어쩌면 매도 타이밍을 놓쳐 팔지 못하고 손실을 키우게 되는 가장 큰 이유가 된다. 아침 매매 공방 중 상승이 나온다면 곧바로 매도해야 한다. 반면 약한 주식의 매수는 오후까지 충분히 기다려야 한다. 이미 매도 심리가 강하기 때문에 반등에 매도가 지속적으로 나올 수 있다. 약한 주식은 확실히 강세로 전환되는 수급과 투자 심리를 확인하고 매수해야 한다. 따라서 장중 내내의 흐름을 관찰해야 한다. 막연히 아침에 매수했다가 오후에 추가 하락하면 낭패이다.

강세장과 약세장 그리고 강세 주식과 약세 주식으로 분류하여 매매 타이밍을 설명하였다. 강세장의 강세 주식은 아침에 매수해야 투자에 성공할 확률이 높다. 약세장의 약세 주식은 장 마감 무렵에 거래 증가 양봉이라 하더라도 투자 주체와 시황 확인을 부가적으로 체크해야 한다. 시장이 급락하는 약세 시장에서 급락한 주식의 매수 타이밍을 선정할 때는 시장의 매수 신호와 매수하려는 주식의 매수 신호가 동시에 나오는가를 '크로스' 체크한다. 강세장에서의 약한 주식은 오후까지 확인해야 하지만 그 이전에 수급으로 강세 전환될 수 있다. 반대로 약세 시장의 강한 주식 역시 시장과는 차별화된 움직임을 줄 수 있다. 시장은 강세인데 약세인 주식, 시장은 약세인데 강세인 주식의 디커플링이 나타날 수 있다. 그러나 주식은 대체로 시황을 이기지 못한다. 개별 소형주인 경우 적은 돈의 힘으로 움직일 수 있기 때문에 투자 심리가 따라붙을 수 있겠지만 대형주인 경우는 그 변화가 쉽지 않다. 대형주의 경우는 특히 시황과 종목의 크로스 체크가 필요하다.

주가의 상승은 매수하려는 투자자의 심리, 하락은 매도하려는 투자자들의 심리가 반영된 것이다. 심리가 수급을 이끌고 수급은 주가를 움직인다. 투자자들이 당장이라도 사고 싶은 심리가 강한 시장에서는 매수는 빠르게, 매도는 느리게 해야 하지만 투자자들의 심리가 좋지 않은 상황에서는 매도는 빠르게, 매수는 천천히 해야 한다. 강조하지만, 매수는 타이밍을 놓치면 수익의 기회를 놓친 것이지만 매도는 타이밍을 놓치면 예탁 자산의 감소로 이어진다. 추세적으로 상승하던 주식이 마지막 상승에 불꽃을 뿜으며 급등하는 경우가 많은데 그 상승을 수익으로 연결하지 못하면 큰 수익을 내기가 어렵다. 추세 하락하는 주식 역시 마지막 바닥권의 하락은 급락하기 마련인데, 주저하다가 급락을 맞아 짧은 시간에 큰 손실을 볼 수 있다. 장 시작 후와 장 마감 직전의 매매가 수익률의 큰 부분을 차지한다는 점에서 기술적인 매매는 중요하다.

대박을 노리는 심리

주식 시장은 투자자의 총합인 군중의 판단으로 수급이 변화한다. 시장이 경기에 연동한다는 판단은 향후 경기 예측에 따라 주식을 사거나 팔게 한다. 금리가 오르면 고평가 주식들이 하락한다는 판단은 고평가 성장주를 팔게 한다. 실물 경기가 좋지 않은 상황에서도 금리를 내리고 시장에 직접적으로 유동성을 보강하는 정책이 나오면 유동성 장세의 판단으로 주식을 산다. 경기가 둔화하고 침체기로 접어들 것이라고 판단하면 대부분의 경기 민감주를 팔고 경기와 무관한 개별 소형주에 집중한다. 대부분의 경우 과거 경험으로부터 만들어놓은 이론을 바탕으로 판단하거나 기계적으로 투자하는 글로벌 IB들의 막강한 수급 논리에서 벗어나지 못하는 경우가 많다. 설령 지금의 투자 판단이 틀렸을지 모른다고 의심하더라도 당장 등락하는 주가 움직임에 역행하기란 쉽지 않다. 오히려 순행해야 시장에서 살아남을 수 있다.

곰팡이는 자양분이 풍부할 때는 독립 개체로 행동하지만, 먹잇감이 줄어들면 한군데로 뭉쳐 큰 덩어리를 이룬다고 한다. 그래야만 살아남을 수 있기 때문이다. 주식 시장에서의 생존의 법칙은 수급(돈)의 흐름을 추종하는 것이다. 돈이 시장에 유입되면 상승하고 유출되면 하락한다. 풍선에 공기를 불어넣으면 부풀어 오르고, 풍선이 터질 것만 같아 공기를 빼기 시작하면 쪼그라들기 시작한다. 주식 시장의 버블 형성과 붕괴는 줄곧 그러한 행위를 반복해 왔다. 돈이 고성장 기술주로 쏠리면 전통적인 가치주들은 맥을 못 추고, 금리 인상을 하면 돈은 성장주에서 빠져나와 가치주로 이동한다. 그러한 흐름에 연동하여 투자하는 글로벌 스타일 펀드들은 업종별, 종목별 순환 사이클을 만든다. 곰팡이가 환경 변화에 따라 생존하기 위한 변신을 하듯이 주식 투자자 역시 돈의 흐름이 변화하는 것에 연동하여 투자 접근법이 달라져야만 한다.

돈의 흐름은 거래량으로 알 수 있다. 시장에 자금이 풍부하여 많은 주식들이 상승할 때는 돈의 흐름이 적나라하게 눈에 띄지 않는다. 그러나 풍선에서 공기를 빼기 시작하면 확연히 그 흐름이 드러나게 된다. 시황이 취약한 상황이 되면 경기나 산업 사이클과 무관하게 단순히 돈의 흐름으로 주가가 크게 움직인다. 우라가미 구니오는 시장이 고점을 찍고 대세 하락하는 국면에서는 저가주, 유동성 없는 고가주, 유행을 타는 밈 주식 등이 강해진다고 설명한 바 있다. 그러한 주식들의 움직임을 살펴본다면 시장과 주가 움직임의 본질을 이해할 수 있을 것이다.

2022년 상반기는 시장이 급락하는 시기였다. 미국의 강한 금리 인상과 양적 긴축, 하이퍼 인플레이션, 우크라이나 전쟁 등의 영향으로 주식 시장의 수급은 급격히 취약해졌다. 이러한 시기에 수급으로 움직이는 주식들의 특징들을 살펴보자.

| 노터스 일봉 차트 |

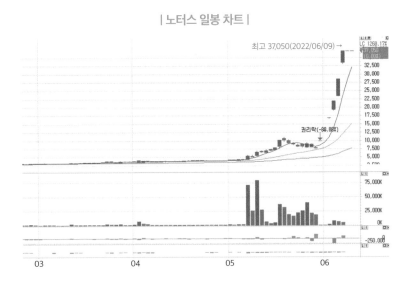

노터스란 주식의 일봉이다. 동물임상을 하는 CRO 기업으로

1주당 8주를 배정하는 무상증자 발표를 하면서 단기간에 10배 이상 폭등했다. 유보율이 높긴 했지만 매출이나 이익이 강한 기업이 아니었으므로 이런 폭등을 예상하긴 어려웠다. 뿐만 아니라 무상증자는 증자 비율만큼의 권리락이 발생하기 때문에 자산 가치의 변화가 발생하는 것이 아니다. 기업 가치의 변화가 발생하는 것도 아니다. 다만 권리락으로 인한 가격 하락으로 주가가 싸다는 '착시효과'와 무상증자를 '호재'로 인식하는 시장 참여자들의 심리로 인해 주가가 일시적으로 상승하는 경우가 많다. 그러나 주가가 10배까지 폭등한다는 것은 상식 밖의 움직임이라고 할 수 있다. 노터스의 폭등 시작 당시 차트를 보면 비정상적인 거래량이 발생한 것을 볼 수 있다.

| 노터스 일봉 차트 |

다음은 모트렉스란 주식의 일봉이다. 자동차 부품회사로 시가

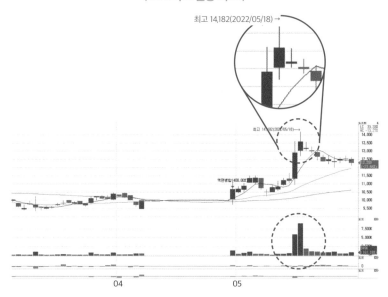

| 모트렉스 일봉 차트 |

최고 14,182(2022/05/18) →

총액 1,000억 내외로 거래되고 있었으나 자율주행 성장성이 부각되며 대량의 거래와 함께 주가 상승 변동성이 발생하였다.

| 재차 급등하는 모트렉스 주가 흐름 |

최고 20,400(2022/06/13) →

대량 거래와 장대 양봉으로 이상 변동성을 보인 후 거래량 감소, 작은 봉의 움직임으로 소강상태에 진입하여 마치 일시적인 움직임으로 마감할 것처럼 보였다. 그러나 재차 급등을 하는 모습을 볼 수 있다.

| 한일사료 폭등 직전의 거래량과 주가 움직임 |

위 차트는 한일사료의 폭등 직전 거래량과 주가 움직임이다. 비정상적인 거래량이 비정기적으로 발생하면서 주가 급등락이 발생하였다(이러한 주식을 전문으로 투자하는 사람들은 이러한 움직임을 매물 확인 및 매집을 위한 작업이라는 표현을 한다).

결국 우크라이나 러시아 전쟁 후 발생한 식량 위기의 재료로 시장 급락 구간에서 7배가 넘는 폭등을 하였다. 거래소에서는 '위험의 경고'를 하였지만 주가는 아랑곳하지 않고 치솟았다.

몇 가지 폭등한 주식들의 사례를 당시 상황과 주가 움직임으로 살펴보았다. 이들 주식들의 특징은 시가총액이 낮고 매출 및 이익의 절대 수치가 높지 않아 기관 투자가들의 관심 밖에 있다. 기업 성장 모멘텀 역시 뚜렷하지 않아 시장에서 소외되어 있으나 테마로 엮일 수 있는 사업 내용을 갖고 있다. 당연히 강세 시장보다 약세 시장에서 확연히 돋보이게 된다. 세상이 어수선한 상황에서 뉴스나 정책에 의해 발생되는 경우가 많은 것이다. 여기서는 그러한 기업의 내용과 시장 상황에 대해 설명하려는 것은 아니다. 비정상적인, 독특한 거래량의 발생과 이상하리만큼의 독특한 주가 움직임을 살펴보고자 하는 것이다. 그러한 움직임에서 공통된 특징들을 발견할 수 있다면 주가 움직임의 특징에 대해 이해하는 데 도움이 될 것이다. 급등락하는 주식을 매매하기 위하여 공부할 수도 있겠지만 이러한 주가 움직임을 이해하면 대형주도, 우량 중소형주도, 외국인과 기관이 거래하는 주식도 좀 더 구체적이고 세밀한 매매 타이밍을 판단할 수 있게 될 것이다.

스페코 주식은 거래량 급증, 장대 양봉 후 다시 거래 감소, 작은 봉으로 소강 상태의 흐름을 연속하고 있다. 어쩌다 한 번씩 세력들이 들어와 주가를 올려놓고 있다. 단기 급등 후 하락할 때 매

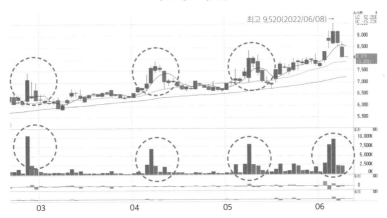

최고 9,520(2022/06/08) →

집의 주체들이 매도하지 않았다면 이 주식은 향후 급등의 가능성
이 있는 차트이다. 그러나 급등 후 조금씩 매도하는 패턴이라면
자칫 그들의 들러리가 될 수 있는 위험이 있다.

| 2022년 3월 신송홀딩스 일봉 차트 |

최고 7,980(2022/03/08) →

신송홀딩스의 일봉이다. 거래량이 거의 없는 시장 소외주였는데, 어느 날 비정상적인 대량 거래가 발생하면서 가격 급등락이 발생했다.

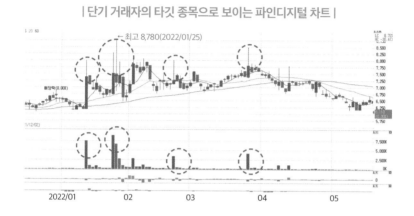

| 단기 거래자의 타깃 종목으로 보이는 파인디지털 차트 |

파인디지털은 전형적인 단기 거래자들의 종목이다. 뜬금없는 대량 거래와 장대 양봉 그러나 고점으로부터 매물이 나와 위꼬리가 길게 형성된다. 차트로 볼 때 이 주식은 루머를 퍼뜨려 주가를 올리고 고점으로부터 차익 매도하는 초단기 거래자들의 타깃 종목으로 보인다.

한진중공업홀딩스의 일봉이다. 파인디지털과 유사한 거래량과 봉의 패턴을 보여주고 있다. 그러나 이 차트는 가격을 점차 올리면서 만들고 있다. 이러한 유형은 매수자들이 곧바로 전량 매

| 2022년 2~6월 한진중공업홀딩스 일봉 차트 |

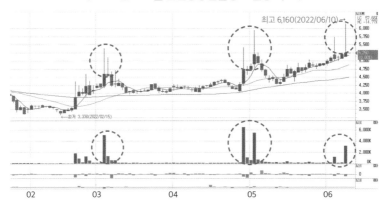

도하지 않고 보유하고 있기 때문일 것이다. 그렇게 점차 가격을
올리면서 수급에 자신이 생기면 급등 시도를 할 것이고 그렇지
않다면 급등 후 차익 매도를 반복하는 유형이 될 것이다.

　지금까지 특이한 거래량이 발생한 몇 가지 차트를 추가로 살
펴보았다. 어떤 모멘텀으로 거래량이 증가하며 주가가 급등락했
는지, 어떤 매수 주체들이 가격 움직임을 주도했는지는 설명하지
않았다. 기업 가치도 설명하지 않았다. 이러한 유형의 주식들을
골라 매매하기를 권하는 것도 아니다. 시장의 단기 거래자들이
선호하는 변동성이 큰 주식들의 움직임과 거래량과의 연관성을
보여준 것일 뿐이다. 소위 작전 종목이라고 하는 주식들의 패턴
은 이러한 유형과 크게 다르지 않다. 투자자들의 움직임은 거래

량으로 표시되며 그들의 심리는 주가 움직임으로 나타나기 때문이다. 몇 가지 사례를 보았지만 이제 주가 움직임이 시작되기 위해서는 가장 중요한 것이 거래량이란 것을 알게 되었다.

여기서 사례로 본 주식들은 시장에서 소외되었거나 시가총액이 낮은 종목이다. 그렇다면 우리가 흔히 알고 있는 대형주나 모두가 좋아하는 성장주들의 주가 움직임은 여기서 설명한 주식들과 다르게 움직일까? 오히려 더 뚜렷하다. 2021년 봄 이후 1년 넘게 하락하고 있는 삼성전자가 '언제쯤 바닥을 찍고 반등할까'라는 주제의 방송과 글들이 많다. 매크로 시황과 반도체 사이클과 삼성전자의 이익 전망과 세부 사업들의 전망에 대한 분석들이다. 그러나 차트를 보는 투자자들에겐 아주 간단하다. 거래량이 증가하며 가격 상승 변동성이 발생하면 그때부터 저점을 만들 것이다. 어떤 주식이든 '누군가 매수해주어야' 상승한다. 그들의 매수는 거래량으로, 그들의 매매 심리는 봉의 형태로 나타나게 된다. 어떤 주식을 매매하든 거래량을 기준으로 판단하는 것은 주식 투자의 '대원칙'이 될 수 있다.

『매매의 기술』에서는 가격이 많이 상승한 이후 거래량 증가 음봉(십자형)이면 추세 전환의 가능성으로 판단하고 매도 1신호로 설명했다. 반대로 주가가 크게 하락한 후 거래량이 급증하며 양

봉(십자형)이면 상승 추세로의 전환 가능성을 열어두고 매수 3신
호로 설명했다. 매매의 신호에서 기준이 되는 것은 가격과 거래
량이다. 대부분의 투자자들은 가격을 쳐다보고 있지만 노련한 트
레이더들은 거래량을 분석한다.

위궤양에
걸리지 않는 얼룩말

넓은 아프리카 초원에서 평화로이 풀을 뜯고 있는 얼룩말들과 그 주변에서 서성이고 있는 사자들이 있다. 언제든지 사자에게 잡아먹힐지 모르는 상황에서 얼룩말들은 별걱정 없이 한가롭게 풀을 뜯고 있다. 얼룩말들은 사자들이 공격해 오는 상황에 대해 인지와 대응이 본능적으로 시스템화되어 있기 때문이다. 즉각적인 위험 상황이 발생하면 그에 맞게 대응하고 상황이 끝나면 그 일들을 잊어버리고 일상으로 돌아간다. 스탠퍼드대 심리학자 로버트 새폴스키는 이러한 습성으로 인해 얼룩말은 위궤양에 걸리지 않는다고 주장했다.

반면 인간은 사람들과의 갈등을 잊지 못하고 앞으로 닥칠 불확실성에 대한 우려로 늘 스트레스를 받으며 살고 있다. 현대인이 불행한 이유는 물질주의와 미래에 대한 불안 때문이라고 한다. 세상은 경제적 자유를 얻어야 행복하다고 주장하고 있다. 연금은 고갈되어서 노후를 책임지지 않을 것이니 개인 연금을 들어야 하며, 건강을 위해 건강검진을 충실히 받고 각종 질병 관련 보험에 가입해야 한다고 한다.

'위궤양에 걸리지 않는 얼룩말' 얘기는 현재를 충실히 살고 행복해야 한다는 심리학자들의 교양 강연에서 흔히 인용된다. 주식 투자에서도 이 이야기는 적절한 비유가 될 수 있다. 이 책에서는 차트를 투자자들의 심리가 투영된 결과물이라고 했다. 주식을 매수 후 보유하는 동안 늘 주가 하락을 걱정하고 있다면 심각한 위궤양에 시달릴 것이다. 양봉이 만들어지는 것을 보면서 매수에 동참한 투자자가 미리부터 가격 하락을 걱정한다면 차라리 매수하지 말아야 한다. 일시적 하락에도 불안한 마음은 곧장 매도에 나설 것이기 때문이다.

주가가 향후 상승할 것인지, 하락할 것인지는 알 수 없다. 투자자 각자의 개인적 판단일 뿐이다. 다만 상승할 것이라는 자신만의 판단에 따라 매수하는 것이며 하락할 것이라는 판단으로 매도하는 것이다. 현재 시장에서 투자자들이 '매수하고 있는 것, 매도하고 있는 것'만이 객관적 사실이다. 객관적 사실을 애써 외면하려 한다면 늘 매매 타이밍을 놓치게 될 것이다. 위험한 상황이 벌어졌음에도 대응하지 않는 얼룩말은 사자에게 잡아먹힐 것이다. 사자들은 관심도 없는데, 언제 잡아먹힐지 몰라 전전긍긍하는 얼룩말은 풀도 뜯어 먹지 못하고 굶어 죽거나 심각한 스트레스로 위장병에 걸릴 것이다. 시장의 움직임에 대응할 수 있는 훌륭한 매뉴얼이 있다면 상황에 맞는 빠른 대처만이 중요해진다.

양봉과 음봉 그리고 거래량, 장중 투자자들의 체결 강도는 그 주식을 거래하고자 하는 투자자들에게 제공하는 매뉴얼이다. 차트 분석은 과거의 주가 흐름을 이용하여 미래를 유추하는 것일 뿐이다. 꼭 그렇게 되는 것도 아니며 확률 역시 시황에 따라, 주식에 따라, 유행에 따라 달라진다. 다만 아무것도 없는 깜깜한 밤길을 걷는 것보다는 이정표를 보고 가려는 투자자들의 심리가 차트를 보편적으로 만드는 경향이 있을 뿐이다. 사람들의 심리가 시시각각으로 변화하지만 어떤 상황에 처했을 때 비슷하게 대응하는 경향이 있다는 점에서 차트의 유용성이 있다. 시장이 급락할 때 투매가 나오고, 투매 이후에는 저가 매수세에 의해 급반등이 있다는 것도 심리로 인한 수급이 투영된 것이다.

하루에도 여러 차례 변동성을 이용한 거래를 하는 단기 거래자들은 엄청 피곤할 것 같지만 시장이 끝난 후에는 늘 편안해진다. 매매를 하는 순간에는 집중력을 발휘하지만 매매가 끝나고 나면 어떤 종목을 사고팔았는지도 모르는 경우가 많다. 트레이더들은 시장이 끝나고 나면 자신이 좋아하는 일상을 즐긴다. 시장이 상승할지 하락할지의 고민은 필요 없다. 자신들이 정해놓은 매수 및 매도 신호에 따라 기계적으로 거래할 뿐이다.

꼭 단기 거래자가 아니더라도 주식을 보유하고 있는 투자자들은 계속 보유할지, 분할 매도해야 할지, 분할 매수해야 할지 등의 기준을 기술적 매뉴얼로 만들어놓는 것이 좋다. 이는 포트폴리오 및 자산 관리에서 매우 효과적인 방법이 될 수 있다. 『매매의 기술』에서는 주가가 크게 상승한 이후 거래량이 증가하며 십자형 또는 음봉이 발생하면 1차 분할 매도, 20일 이동평균선 근방에서 거래량 증가 음봉이 커지면 전량 매도라고 설명했다. 설령 매도 후 곧바로 매수 신호가 발생하더라도 일단 매도 후 다시 판단하는 것이 위험을 관리하는 데 효과적이다. 주가가 크게 하락한 후 십자형 또는 양봉이 발생하면 우선 일부라도 매수 진입한다. 이것이 『매매의 기술』에서 설명한 매수 3신호이다. 매수 후 강한 매도 신호가 발생하면 곧바로 매도하더라도 원칙을 만들어놓고 그대로 적용하는 것이 중요하다. 매매의 원칙은 얼룩말이 사자가 공격해 올 때 대응하는 매뉴얼과 같다. 매도 신호가 발생할 때 매도하고, 매수 신호가 발생할 때 매수하는 원칙을 만들고 지키면서 투자한다면 시황에 영향을 주는 세상사에 끌려다니지 않아도 될 것이다. 미래의 주가 움직임을 추정하면서 너무 흥분하지도 않을 것이며, 스트레스로 잠 못 이루지도 않을 것이다. 차트를 가장 유용하게 사용하는 투자자는 차트를 있는 그대로 해석하고 현재 벌어지고 있는 매수 및 매도를 바탕으로 판단할 것이다.

수급이 바뀌면서 위험한 상황이 되고 있는데 유유히 풀을 뜯고 있는 것은 올바른 대응법이 될 수 없다. 성공한 투자자들의 매매 핵심은 원칙을 만들어놓고 그것을 지키려는 노력이었다. 돌이켜 보면 큰 손실의 상황이 되는 것은 매매 원칙이 없거나 자신이 만들어놓은 원칙을 지키지 않았기 때문이다. 복기를 하며 늘 이성적 인지를 하지만 판단을 흐리게 하는 여러 심리로 인해 원칙(매뉴얼)을 지키지 않는 것이 손실의 가장 큰 이유이다.

직관과 이성적 사고

『생각에 관한 생각』의 저자 대니얼 카너먼은 인간은 불완전한 존재이며 제한된 정보 속에서 심리적 이유로 왜곡된 선택을 하기 쉽다고 했다. 덧붙여 '인간은 직관과 본능에 지배받는 시스템 1과 이성적 사고에 지배받는 시스템 2로 구성된 판단을 한다'고 설명했다. 시스템 1에 의한 판단은 빠르고, 자동적이며, 무의식적으로 작용하여 실수하기 쉬운 반면, 시스템 2에 의한 판단은 느리고, 의식적이며, 논리적이기에 믿을 만하다는 것이다. 우리의 일상은 거의 대부분 특별히 노력하지 않아도 무리 없이 행동할 수 있다. 그러나 어떤 문제들은 복잡한 생각과 분석을 통해 판단해야 한다. 한마디로 직관과 본능 그리고 이성과 논리라는 서로 다른 시스템이 보완하기도 충돌하기도 하며 판단을 내리는 것이다.

거의 모든 투자자들이 이성적이고 합리적인 결정을 할 것이라고 믿겠지만 실제로는 그렇지 않다. 가격이 비정상적인 상승과 하락을 하는 것은 분명한 증거가 될 수 있다. 주기적으로 버블을 만들고 다시 붕괴되는 과정에서 곤혹스러워하는 경제 시스템을 보아도 '인간은 항상 합리적이지는 않다'는 말에 수긍할 수밖에 없을 것이다. 주식 투자의 판단은 시스템 2의 역할이 절대적일 것이라는 생각도 정답은 아니다. 논리적이고 이성적인 판단이 투자 수익률에 결정적인 영향을 끼치는 것은 아니기 때문이다. 물론 우리의 실수들은 '원래 그런 거야', '경험상 그럴 거야', '고민할 필요도 없이 당연한 거야' 같은 직관적인 행동들에서 많이 발생한다. 그럼에도 직관을 배제하고 이성과 논리로 판단하려는 노력이 실전에서 투자 판단을 더욱 어렵게 하는 것도 사실이다.

차트 분석에 국한하여 직관과 이성적 판단의 장단점을 생각해 보자. 흔히 "크게 실수하지 않고 꾸준한 수익을 얻기 위해서는 감정을 배제한 기계적인 매매를 하는 트레이더가 되어야 한다"고 말한다. 특히 스캘퍼, 데이 트레이더들에게는 절대 명제로 통한다. 트레이더들의 꿈은 자신의 투자 원칙을 알고리즘으로 만들어 기계가 자동으로 매매하여 수익을 만들어내는 것이다. 실전 투자에서 손실은 거의 대부분 원칙을 지키지 않은 데서 발생하기 때문이다. 뛰어난 트레이더들은 가격과 거래량 그리고 이동평균선으로 가장 기본적인 원칙을 만들고 수천 가지에 이르는 보조지표들을 대입시켜 최적의 결과값을 찾는다. 가장 성과가 좋은 보조지표들을 선택한 후에는 최적의 결과값이 산출되는 변수값을 변경해 가며 시뮬레이션한다. 그렇게 찾은 최적의 지표와 변수값으로 만든 알고리즘으로 백 테스팅하고 만족스러운 몇몇 로직으로 실전 매매를 한다.

이는 거의 완벽하게 시스템 1을 배제하며 투자할 수 있는 방법이다. 오랫동안 투자자들은 이러한 매매를 개발해 왔으며 실제로 많은 분야에서 사용되고 있다. 이때 로직에 사용되는 지표와 변수값이 많으면 많을수록 성과는 좋지 않다. 세상에 알려진 거의 모든 지표를 하나도 빠짐없이 넣어서 구현하려 한다면 아마도 결과값이 검출되지 않을 가능성이 높으며 설령 검색된 종목이 있다 하더라도 실전 투자의 수익과 손실 확률은 각각 50%에 수렴하게 될 것이다. 수익과 손실의 확률이 50%라는 건 의미 없는 결과값이다.

가치 지표들을 이용하여 로직을 만든다고 생각해 보자. 최근 2분기 연속 영업이익과 순이익이 증가한 기업을 리스팅하면 너무 많은 종목이 검색될 것이다. 이때 영업이익률 20% 이상이라는 조건을 추가하면 검색 종목 수가 줄어들 것이며 그렇게 보다 훌륭한 결과값을 위해 조건을 강화하다 보면 결국 검색되어 나오는 종목은 제로가 될 것이다. 조건을 느슨하게 하면 너무 많은 종목들이 검색되고 조건을 까다롭게 하면 제로값이 나온다. 이처럼 훌륭한 성과를 만들어낼 종목을 찾아내는 로직 구성 자체는 매우 어렵다.

실전 투자자의 거의 대부분은 시스템이 아닌 자신의 이성을 통해 종목을 분석한다. 차트를 보며 거래량과 양봉 음봉의 가격 지표, 이동평균선, 기관과 외국인의 수급, 볼린저 밴드, 스토캐스틱, 소나, MACD, OBV, RSI, CCI, 일목균형표 등 여러 가지 지표를 통해 현재의 주가 상태를 해석하려 한다. 젊은 전문가일수록, 실전 투자자가 아닌 이론 전문가일수록 참고하는 차트와 지표들이 많다. 그렇게 해야만 감정과 직관이 아닌 이성과 논리적 판단을 하고 있다는 '위안'이 생길 것이다. 그러나 참고하는 보조지표들이 많아질수록 최종 판단은 더욱 어려워진다.

사람들은 선택지가 많으면 많을수록 판단을 하지 못한다. A와 B 중 선택하는 것보다 A, B, C 중 하나를 선택하는 것은 몇 배나 어렵다. 각 지표들이 모두 일관된 신호를 주지 않을 때 우리는 선택할 수 없게 된다. 주식 투자를 하면서 논리적 판단을 위해 너무 복잡한 판단 기준을 설정하면 한 가지의 기준을 따를 때보다 좋지 않은 결과를 불러올 수 있다. 차트 분석을 해본 사람들은 거의 대부분 공감하는 기준이 있다. 20일 이동평균선을 기준으로 그 위에 있던 주가가 '20일 선을 지키고 반등하면 매수, 지키지 못하고 그 아래로 하락하면 매도'라는 기준으로 끝까지 투자하면 결국 큰 수익을 낼 수 있다. 다만 투자자들이 그 원칙을 지키지 않을 뿐이며, 그것만으로는 부족하다는 생각에 더 많은 기준을 만들어 사용하고 결국 투자에 실패하고 만다.

초보 문학도들은 어려운 문장으로 글을 쓴다. 초보 발표자들일수록 설명의 과정이 길고 결론은 모호하다. 시스템 1이 작동할 만큼 경험이 없기 때문이다. 자신의 논리를 어려운 문장과 복잡한 설명 도구로 정당화하려 한다. 주식 시장은 시시각각 변화하며 그 속도도 빠르다. 움직이지 않는 물체를 현미경으로 분석하듯이 주식 시장을 분석하려 한다면 늘 타이밍을 놓치게 된다. 기술적 지표들을 너무 많이 참고하고 변수값을 너무 많이 적용하다보면 결국 결론을 낼 수 없거나 무의미한 결과가 나올 수 있다.

이성과 논리의 과정을 겪은 경험은 아주 단순한 결론을 얻게 되고 그것은 직관과 통찰력으로 나타난다. 차트 분석은 가능한 한 단순하게 해야 한다. '속임형'이라는 가변적인 논리를 사용하지도 않아야 한다. 차트는 투자자들의 심리가 투영된 결과이다. 차트를 보면 곧바로 '매수하고자 하는 투자자들이 강한지, 매도하고자 하는 투자자들이 강한지'만 판단하는 것이 좋다. 비이성적 직관이 투자에서 실수를 범하게 하지만, 차트 분석에서는 이성적 판단의 노력으로 오히려 왜곡된 판단을 할 수 있다.

탐욕과 공포가 만들어내는 거래량 폭증

거래량은 매수자와 매도자가 체결한 거래의 총수이다. 100만 주의 거래량은 매수자 50만 주, 매도자 50만 주가 아닌 100만 주의 매도자와 100만 주의 매수자들의 체결이다. 즉 거래량이 폭증했다는 것은 매도량과 동시에 매수량도 폭증한 것이다. 대형 호재로 주가가 급등할 때 매도자는 없이 매수자들의 강한 매수로 상승한 것이라 생각하지만 매도자도 그만큼 많았다는 뜻이 된다. 매수자들은 향후 주가가 상승할 것이라고 판단하지만 매도자들은 이익 실현을 한다. 미래 주가 방향의 판단 차이로 거래는 형성되고 그 결과로 거래량이 만들어진다. 같은 수량의 매수 및 매도인데 어떤 날은 상승하고 어떤 날은 하락한다. 상승한 날은 매수자들이 가격을 올려서 매수했기 때문이며 하락한 날은 매도자들이 가격을 내리면서도 팔았기 때문이다.

가격이 급등하고 있는 상황에서의 거래량 급증은 탐욕스런 매수자들이 더 높은 가격이라도 매수하고자 하는 심리로 만들어진다. 반면 가격이 급락한 상황에서의 거래량 급증은 공포로 인해 매도자들이 투매했기 때문이다. 그래서 차트는 투자자들의 심리가 반영된 곳이다. 탐욕의 매수가 진행되는 과정에서 현명한 일부 투자자들은 차익 매도하고 공포의 매도가 진행될 때 저가 매수한다. 주식 시장에서는 '공포에 매수하고 탐욕에 매도하라'는 격언이 있다. 하락하는 시황에서는 투매가 나와야 저점이 형성되고 상승하는 시장에서는 '묻지 마' 매수가 형성될 때 고점이라 판단하는 이유이다. 그럼에도 우리는 그 심리를 이겨내지 못한다. 시장이 활황일 때 주식 투자가 활발하고 침체일 때 거래가 줄고 주식 투자를 그만둔다.

다음 화면은 삼성전자의 월봉이다. 가장 대표적인 심리를 반영한 차트이다. 거래량을 보면 2020년 3월과 2021년 1월 이례적으로 거래량이 폭증한 것을 볼 수 있다. 2020년 3월은 코로나19 팬데믹으로 시장이 폭락할 때이고 2021년 1월은 시장 활황에 뒤늦게 참여한 개인 투자자들이 앞다투어 삼성전자를 매수하던 시기이다. 투매성 거래가 형성된 팬데믹 하락 구간에서는 거래량이 폭증하며 저점을 형성하고 주식 투자 열풍이 정점이었던 2021년

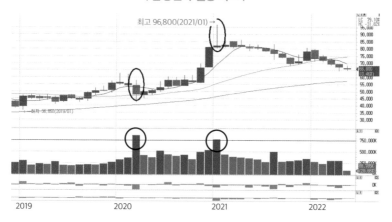

| 삼성전자 월봉 차트 |

최고 96,800(2021/01) →

최저 36,850(2019/01)

2019   2020   2021   2022

1월엔 고점을 형성하였다. 급락 구간에서 공포의 매물을 받아낸 매수자들은 그해 시장의 반등 구간에서 매도하였다. 고점에서의 매수자들은 거의 대부분 개인 투자자들이었으며 2022년 7월 현재 상당한 손실을 입은 상태이다. 주가가 하락하는 동안 어마어마한 개인 투자자들의 매수가 있었고 외국인과 기관은 내다 팔기에 급급했다.

2021년 봄에 주식 투자를 시작한 대부분의 개인 투자자들은 보수적 성향의 투자자들이다. 시장이 이미 3,000p를 넘어선 상황에서 뒤늦게 시장에 진입했다는 것은 스스로의 투자 철학이나 원칙으로 매수했다기보다는 시황 분위기에 떠밀린 것이라고 볼 수 있기 때문이다. 당시 매수한 투자자들의 대부분은 주식 투자는 해야겠는데, 경험도 없고 기업도 잘 몰랐기 때문에 시장 대표주인 삼성전자를 선택했을 것이다. 그 결과 삼성전자의 개인 주주가 500만 명이 넘는 결과를 낳았다. 그들 대부분은 손실인 상태로 시장을 지켜보고 있다.

아래 화면은 대표적인 정치 테마주로 불리는 안랩의 일봉 화면이다. 대선이 치러지기 직전 거래량이 급증하면서 상승하기 시작하다가 급기야 2022년 3월 24일엔 평소 거래량의 10배가 넘는 거래량 폭증이 발생하며 고점을 형성하고 반토막이 났다. 탐욕스러운 매수자들이 진입할 때 낮은 가격에 매수한 투자자들은 매도하고 나갔기 때문에 거래량이 폭증한 것이다. 공포의 매도를 유발시켜 매수하고 탐욕의 매수를 유발시켜 매도하는 심리적 투자가 이뤄지고 있다고도 볼 수 있다.

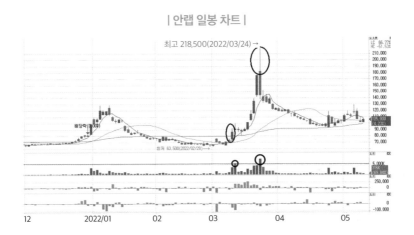

| 안랩 일봉 차트 |

아래 화면은 지엔씨에너지 주가 움직임과 거래량이다. 주가가 급등하거나 급락할 때 여지없이 거래량이 급증한 것을 볼 수 있다. 급등락 주식을 선호하는 투자자들에 의해 움직인 것이다. 주가를 움직일 수 있는 특정 세력의 개입을 거래량 급증과 장대 양봉 그리고 위아래의 긴 꼬리로 판단할 수 있다. 이런 주식만을 찾아 거래하는 투자자들이 있다. 급등과 급락을 반복하는 움직임이지만 단기에 큰 수익을 내려는 투자자들의 탐욕은 이러한 유형의 움직임을 만들어낸다. 시장이 약세이거나, 주도주 및 주도 주체들이 없는 시장에서 저가주, 시가총액이 작은 주식들의 움직임에서 흔히 볼 수 있다. 탐욕과 공포를 이용한 전형적인 주가 움직임인 셈이다.

| 지엔씨에너지 일봉 차트 |

박병창의 돈을 부르는
매매의 심리

6장

시장의
마음

주식 투자는 도박, 운, 쪽박?

'주식 투자는 쪽박, 운, 그리고 사기다' 2017년 2월 13일《한국경제》1면에 실린 기사의 제목이다. 제목 아래에는 한국 주식 투자자들의 속마음을 요약한 문장이라는 부연 설명이 달려 있었다. 이 기사는 글로벌리서치에 의뢰해 1,000명을 대상으로 '주식 투자' 하면 떠오르는 단어를 고르라는 문항에 대한 답을 토대로 작성한 것인데, 43.1%가 쪽박(깡통), 24.8% 운, 7.6%가 사기라고 응답했다고 한다. 아이러니한 건 가장 많은 복수응답이 '재테크'였다는 사실이다. 결국 '주식 재테크는 쪽박' 또는 '주식 투자는 운'이라는 생각을 갖고 있는 것이다.

투자를 결정할 때 영향을 미치는 것에 대해서는 경제 신문 및 증권 방송, 투자 전문 동호회 및 카페, 지인 추천, 증권사 직원, 증권사 리포트의 순으로 대답했다. 소위 전문가 집단이라고 하는 증권사 직원의 신뢰도가 떨어진 이유에 대해서는 '고객 수익보다 수수료 우선이어서', '전문성이 부족해서', '전문가 말 듣고 투자했다가 실패한 경험 때문에', '번거로워서' 등의 순이었다. 증권사 리포트의 신뢰가 떨어진 이유에 대해서는 '뒷북 보고서가 많아서', '긍정적인 내용만 담아서', '틀린 적이 많아서', '용어가 어려워서' 등이었다.

꽤 오래전 기사이고, '동학개미운동'이라는 말이 생길 정도로 주식 투자에 대한 인식이 많이 바뀐 것은 사실이다. 2020년을 기점으로 한국의 주식 시장에는 전문가 못지 않은 충분히 현명한 개인 투자자들이 많이 생겨났다. 그럼에도 밈 주식의 유행과 주가 움직임에 따라 변하는 투자자들의 심리로 볼 때 여전히 투자자의 마음속엔 운, 도박, 유행, 위험이라는 단어들이 자리 잡고 있는 듯하다.

주식 시장과 주가의 방향을 정확히 맞힐 수는 없다. 다만 시황에 영향을 주는 주요 지표와 기업 가치를 조사, 분석하여 투자 성공의 확률을 높일 수는 있다. IMF가 매년 세계경제성장률을 분석하여 발표하지만 정확히 맞힌 적이 있었던가? 유수의 글로벌 IB들이 분석하여 발표하는 각종 경제 지표, 국제 원자재 가격, 주식 시장 방향 등은 늘 틀렸고 매번 수정하기에 바빴다.

그럼에도 전 세계의 기관 투자가들은 그들의 분석 자료를 바탕으로 투자 전략을 만들고 대규모 자금을 운용한다. 분석 자료에 대한 불신은 개인 투자자들에게서 두드러진다. 이는 '투자 원칙의 부재' 때문일 수 있다. 저명한 글로벌 IB들조차 맞히지 못하는 경제 흐름에 대한 혼돈, 전문가들에 대한 불신, 기관 투자가용으로 만들어진 보고서에 대한 불신이 자신만의 투자 원칙을 만들어내는 기초자료로 이용되지 못하고 있다. 그러다 보니 이렇게도 해보고 저렇게도 해보지만 결국 수익은 나지 않고, '믿을 건 아무것도 없다', '운이 좋아야 한다'라고 결론짓게 된다.

머니 게임이라고 하는 주식 시장의 참여자들은 누가 주가를 움직일 수 있는지, 분석 자료를 누가 더 빨리 구해서 볼 수 있는지, 정보의 원천 소스에 누가 더 가까이 다가가 있는지에 관심이 집중되어 있다. 외국인들은 국내 투자자들로부터 수익을 챙기려 하고, 기관 투자가들은 개인 투자자들로부터 수익을 챙기려 하는 투기적 심리가 형성되기에 주식 투자는 '사기'라는 생각마저 하는 것이다.

주식 시장에 불합리하고 부당한 점은 많이 있다. 그럼에도 시장에서 꿋꿋이 수익을 내며 롱런하고 있는 투자자들은 뭔가 다른 관점을 갖고 있을 것이다. 성공한 투자 대가들은 거의 모두 투자 철학과 원칙의 중요성을 강조했다. 우리는 자신만의 투자 원칙을 갖기 위해 책을 읽고 전문가들의 방송을 경청한다. 투자 판단의 원칙, 매매 판단의 원칙은 단기적 성과에는 차이가 있을 수 있겠지만 중장기 성과로는 결국 훌륭한 결과를 만들어낼 것이다. 언젠가, 누가 쓴 글인지 모르지만 SNS에서 돌아다니던 투자 철학에 관한 내용을 여기 소개한다.

"주식 투자란, 세상사를 읽어내는 것부터 시작된다. 세상을 복잡한 금융기법으로 바라보기보다는 상식과 조화의 관점에서 접근해야 하며, 그 순수한 결과물로 포트폴리오에 가장 정확하게 그리고 선행적으로 담아내야 한다. (중략)

좋은 기업과 좋은 주식을 구분할 줄 알아야 하며 나쁜 기업을 좋은 주식으로 포장해서는 안 된다. 주식 투자에서 성공하기 위해서는 세상에 대한 통찰력이 있어야 한다. 그러나 누구의 관점이 맞는지는 아무도 모른다. 다만 그 확률을 높이기 위해 끊임없이 노력해야 하는 것이다."

투자를 할 것인가
투기를 할 것인가

"여러분, 저와 함께 해외 주식으로 투기합시다"라고 권한다고 상상해 보자. 아마 모두 이상한 눈초리로 쳐다볼 것이다. 반면 "해외 주식으로 투자하시죠"라고 하면 자연스럽게 생각할 것이다. 영어로 투자는 Invest, 투기는 Speculate, 거래는 Trade로 구분한다. 단기 수익을 위한 매매는 분명 투기이지만 부정적 어감이 싫은 우리들은 뭉뚱그려 '트레이딩'이라고 말할 뿐이다. 거래의 유형에서는 투자와 투기, 투자와 매매를 구분하는 것이 맞지만 수익을 추구하는 행위에서는 투자나 투기, 거래 모두 투자의 영역 안에 있다.

투자를 하고 싶은 사람들은 가치 투자라는 표현을 좋아한다. 기업의 내재 가치와 성장 가치를 계산하여 투자하는 것이다. 가치 투자라 하더라도 시황과 심리, 수급의 영향에서 벗어날 수 없다. 모든 투자에서의 수익은 수급에 의한 가격 상승이 있어야 한다. 내재 가치의 상승을 기대한 투자나, 내재 가치와 현재 가격의 괴리를 이용한 투기나, 외부 환경의 변동성을 이용한 트레이딩이나 수익을 추구하는 투자자의 입장에서는 결국 같은 목적을 가진 행위이다.

다만 투자라고 생각하는 사람들은 주식의 가격보다는 기업을 보고 베팅한다. 가격의 변동성에 연연해하지 않고 시황에 따라 가격이 하락하더라도 꿋꿋하게 기업을 보고 투자할 수 있어야 한다. 주가가 크게 하락하였다고 속상해하거나 불안해한다면 가치주 중장기 투자자로서 자격이 없다. 기업에 투자하는 사람들은 어찌 생각하면 주가 움직임에 신경 쓸 필요가 없다. 자신이 '주가 움직임에 대응하는 것'이 아니고 '기업이 사업을 잘 하느냐'에 따라 주가가 움직일 테니 말이다.

반면 가격을 보고 베팅하는 (정확히는 투기자, 거래자이지만 부정적인 뉘앙스를 주기 때문에 통칭 투자자라고 부른다) 투자자들은 시세 차익을 위한 투기 거래를 한다. 최대한 싸게 사서 비싸게 팔거나 비싸게 사서 더 비싸게 팔아야 한다. 기업이 좋든 나쁘든 상관없다. 시장이 강세이든 약세이든 상관없다. 가격 움직임의 특징을 잘 알고 수익을 낼 수 있는 기회를 포착하면 된다. 시세 차익을 얻기 위한 기관들의 거래는 선물과 현물 주식과의 가격 차를 이용하여 수익을 내는 차익 거래가 대표적이다. 개별 주식과 주식 선물의 차익 거래도 가능하다. 시장에서 불합리한 가격 왜곡이 발생했을 때도 좋은 가격으로 베팅할 수 있는 기회이다. 2020년 3월 코로나19 팬데믹으로 주가가 폭락하자 연기금은 즉각 매수 진입하였다. 1개월 동안 5조 원이 넘는 순매수 후 반등을 한 3개월 이내에 모두 순매도했다. 정확한 액수는 모르지만 큰 차익을 남겼을 것이다. 대표적인 장기 투자자인 연기금도 단기 차익 거래의 기회를 놓치지 않은 것이다. 당시의 5조 원은 투자가 아닌 훌륭한 투기를 한 것이다.

기업에 베팅하는 투자를 하더라도 단기 가격 상승의 성과를 얻기 위해서는 현재 성장 중인 산업에 투자해야 한다. 기업이 턴어라운드되는 상황에 투자할 때도 단기에 수익을 낼 수 있다. 안정적으로 꾸준히 성장하면서도 꿈이 있는 신규 사업을 해나가는 기업에 베팅해야 한다. 그러한 기업은 제품 라이프 사이클이 길고 영업이익률과 ROE가 높다.

"투기를 하든 투자를 하든 수익률만 좋으면 어떤 방법이든 상관없다"고 말하고 싶을 것이다. 그러나 기업에 베팅하는 것과 가격 움직임에 베팅하는 것은 투자법과 매매 원칙, 심리가 완전히 다르다. 가격에 베팅했다가 물려서 장기 투자하는 것을 우리는 '비자발적 장기 투자'라고 한다. 그런 경우는 대부분 실패하거나 아주 오랫동안 고생하게 된다. 또 기업을 보고 투자해 놓고 주가가 하락하는 것을 참지 못해 손절매한다면 그 주식이 나중에 10배 이상 상승한다 하더라도 수익을 낼 수 없을 것이다. 투자 목적, 투자 방법, 투자 기간 등을 명확하게 판단하고 투자했을 때 성공 확률은 높아진다.

여성들의
수익률이 좋은 이유

"1만 6,000명을 대상으로 2020년 투자 수익률을 분석한 결과 60대 남성이 가장 낮았고 50대 여성이 가장 높았다. 40대를 제외하면 전 연령대에서 남성보다 여성의 수익률이 높았다."《매일경제》2021년 3월 8일자 기사에 실린 내용 중 일부이다. 이 기사에 따르면 20~40대 여성들의 평균 수익률은 20% 이상이었으나 20대 남성은 3.8%에 그쳤다고 한다. 2020년 주식 시장은 코로나 팬데믹으로 급락한 이후 강하게 반등했다. 저점 대비 2배로 상승하는 강세장이었기 때문에 4월 이후부터는 웬만한 주식을 그냥 사서 보유만 해도 큰 수익이 나는 시황이었다. 여성의 경우 대부분 우량주라 불리는 주식에 투자한 반면 남성들의 경우 상대적으로 변동성이 큰 주식이나 레버리지 상품에 투자하는 경향을 보였다.

남성의 경우 여성보다 '하이 리스크, 하이 리턴'을 선호했다는 것이다.

2020년의 사례로 들고 있지만 전 세계적으로도, 역사적으로도 남성보다 여성의 수익률이 높은 것으로 알려지고 있다. 수익금은 60대 전후의 남성이 높은데 그것은 투자 원금이 크기 때문이다. 남녀 투자 행동에 관한 연구는 과거에도 있었는데, 2002년 그레이엄과 스탠다디는 '여성 투자자들은 세부적인 사항에 관한 더 많은 정보를 요구하고 관련된 질문을 많이 하는 성향을 보이는 반면 남성 투자자들은 의사결정에 있어 많은 정보를 생략하고 중요한 한두 개의 단서에 의해 결정하는 성향을 갖는다'는 연구 결과를 발표하기도 했다. 이러한 차이는 남성호르몬인 테스토스테론이 사람들의 사고를 좀 더 단순하고 낙관적으로 만든다고 설명하고 있다. 한마디로 여성은 세심하고 리스크를 줄이기 위한 노력을 게을리하지 않는 반면 남성은 별생각 없이 좋은 결과에 대한 희망으로 저질러 버린다는 것이다.

나는 2000년부터 약 2년간 개인 투자자들을 대상으로 주식 투자법(데이 트레이딩)을 집중 교육한 적이 있다. 매월 약 30여 명씩 2년 정도이니 700명이 넘은 분들이 교육을 받고 실전 투자의 시장으로 뛰어들었다. 그 당시에도 여성들의 성과가 더욱 좋았다. 남성과 여성들의 투자 성향과 결과를 분석한 자료는 꽤 흥미로웠다. 심지어 '이쪽으로 공부를 더 해볼까'라는 생각마저 들 정도였다. 단기 거래의 성과는 20대 여성이 가장 좋다는 것을 책을 통해 알고 있었지만 젊은 여성들의 수익률이 월등하다는 것을 눈으로 확인하자 더욱 흥미로웠다. 여성 중에서도 젊은 여성의 수익률이 더 높았던 이유는 데이 트레이딩이란 투자법이 집중력을 필요로 하고 시세를 순발력 있게 분석해야 하는 특징 때문이었을 것이다.

여성이 남성보다 결과가 좋았던 것은 빠른 판단, 작은 수익에 대한 감사, 시장에 대한 순응, 배운 것을 그대로 적용하는 자세 등을 꼽을 수 있다. 데이 트레이딩은 하루 동안의 변동성을 이용한 매매로 작은 수익의 연속을 목표로 한다. 반드시 시장을 있는 그대로 보고 순응해야 하며 (상승과 하락의 예측으로 인한 반대 포지션 매매를 하지 않는다) 매매 원칙을 철저히 지키는 기계적인 거래를 해야 한다. 큰 수익에 대한 욕심으로 손실 폭을 키우는 것은 절대 금물이다. 하루에도 여러 번 수익의 기회가 있기 때문에 시장을 관찰하고 수익의 기회를 기다리는 끈기가 있어야 한다. 오랜 세월이 지났지만 당시 교육받은 사람들 중 지금까지도 수익을 내며 거래하고 있는 비율도 여성들이 더 높다.

앞서 소개한 2020년에는 우량주를 장기 투자한 사람이 수익률이 높았다. 긍정 오류를 최소화하려는 위험 회피적 여성들은 시장에서 이미 분석이 끝난 우량주 위주의 주식을 매수하여 보유했기 때문이었다. 그렇다면 세밀하고 위험 회피적 성향의 여성들이 단기 거래인 데이 트레이딩에서도 좋은 결과를 내는 것은 무엇 때문일까? 사실 투자법은 다르지만 장기 투자와 단기 거래의 성향은 같다. 데이 트레이딩을 할 때도 예민하고 위험 회피적 성향은 주관을 배제하고 시장을 있는 그대로 보게 한다. 작은 수익이라도 생겼을 때 그것을 챙기려 하는 마음과 손실 회피 성향이 강하다. 배운 것을 그대로 적용하여 큰돈을 버는 것보다는 손실을 내지 않는 것에 집중한다. 투자법은 다르지만 시장에 겸손하고 작은 수익에도 만족하는 성향이 좋은 결과를 만들어낸 것이다.

일반 투자자는 물론이고 증권사 직원들의 교육을 통해 많은 사람을 만났고 각자의 성별, 직업, 나이, 직급 등에 따라 투자 성과의 차이가 다르다는 것을 알 수 있었다. 여성이 남성보다 교육의 성과가 좋았던 것처럼 가장 교육 효과가 좋은, 즉 수익률이 좋았던 그룹은 주식 투자를 처음 해본 젊은 남녀였다. 반면에 가장 교육 효과가 나쁜 그룹은 주식 투자 경험이 많은 남성 그리고 과장급 이상의 증권사 직원이었다. 경험이 많을수록, 자신의 노하우를 가지고 있을수록 '새로운 기술, 새로운 투자법을 받아들이기'란 쉽지 않다. 반면 경험이 없고 소심한 사람들은 적은 투자금으로 시작했지만 쌓아가는 투자를 할 수 있었다.

시장이 가장 옳다. 영원한 절대 투자 기법은 없다. 시장의 변화에 따라 수익이 나는 투자법이 변화한다. 변화를 받아들이는 유연성이 주식 투자에서는 중요하다. 유연하려면 고집이 없어야 한다. 자신의 경험을 바탕으로 쌓아놓은 선입견은 주식 투자에서는 부정적 요인이 될 수 있다. "변화를 유연하게 잘 받아들이고, 작은 수익에도 기뻐할 줄 알고, 내 것을 잃기 싫어하고, 투자의 리스크에 대한 두려움을 인정하고, 자신의 영역 안에서 할 수 있는 최선을 다한다." 그 결과로 인한 수익으로 행복해할 수 있는 젊은 여성들의 성향을 배우자. 대박은 스스로 만드는 것이 아니다. 꾸준히 원칙대로 투자하는 것에 집중하면 된다. 시장은 그런 투자자에게 큰 기회를 준다.

투자 전략의 선택

　가치 투자는 기업의 본질 가치를 측정하여 주가가 그보다 현저히 싸게 형성될 때 매수하여 주가가 기업 가치에 수렴할 때 매도하는 투자 방법이다. 흔히들 얘기하는 가격에 투자하는 것이 아니고 기업에 투자하는 것이다. 시세 변동에 연연해하지 않고 장기 보유하여 기업의 성장과 함께 수익을 추구한다. 따라서 시황의 변화에 따라 가격 변동이 있을 때는 고스란히 손실을 떠안고 보유해야 하는 단점이 있다. 가장 적절한 매수 타이밍은 패닉 장세에서 저가에 매수하는 것이다. 워런 버핏이나 피터 린치와 같은 투자자가 적용하는 기법으로 투자 판단의 기초자료는 기업의 이익 성장이다.

　모멘텀 투자는 주가의 흐름이 기존과 전혀 다른 추세 전환의 타이밍에 투자하는 것이다. 추세 전환은 시황, 산업 사이클, 기업의 구조적 변화, 기업 이익의 턴어라운드 등 여러 가지 모멘텀으로 발생한다. 시황이 중요하긴 하지만 전체적인 흐름보다는 개별 기업의 모멘텀에 집중한다. 장기 보유로 큰 수익을 기대하는 것보다는 그때그때 발생하는 모멘텀의 구간에서 수익을 내고 매도한다.

대부분의 투자자들은 모멘텀 투자를 하고 있다. 테마를 따라, 산업 사이클을 따라, 정부 정책에 따라, 금리 정책에 따라 시장은 시시각각 변화하고 사람들은 그 변화를 읽으며 투자한다. 모멘텀 투자의 판단 기초자료는 기업 성장 모멘텀, 지수 움직임의 추세 전환, 투자자 집단인 군중의 심리 변화와 그에 연동한 수급의 변화, 테마의 형성 등이다.

성장주 투자는 산업의 신기술 변화, 기업의 신기술과 신제품으로 인한 미래의 성장에 투자하는 것이다. 과거에 스마트폰, 인터넷 등이 있었다면 2022년 현재는 전기차, 자율주행차, 메타버스, AI, 로봇, 우주항공 기술 등이 여기에 해당한다. 초기에는 기술에 대한 확신이 없기 때문에 주가는 낮고 변동성이 크다. 자신의 판단이 맞아떨어졌을 때 대박을 터뜨릴 수 있다. 반면 투자한 기업의 기술이 뒤처질 때에는 큰 손실을 입을 수 있다. 소수의 승리자와 다수의 패자가 있는 투자법이니만큼 자산의 일부를 투자하여 큰 수익을 추구해야 한다. 투자 판단의 기초자료는 신기술, 신정책, 환경의 변화, 기업 성장 단계의 이해, 유행, 사회의 구조적 변화 등이다.

가치주 투자는 시황이 좋지 않을 때 빛을 발한다. 철저하게 기업의 자산 및 실적을 바탕으로 저평가된 기업에만 투자한다. 수익도 중요하지만 다분히 방어적으로 손실을 최소화하고 안정성을 추구한다. 투자 판단의 기초자료는 기업의 재무상태표가 되어야 하며 그중에서도 현금흐름표가 중요하다.

장기 투자는 그것이 성장주이든 가치주이든 장기적으로 성장하는 기업에 투자해야 한다. 성장주와 가치주의 차이는 이익성장률의 차이일 뿐이다. 기업이 장기적으로 성장하기 위해서는 경쟁사들보다 뛰어난 '해자'가 있어야 한다. 코카콜라나 마이크로소프트, 애플과 같은 기업들은 수십 년간 성장하며 자신을 지지해 준 주주들에게 수백 배 넘는 주가 상승으로 화답했다. 미래에 대한 예측과 기업의 장기 성장을 판단하는 것은 어려운 일이다. 따라서 투자 판단의 기초자료는 경기 및 산업 사이클의 이해와 향후 성장 산업의 이해 그리고 기업의 재무 상태를 파악하는 것 등이 될 수 있다. 일반적으로 본업이 있는 투자자들이 재테크로 투자할 경우 '주식으로 저축하기' 방법을 사용하는데, 그러한 투자자들에게 적합할 수 있다.

단기 투자는 기업보다는 가격 변동성을 이용하여 투자한다. 이 방식은 시황 변동에 노출되지 않고 어떤 상황에서도 수익을 추구할 수 있는 장점이 있는 반면에 빈번한 거래로 인한 피로, 가격 변동성을 이용할 수 있는 노하우가 없는 경우 성공하기 쉽지 않다는 단점이 있다. 대부분의 전문 트레이더들은 단기 거래에 집중한다. 투자 판단의 기초자료는 시장 및 가격 변동성, 테마, 주가 움직임, 수급 변화에 대한 이해가 필요하다.

정보 추종 투자는 가격 변화를 일으키는 정보를 세밀히 살펴 정보가 가격에 반영이 될 때 수익을 추구한다. 분기별로 나오는 기업 실적, 신사업 정책, 신제품의 시장 호응, 신기술 라이선스 승인 등의 정보를 알아내는 것이 핵심이다. 애널리스트들이 기업 탐방을 하는 것도 정보를 얻기 위함이고 투자자들이 전문가들의 유튜브 방송을 열심히 듣는 것도 정보를 얻기 위함이다. 모든 투자자들은 남들보다 고급 정보를 미리 알고 싶어 한다. 반면 역정보, 미확인 정보, 루머 등으로 큰 손실을 볼 수도 있다. 이번에 실적이 큰 폭으로 좋아질 것이라는 정보로 투자했는데 기대에 못 미치는 실적 발표로 인해 주가가 급락하는 경우도 흔히 볼 수 있다. 투자 판단의 기초자료는 정보를 많이 얻을 수 있는 좋은 네트워크 외에 정보의 선별과 활용 능력이 요구된다.

시세 추종 투자는 단기 거래와 마찬가지로 단지 가격 움직임만을 근거로 투자한다. 민감한 시세 움직임을 파악해야 하는 어려움이 있지만 큰 손실을 피할 수 있는 장점이 있다. 윌리엄 오닐은 "답은 항상 시장에 있다. 현재 눈앞에서 움직이는 주가가 말해준다"고 했다. 시세만 집중하다 보면 시황의 흐름과 전체적인 숲을 보지 못하는 우를 범할 수 있다. 시세 추종 투자법은 시장이 상승이든 하락이든 상관없고 오히려 시장이 급락하는 상황에서 큰 변동성을 이용하여 수익을 낼 수 있다. 다만 시장의 속성, 시세 움직임의 이해, 원칙화된 대응 등이 기본적으로 숙달되어 있어야 한다. 따라서 훈련된 트레이더들에게 적합하다.

투자 판단에 어떤 기초자료를 이용할 것인지에 따라 투자 방법은 확연히 다르다. 이것저것 서로 혼동해서는 성공하기 어렵다. 어떤 기초자료를 활용하여 투자할 것인지를 정하고 나면 어떤 방법으로 투자해야 할지 명확해진다.

주식 시장의
네 동물 이야기

주식 시장에는 네 가지 성향의 동물이 있다. 황소와 곰 그리고 양과 돼지이다. 그중 시장을 추세적으로 견인하는 주체는 황소와 곰이다. 그들은 서로 눈치 보며 쉬는 기간도 있지만 대부분 치열하게 싸운다. 황소와 곰의 치열한 싸움 끝에 황소가 이기면 시장은 상승을 하고 돈을 번다. 황소의 힘이 강해서 도저히 곰이 대적하지 못하는 상황이 되면 시장은 상승하게 되고 그런 시장을 '불스 마켓Bulls market'이라고 부른다. 반대로 곰이 이기면 주식 시장은 하락을 하고 곰은 돈을 번다. 곰의 힘이 강해서 도저히 황소가 대적할 수 없는 상황이 되면 시장은 하락하게 되며 그러한 시장을 '베어스 마켓Bears market'이라고 부른다. 황소의 힘이 강해 시장이 지속하여 상승하다가 서로 지쳐 싸움을 그치고 쉬는 기간엔 상승 후 횡보 시장이 된다. 반대로 곰의 힘이 강해 하락하다가 더이상 곰이 하방으로 공격하지 않으면 시장은 하락 후 횡보 시장이 된다. 황소와 곰의 힘겨루기에서 누가 이기고 지는가에 따라 돈을 벌 수도 잃을 수도 있다. 황소는 매수의 힘을, 곰은 매도의 힘을 얘기하며 개별 주식의 등락에도 늘 황소와 곰은 싸움을 하고 그 결과에 따라 주가는 등락한다.

양은 떼를 지어 다니는 습성이 있다. 양들은 황소와 곰의 싸움을 지켜보다가 황소가 이길 것 같으면 황소 쪽으로, 곰이 이길 것 같으면 곰 쪽으로 몰려간다. 양들은 그들 자신의 싸움이 아니라 황소와 곰의 싸움을 보며 누가 이길 것인가를 판단한다. 황소가 이길 것 같아 황소 쪽으로 갔는데 결국 곰이 이기면 양들은 참패한다. 누가 이길 것인지의 판단이 우왕좌왕할 때 수많은 양들은 크게 다치고 만다. 확실하게 황소가 이기는 상황에서는 대부분의 양들도 함께 돈을 번다. 소수의 양들이 반대 방향으로 가는 경우 큰 손실을 내기도 한다. 2020년 황소를 쫓아 투자한 거의 대부분의 양들은 손쉽게 수익을 낼 수 있었지만, 일부 투자자들은 지수 인버스에 투자하여 큰 손실을 맞고 말았다.

돼지 역시 싸움의 주체는 아니다. 양처럼 황소와 곰의 싸움을 보며 이기는 편에 편승해야 수익을 낼 수 있다. 그러나 돼지는 양과는 다른 성향을 갖고 있다. 황소와 곰의 싸움을 지켜보고 있다가 황소가 이길 것 같으면 황소 쪽으로 재빨리 달려간다. 그런데, 양들은 황소의 뒤에 서서 응원하는 반면 돼지는 그 순간 자신이 돼지인 것을 망각하고 마치 자신이 황소가 된 것처럼 곰과 싸운다. 곰과 싸움을 하는 돼지의 결말은 뻔하다. 처참하게 패한다. 시장을 만만하게 생각하고 앞장 선 돼지는 결국 돈을 모두 잃고 시장에서 떠날 수밖에 없게 된다.

시장의 황소와 곰은 외국인이든 국내 기관이든 큰 자금을 운용하는 개인 세력이든 시장과 개별 주식의 가격을 움직일 수 있는 힘을 가진 주체를 말한다. 가격을 움직일 수 있는 '힘'이란 결국 '돈'이다. 흔히 주식 투자를 머니 게임이라고 하고 모든 재료에 우선하는 것이 수급이라고 한다. 매수의 수급은 결국 돈이다. 경기가 좋지 않아도 시장에 돈이 유입되면 상승한다. 경기가 호황이라도 시장에서 돈을 회수하면 하락한다. 실적이 좋지 않아도 향후 성장성을 재료로 매수세가 유입되면 주가는 상승한다. 결국 자금력이 강한 주체가 시장을 주도한다. 외국인들에 의해 우리 시장이 좌지우지되는 것은 그들의 분석력, 정보력, 투자 능력 때문이 아니다. 그들의 자금력 때문이다. 양과 돼지는 힘 있는 주도 주체들을 추종하는 투자자들이다. 대부분의 개인 투자자들은 양처럼 시장의 주체를 좇아서 이기는 쪽을 잘 판단하고자 한다. 시황이란 결국 황소와 곰 중 누가 이기는지를 판단하는 것이다. 주가가 상승할 때는 주식을 매수하는 황소의 힘이 얼마나 강한지가 중요한 것이다. 이기는 주체를 잘 맞히면 승리의 기쁨을 함께 누리게 된다. 간혹 돼지의 성향으로 시장에 참여하는 투자자들도 있다. 주식 투자 경험이 많을수록, 어설프게 큰 수익을 낸 경험이 있는 사람일수록, 주식 시장과 주식 투자 기법에 지식이 있는 사람일수록 돼지의 성향을 갖고 있을 확률이 높다. 어떤 경우에는 강력하게 자신의 소신대로 싸워야 할 때도 있다. 그러나 대부분의 경우에는 돈의 힘을 이기지 못한다. 특히 시황 판단에서는 자금 흐름에 순응해야 한다.

황소나 곰은 어느 한쪽이 항상 수익을 내는 것은 아니다. 손실로 끝나면 그들은 다음 싸움을 기약한다. 좀 더 힘을 길러 이길 수 있는 능력을 만들기 위함이다. 양과 돼지는 그렇지 않다. 시장 주도라기보다는 시장에 순응하여 따라가야 하는 존재이다. 시황 판단을 위해 전문가들의 방송을 듣고 애널리스트들의 보고서를 꼼꼼하게 살피는 이유가 여기에 있다. 양은 시장을 잘 살핀다고는 하지만 그중 현명한 일부 양이 수익을 내고 대다수 양은 손실이다. 돼지는 대부분의 경우 큰 손실로 시장에서 떠나거나 어찌할 수 없어 손실 난 주식을 보유하게 된다. 황소와 곰이 싸우지 못하는 기간이 있다. 시장이 과하게 상승했거나 하락한 경우이다. 이때에는 서로 경계하며 기다린다. 그러는 사이에는 돼지들이 주가의 변동성을 키울 때가 있다. 황당한 테마나 밈 주식들이 활개를 치는 시장이다. 수년마다 그런 시장을 경험하지만 매번 극히 일부만이 큰돈을 벌었고 대부분은 큰 손실이었다.

개인 투자자들은 현명한 양이 되고자 노력해야 한다. 그럼에도 아주 가끔 자신도 모르게 돼지가 될 때가 있다. 시장의 방향에 대해 확신을 갖고, 개별 기업에 대해 지나친 확신이 생길 때가 있다. 그 순간 주변을 살피지 않고, 자신이 양인 것을 잊고 곰 또는 황소와 맞서 싸우게 된다. 한참 싸움을 하는 동안에는 인지하지도 못한다. 싸움에 지쳐 역부족이라고 생각되는 순간 싸움의 상대가 강한 곰 또는 황소였다는 것을 깨닫는다. 주식 투자를 하면서 가장 큰 손실을 낼 때는 대부분 그런 상황이다. 확률적으로는 적지만, 돼지의 성향으로 투자를 하여 아주 큰 수익을 얻을 수도 있다. 그러나 실패할 경우 다친 양은 회복하여 다음을 다시 기약할 수 있지만, 싸움에서 진 돼지는 회복할 수 없을 정도의 치명상을 입고 시장에서 사라지게 된다.

시장은 오늘로 문을 닫는 것이 아니다. 시장은 매일 열리고 있고, 투자할 주식은 수천 가지도 넘는다. 한 번의 성공만으로도 실패의 손실을 만회할 수 있는 곳이 주식 시장이다. 늘 손실의 폭을 관리하는 것도 언제나 기회는 있기 때문이다. 기회를 잡을 수 없을 정도로 손실이 커지면 시장의 패자로 남게 될 것이다.

정보는 진위보다 경로

　주식 시장에는 하루에도 수많은 루머, 뉴스들이 투자자들의 휴대폰에 실시간으로 전달되고 있다. 과거에는 주식 정보를 듣기 위해 많은 노력을 했다면 지금은 수많은 정보를 선별하고 적절히 활용하는 것이 중요한 시대이다. 시장에서 흘러다니는 정보를 액면 그대로 믿고 투자하는 사람은 이제 거의 없을 것이다. 주식 시장의 냉혹함과 돈의 비정함은 '돈은 피보다 진하다', '돈에는 이념이나 사상이 없다', '돈의 유일신은 수익률 신뿐이다'와 같은 무서운 얘기들로 대변될 수 있다. 상황이 이렇다 보니 고수익을 기대할 수 있는 고급 정보들이 시장에 아무런 대가 없이 떠돌아다닌다는 건 상상할 수 없는 일이다. 고수익을 낼 수 있는 고급 정보나, 노하우 알고리즘은 세상에 나오지 않는다. 흔히들 '무림 고수의 비범한 검법은 상대를 이기기 위해 세상에 나오면 그때부터 이미 비법이 아니다'라고 한다. 우리가 접하는 대부분의 정보들은 이미 세상에 알려져 있거나 많은 루트를 통해 거쳐온 것들이라고 생각하면 될 것이다.

내가 증권회사에 입사하여 처음 주식 투자를 한 1990년대 중반엔 지금처럼 다양한 SNS가 존재하지 않았다. 당시 증권사 직원들은 하루종일 전화기를 붙잡고 주변 지인으로부터 정보를 듣고, 고객에게 전달하고, 주문을 받았다. 시장이 끝난 저녁에는 자신의 네트워크를 동원해 기업의 새로운 정보를 얻으려 노력했다. 밤사이 알게 된 정보는 다음 날 전화를 통해 서로 공유했다. 정보는 기관 투자가들의 수급 정보일 때도 있고, 기업의 가치 변화를 일으키는 모멘텀일 때도 있다. 시장의 큰손들이 어떤 주식을 매집하고 있는지를 아는 것, 그들이 그 주식을 매집하는 이유를 남들보다 빨리 아는 것이 정보이고 주식 투자를 잘 하는 길이었다.

몇해 전 어떤 바이오 주식이 15,000원에서 30,000원이 되었다가 60,000원까지 상승하길래, 그 주식의 정보를 잘 아는 후배에게 물었다. "그거 상승 모멘텀이 뭐야? 신약 개발 파이프라인이 그만한 가치가 있는 건가?" 그런데 뜻밖의 대답을 들었다. "그거 매매하는 형님들이 90,000원까지 올라갈 거고, 거기서부터 매도하기 시작한다고 합니다." 간략하고 확고한 대답이었다. "우문에 현답을 하는군" 하고 웃으며 후배 방에서 나왔다. 그 후배 직원은 고객 수익률이 좋은, 주식 투자를 꽤 잘한다고 평이 나 있는 직원이었다. 주식 투자에 대한 열정도 남다르다. 그가 하루 중 가장 많은 시간 동안 하는 일은 카카오톡이나 텔레그램 등의 SNS를 통한 대화이다. 그와 연계된 네트워크는 같은 회사 모임만이 아니라 전업 투자자들, 애널리스트 모임, 함께 기업 탐방을 다니는 직원들 등 다양한 부류이다. 아마 그와 채팅을 하는 상대방도 비슷한 네트워크를 갖고 있을 것이다. 결국 그들은 각자의 네트워크로 얻은 정보를 공유하며 주식 투자를 하고 있는 것이다.

과거나 지금이나 정보를 얻는 방식은 유사하다. 과거 내가 신입사원 시절 유선 전화를 통해 정보를 공유했던 것이 인터넷 채팅으로 바뀐 것뿐이다. 그들이 공유하는 소위 '정보'라는 것을 생각해 보면 사실 좀 우습다. 가령 후배가 내게 얘기하듯이 '그 종목은 90,000원까지 올릴 거야'라는 말은 누가 처음 한 것일까? 그 후배에게 전해준 사람에게 물어보면 아마도 또 다른 누구에게 들었다고 할 것이다. 다른 누구는 또 누구에겐가 들었을 것이다. 그렇게 계속 그 얘기를 전해준 그 '누구'를 역추적하다 보면 최초 원천 제공한 사람이 있을 것이다.

만일 그 원천 정보가 증권가에 입김이 있는, 많은 이들이 신뢰하는 투자가의 입에서 나왔다고 하자. 그렇기 때문에 많은 이들이 추종한다고 하자. 그럼 그 투자가는 누구에게 그 기업의 정보를 들었을까? 자기가 스스로 판단한 것일까? 아마도 자신의 후배 중 누군가로부터 원천 정보를 듣고 판단한 것이다. 대부분의 경우 그들은 후배 직원들을 네트워크로 삼고 있고, 그 후배들이 기업 탐방이나 정보 회의를 통해 얻은 자료를 기초로 투자한다. 사실상 증권가에 흘러다니는 정보의 진원지를 찾다 보면 누가 가장 먼저인지를 모르는 경우가 대부분일 것이다.

그들이 진짜 신뢰하는 것은, 그 정보를 전달해 주는 채널, 즉 '그 네트워크에 속한 사람들' 그리고 '그들의 자금력'이다. 정보의 진위보다는 정보가 흘러다니는 경로가 중요한 것이다. 대규모 투자를 하는 펀드매니저들 역시 상당히 견고하게 네트워크를 형성하고 있다. 특정한 업종이나 주가 움직임의 이면에는 기관 투자가들의 집중적인 대량 매수 및 매도가 있는데, 마치 약속이라도 한 것처럼 일시에 집중되는 것을 흔히 볼 수 있다. 개인 투자자들은 그들의 투자를 사후적으로 보고 투자한다. 대부분의 정보는 "모 형님이 매수(매도)한다는데"이다. 그 소식은 단 몇 분도 안 되어 그들의 네트워크에 소속되어 있는 사람들에게 전해질 것이고 그들은 뒤도 안 돌아보고 일단 매도 혹은 매수한다. 그러곤 다시 채팅을 통해 물어볼 것이다. "그런데 왜 파는 거야?", "왜 사는 거야?", "정보는 확실한 거야?"

그렇게 몇 분, 몇십 분 안에 여의도의 주식 좀 한다는 사람들에게는 정보가 모두 공유된다. 이미 주가 움직임이 발생한 후 그 소식을 전해 들은 개인 투자자들은 지금이라도 매수(혹은 매도)해야 하는지 고민하게 되는 것이다. 과거에는 전화를 통해 했던 방식이 인터넷 채팅이라는 매체로 달라졌을 뿐 수십 년이 지난 증권가는 비슷한 투자를 하고 있다. 전파 속도는 훨씬 빨라졌으므로 당연히 주가도 더욱 빠른 시간 내에 상승하거나 하락하게 되었다. 정보의 진위 여부, 신뢰도보다는 정보 전달 과정에서 주가가 상승하고 하락하는 것이다. 주가가 먼저 움직이고 상승과 하락의 이유는 사후적으로 따라붙기 마련이다. 가격을 움직일 수 있는 힘을 가진 투자자들이 집단적으로 비슷한 시기에 매매하는 행위가 남아 있기 때문이다. 일부 장기 투자자를 제외한 대부분의 투자자들은 당장의 주가 움직임에 예민하다. 단기적 주가 움직임은 기업 가치보다는 수급이 우선한다. 수급의 변화가 발생하는 정보의 진위는 사후적으로 알게 되는 경우가 대부분이다. 단기적 주가 움직임은 정보의 이동 경로를 거치면서 발생한다. 그 메커니즘을 이해하고 가격 움직임을 해석해야 한다. 가격 움직임을 지켜보며 판단할 수 있는 기준이 있어야 한다. 그것이 바로 매매 원칙이다.

투자 심리의 |
양극화

미국의 사회학자 로버트 킹 머튼은 일단 좋은 환경에 속하였거나 우위에 올라선 사람들, 즉 좋은 조건의 사람들이 그렇지 못한 사람들보다 상대적으로 더 좋은 결과를 낸다고 말한다. 그는 "부유한 사람은 점점 더 부유해지고, 가난한 사람은 점점 더 가난해진다"라는 신약성서 마태복음의 문장을 차용해 부정적 의미로 '마태효과'라고 명명했다. 저명한 과학자의 성과는 실제보다 더 부풀려지거나 확대되어 여러 가지 혜택이 주어지는 반면, 무명인 과학자의 논문은 학술지에 실리기도 어렵고 그렇기 때문에 연구지원도 부족하다. 마찬가지로 부자들에게는 돈을 더 벌 수 있는 많은 정보와 기회가 있다. 반면 그렇지 못한 사람들에겐 그 기회조차도 적다.

재테크 시장에서는 양극화가 있을까? 그렇다. 백화점에서는 VIP들에게 편리한 서비스를 제공하고 좋은 제품을 싸게 제공한다. 은행은 부자들에게 더 싸게 대출해 주고 더 높은 예금 금리를 제공한다. 증권사는 예탁자산과 거래가 많은 고객에게 우선하여 담보 대출도 해주고 수수료도 낮게 책정한다. 재력가들의 주변에는 좋은 정보를 제공하고자 하는 사람들이 넘쳐난다. 투자 정보를 얻기 위해 노력하지 않아도 알아서 찾아오니 적절하게 활용만 하면 된다.

과거에는 '정보의 비대칭'이 존재했다. 보다 좋은 수익과 연결할 수 있는 정보를 주식 시장 내부의 사람들이 독차지하고 있었다. 그러나 인터넷의 발전과 SNS의 활성화는 거의 모든 정보를 제한 없이 공유할 수 있게 되었다. 그럼에도 불구하고 투자자들은 공유되지 않은 알짜 정보를 얻기 위해 부단히 노력한다.

투자 심리의 측면에서는 더욱 양극화 현상이 나타난다. 주식 투자를 처음 시작하여 수익을 낸 투자자는 그 이후의 투자가 쉽게 느껴지고, 수익도 더욱 잘 난다. 처음부터 손실인 투자자는 투자가 점점 어렵게 느껴지고 손실이 커지는 경향이 있다. 그것은 다분히 심리적 영향이 크다. 가령 1억을 투자한 사람이 2,000만 원의 수익이 났다면, 이 투자자는 다음 번 투자에서 판단을 잘못하여 손실이 1,000만 원이 발생하여도 자신의 판단 오류를 쉽게 인정하고 손절매할 것이다. 또는 투자 판단은 맞았지만 외부 환경이나 수급 왜곡에 의한 급락이 발생할 때 큰 두려움 없이 시장이 정상화될 때까지 기다릴 수 있다.

반면 1억을 투자하여 처음에 2,000만 원의 손실을 본 투자자는 다음 번 투자에서 손실이 나면 본전 심리에 의해 손절매하지 못하고 (안 하거나) 잘못된 판단이었음에도 주식을 보유하며 손실을 키우는 경우가 많다. 더구나 시황이 악화되어 주가가 하락하면 추가 손실로 인한 두려움을 극복하기 힘들게 된다. 결국은 주가가 많이 하락한 상황에서 손절매하는 최악의 결정을 하게 된다. 결국 수익이 난 투자자는 연속하여 성공할 확률이 높고 손실인 투자자는 이후의 투자에서 실패할 확률이 높아진다. 다분히 자신의 심리 때문이다.

처음의 투자에서 성공하는 것이 매우 중요하다. 전문 트레이더들은 초기 투자에 실패하여 심리적 위축이 시작되면 투자를 중단하고 예탁자산을 출금하여 그 계좌를 폐쇄하기도 한다. 그리고 새로운 계좌를 개설하여 다시 투자를 시작한다. 의미 없는 행위일 수 있지만 그렇게까지라도 해서 투자 심리를 만들어가는 것이다. 투자에 연속적으로 성공하여 제법 높은 수익률을 거두게 되면 심리적 안정, 자신감 형성으로 더 좋은 투자를 할 수 있으며 투자 금액이 커질수록 더 집중력 있게 노력하기 마련이다. 투자에 성공했다는 소문은 그에게 많은 정보가 몰려들게 한다. 투자에 성공한 사람들끼리의 네트워크도 형성된다. 그 네트워크는 시너지가 되어 더 좋은 결과를 만들어낸다.

'돈이 돈을 부른다'는 얘기를 한다. 성공한 투자가 그다음의 성공 투자를 부른다. 처음부터 과욕으로 실패하게 되면 이후의 투자에 큰 심리적 영향을 끼치게 된다. 초기의 투자는 수익의 크기보다 성공 여부가 더 중요하다.

전문가들은
주식 투자를 잘할까?

　　전문가들은 대중의 개인 투자자들에게 시황을 설명하고 투자 전략과 실전 노하우를 알려준다. 경험이 많은 전문가일수록 자신 만만하게 시장을 설명한다. 구체적으로 매수할 주식 종목을 알려주고 매월 회원비를 받는 제도권 밖의 전문가들도 있다. 여기서 한 가지 의문이 든다. 연기금에서 주식 운용을 하고 있는 전문가는 주식 투자를 정말 잘할까? 대형 사모펀드나 자문사에서 운용을 하는 펀드 매니저는 진짜 주식 투자를 잘할까? 종목을 찍어주며 회비를 받는 사람들은 자신의 투자를 정말 잘할까? 시장을 비트Beat하기 위한 훌륭한 전략을 가지고 있는 팀은 분명 시장을 이기고 있다. 단기적으로는 질 수 있으나 중장기적으로는 개인 투자자들에 비해 성공 확률이 높다. 중간에 펀드가 해체되거나 운용 실패의 책임으로 사표를 쓰지 않았다면 말이다.

미국의 캐시 우드가 운용하는 ARKK펀드는 선택과 집중이 강한 액티브형 펀드로 성장주 위주의 투자를 한다. 성장주가 잘 갈 때는 100%가 넘는 수익률이었지만 금리 인상기의 가치주가 주도하는 시장에서는 50% 이상의 손실을 내기도 했다. 수익률이 낮거나 손실이 커지면 펀드에 가입한 개인 투자자들이 환매를 한다. 환매 자금을 마련하기 위해 보유 주식을 매도하면 펀드 수익률은 더 나빠지는 악순환의 상황이 된다. 그러다가 추가 자금 유입이 없는 상황이 되면 그 펀드는 복구할 수 없게 되고 운용역은 책임을 지고 자리를 옮길 수밖에 없다. 2022년 초 성장주가 하락하는 국면에서 다행히 ARKK에는 환매가 아닌 신규 자금이 유입되었고 펀드의 수익률은 소폭이나마 다시 올라 현재까지 유지되고 있다. 하지만 나스닥의 기술주에 집중된 포트폴리오로 인해 끊임없이 위험하다는 분석이 이어지고 있다. 기술주의 급락은 해당 펀드의 급락과 마진콜의 위험이 있으며 매도가 매도를 부르는 악순환이 될 수 있기 때문이다.

경제를 잘 아는 석박사가 주식 투자를 반드시 잘한다고 할 수 없듯이 주식 시장의 전문가들이 주식 투자를 뛰어나게 잘한다고는 볼 수 없다. 전문가 중에서도 이론적인 전문가가 있고 실전형 전문가가 있다. 주식 투자 이론에 해박한 전문가가 실전 투자에 약하더라도 비난할 수는 없다. 축구나 야구의 감독들이 현장에서 뛰고 있는 선수들보다 더 좋은 성적을 낼 수 없지만 분명 그들은 선수들보다 중요한 역할을 하며 팀의 승리를 이끌고 있다. 실전형 전문가들 역시 항상 시장에서 이길 수는 없다. 경험이 많은 전문가라도 실수를 하게 된다. 가장 대표적인 실수는 '내가 경험해 봐서 아는데'이다. 경직된 사람일수록 주변의 조언을 무시하고 자기 주장을 고집한다. 주식 투자에서 고집은 간혹 큰 수익률을 만들기도 하지만 대부분 큰 실패로 이어진다.

대형 운용사들은 개인의 판단보다 팀의 집단 지성이 우선한다. 투자 전략을 만들어놓고 그 안에서의 허용 범위를 정한다. 몇몇 스타급 전문가의 참여로 인기를 끌었지만, 오래지 못해 큰 손실로 마감한 펀드들이 많았다. 소수의 성공 신화, 성공 확률은 통계학에서 얘기하는 '대수의 법칙'과는 위험의 측면에서 확연히 다르다.

카지노에 가면 중국인들이 가장 좋아하는 게임인 '바카라'에 사람들이 몰려 있는 것을 볼 수 있다. 플레이어와 뱅커라고 명명한 구분이 있고 사람들은 어느 한쪽에 베팅을 하게 된다. 둘 중 하나이기 때문에 확률적으로 50%이다. 그러나 잠시 구경을 하다 보면 어느 한쪽이 다섯 번 이상 심지어는 열 번 이상 계속 이기는 경우가 나타난다. 사람들은 볼펜을 들고 어느 쪽이 많이 이겼는지 확률을 따져가며 베팅한다. 그러나 엄밀히 말해 확률은 5대

5로 그냥 단순한 홀짝게임이다. 게임의 횟수가 크면 클수록 확률은 50%이다. 그러나 어느 순간에는 한쪽으로 계속 치우치는 경우가 발생하기도 한다. 전문가들의 수익률 역시 장기적으로는 시장을 이기는 게임을 할 수도 있다. 그러나 일정한 구간에서는 특정인의 시황과 투자 수익률이 월등히 우월하다. 아주 오랜 시간 동안 투자를 지속한다면 홀짝게임처럼 50%의 확률로 수렴하겠지만 대부분은 운용 기간이 정해져 있다.

과거로부터 현재까지 그리고 미래에도 지속하여 수익을 낼 수 있는 전문가는 많지 않다. 특히 특정한 기간 동안의 성과에서는 더 어려울 수 있다. 오랜 기간 동안 투자의 결과를 보면 결국 전문가들은 투자 성과에서 우위에 있을 것으로 본다. 그러나 특정한 기간에서는 '소수의 위험'이 적용된다. 몇 차례 성공 경험이 있다고, 몇 가지 투자 기법을 공부했다고 지금 현재 시황에서 투자를 잘할 것이라고 말할 수는 없다. 어떤 전문가는 IT 상승기에 큰 돈을 벌고 어떤 전문가는 바이오 상승기에 돈을 번다. 또 전문가에 따라서 급등하는 시황에서 수익을 내거나 시장이 급락하며 변동성을 줄 때 수익을 내기도 한다. 결국 롱런하는 전문가가 최고이지만 상황에 따라 성공과 실패를 반복하는 것은 전문가나 개인 투자자나 마찬가지이다. 다만 이론과 경험이 풍부한 전문가는 실패를 딛고 이겨내는 투자 심리와 노하우로 결국 시장보다 높은 수익률을 달성할 확률이 높을 뿐이다.

전문가라도 시황을 매번 잘 맞히며 투자할 수 없다. 특정한 시기에 특정 전문가의 시황이 맞을 때 군중은 그를 추종하고 다른 전문가들은 폄하한다. 시황이 급변하여 이론적인 지표들이 잘 맞지 않을 때 개인 투자자들은 경제 지표를 무시하고 전문가들을 무시하는 경향이 있다. 좋은 정보를 전해들을 수 있는 창구를 스스로 막는 어리석음도 범한다. 전문가들의 시황을 듣는 것은 '맞냐 틀리냐'를 검증하는 것이 아니라 자신의 시황관을 만드는 데 밑거름이 되는 것이다. 시황이든 기업 분석이든 실전 매매이든 전문가들의 가장 큰 오류는 독자적으로 틀리면 안 된다는 생각과 자신이 다 안다고 여기는 자만이다. 대다수의 전문가들은 강세 시장에서 약세론을 강하게 주장하지 않고 약세 시장에서 강세론을 주장하지 않는다. 내심 그러한 시황관을 가지고 있더라도 스타가 되고 싶은 사람이 아니라면 독자적으로 주장하기란 쉽지 않다. 따라서 전문가들의 의견은 쏠림에 주의해야 한다.

딱정벌레에 대해 공부한 사람 중 학사들은 곤충에 대해서 다 안다고 생각하고, 석사들은 딱정벌레에 대해 아무것도 몰랐다는 것을 알게 되고, 박사들은 자기만이 아닌 모두가 모른다는 것을 알게 된다고 한다. 하물며 주식 시장이다. 거대한 자본 시장의 흐름을 해석하고 심리적인 요인으로 움직이는 주가 흐름을 판단하는 것이다. 정답이 없는 시장에서는 늘 겸손하게 시장에 순응하는 것이 중요하다.

| 체리 피킹 투자하기

체리 피킹Cherry picking을 어학사전에서 찾아보면, 나무에 판매 가치가 없는 체리만 남기고 가장 좋은 체리 몇 개만을 따가는 것과 같이, 어떤 대상에서 좋은 것만 골라 가는 행위를 말한다. 고객이 특정 상표나 일부 제품만을 골라 구매하는 것을 의미하는 마케팅 용어였으나, 금융 시장에서는 가치에 비하여 저평가된 기업의 주식이나 상품을 골라 투자하거나 특정 펀드에 우량 자산만 골라서 편입하는 것을 말한다.

주식 시장에서 체리 피킹이란 용어를 많이 사용하게 된 것은 시장의 변동성 때문이다. 과거에 비해 현저히 높아진 변동성으로 기업의 가치 대비 주가가 저평가 구간까지 현저히 하락하는 경우가 발생한다. 그때마다 '스마트 머니'들은 체리 피킹으로 큰

돈을 벌었다. 20년 전 외환위기 때 모두 힘들었지만 과감히 투자한 사람들은 큰 수익을 거뒀다. 이후 IT 버블 붕괴 때에도, 남유럽 'PIGS(포르투갈, 이탈리아, 그리스, 스페인을 의미함)' 국가들의 디폴트 때에도, 2008년 미국발 금융위기 때에도, 2020년 코로나19 팬데믹 때에도 어김없이 시장은 폭락했고 그때마다 현명하고 동작이 빠른 자금들은 일부 주식을 체리 피킹하여 단기간에 엄청난 수익을 거둘 수 있었다.

세상은 점점 빠르게 변화하고 변동성도 커지고 있다. 주기적으로 발생하는 위기의 상황이 아니더라도 다양한 '단기 악재'들로 인해 시장은 급락과 급반등하는 과정을 겪고 있다. 시간을 단축시켜 보면 장중에도 변동성이 커서 급등락하는 경우가 많다. '변동성 따먹기'라고 하는 스캘핑, 장중 변동성에 의한 하락에 매수하여 반등에 매도하는 데이 트레이딩 역시 체리 피킹이다. 장중 여러 가지 루머에 의해 주가는 급등락한다. 기업 가치와 무관하게 발생하는 주가 급락은 좋은 매수 기회이며 반대로 이상 급등 시에는 좋은 매도의 기회이다.

조금 더 시간을 늘려 주간, 월간으로 생각해 보면, 북한이 미사일 시험을 한다든지, 중동에서 국지전이 발발했다든지, 유럽의 금융기관에 일시적인 시스템 에러가 발생한다든지 등의 다양한 사건 사고들이 발생한다. 세상의 모든 것들을 반영하며 움직이는 주식 시장은 그때마다 큰 변동성으로 반응한다. 시장에서는 단기 악재를 '노이즈'라고 표현한다. 노이즈가 발생하여 주가가 하락하면 많은 투자자가 두려움에 휩싸여 매도에 나서지만, 현명한 자금들은 체리 피킹의 기회로 삼는다. 경험이 많은 노련한 투자자들은 이 기회를 놓치지 않기 위해 시장에서 눈을 떼지 않는다. 짧은 기간에 큰 수익을 낼 수 있는 흔치 않은 기회이기 때문이다. 2020년 3월 코로나 팬데믹으로 급락할 당시 연기금은 5조 원의 순매수를 하여 한두 달 후 시장이 반등하는 국면에서 전량 매도한 것을 볼 수 있었다. 참 얄미운 '현명한 자금'이다. 군중의 매도에 맞서 매수할 수 있는 판단이 훌륭하다. 간혹 인위적으로 수급 왜곡을 일으켜 변동성을 키우기도 한다. 루머를 통한 변동성을 이용해 큰돈을 번 사례는 역사적으로 선진 금융 시장에서도 많이 있었다. 추세 움직임에서 벗어나 주가를 급등시켜 매도하고 급락시켜 매수하는 것도 가끔은 볼 수 있는데 그 역시 심리를 이용한 매매라고 할 수 있다.

주식 시장은 단기 또는 중장기 악재들로 인해 급락과 급반등을 반복한다. 자본 시장의 역사가 그렇듯이 버블이 만들어지고 다시 붕괴되면서 주식 시장도 연동하여 급등과 급락을 반복했다. 버블을 만드는 기간에는 오랜 시간 동안 추세적으로 상승하지만, 버블이 붕괴할 때는 단기간에 폭락한다. 그 역사의 반복으로 주기적으로 '금융위기'가 발생했고 시장은 폭락을 경험해야 했다. 그 시기마다 자본 시장의 신흥부호가 탄생했다. 정상적인 시장에서 단기간의 고수익은 어렵다. 변동성으로 인한 왜곡된 가격이 만들어질 때가 가장 좋은 기회였다. 노련한 투자자들은 경험적으로 안다. '언제 사야 하고 언제 팔아야 하는지'. 세계적으로 투자의 구루라고 불리는 분들 역시 그러한 기회를 놓치지 않았기에 오늘의 부를 이루었다. 두려움을 극복하고 다시 반등할 것이라는 시황의 판단, 강하게 상승할 수 있는 주식을 알고 있는 준비가 부를 증가시켰다. 그들은 항상 기회를 위한 준비가 되어 있다. 그 기회를 놓치지 않아야 한다. 그렇다면 성공적인 체리 피킹을 위한 준비에 대해 알아보자.

첫째, 항상 일정한 현금을 유지하고 있어야 한다. 주식 투자자들은 대부분 100% 주식이거나 100% 현금을 보유한다. 시장이 좋으면 더 많은 수익을 위해 남은 현금을 모두 써서 주식을 산다. 시장이 좋지 않으면 불안한 마음에 주식을 모두 팔아버리고 현금만 들고 있기 마련이다. 현재 보유하고 있는 주식에도 가격 변동성이 있을 수 있고, 보유 종목이 아니더라도 다른 기회가 있을 수 있기 때문에 늘 일정 비율의 현금이 있어야 한다. 시장이 폭락하면서 저가에 매수할 기회가 발생했는데 현금이 없어 쳐다보고만 있어야 하는 상황이면 곤란하기 때문이다. 시장이 확연히 강세장이 아니라면 기계적으로 일정한 현금을 보유하자. 특히 시장이 불안하거나 애매할 때는 언제든지 다시 매수할 기회가 있다는 생각을 갖자. 그래야만 현금 보유가 가능하다.

둘째, 주식 투자자는 항상 자신의 '투자 풀'을 가지고 있어야 한다. 여기서 투자 풀은 관심 종목을 의미한다. 특정 산업이나 기업이 늘 좋은 것은 아니다. 순환한다. 수개월 동안 순환하는 경우가 일반적이지만 시장이 불안할 때에는 1~2주 단위로 강세 섹터가 변하기도 한다. 반도체 주도의 IT, 제약과 바이오, 전기차와 자율주행, 핀테크, 게임, 엔터, 시크리컬 등 산업별 또는 이슈에 따라 강세 섹터가 형성되고 순환한다. 순환 구간의 강한 섹터에 투자해야 한다. 투자 풀은 각 섹터에서의 주도 종목으로 만들어야 한다. 섹터별 주도주들로 풀을 만들어두면 시장 하락으로 주가가 급락할 때 어떤 주식을 매수할지 고민하지 않아도 된다. 주도주 위주로 체리 피킹하면 된다. 시장이 단기 급락하는 경우 가장 먼저 반등하는 주식은 섹터별 주도주이다. 평소 투자에도, 가격 왜곡의 기회가 발생할 때도 자신의 투자 풀 안에서 거래하는 것이 가장 안전하고 수익률을 높일 수 있는 방법이다.

셋째, 패닉 리스트를 가지고 있어야 한다. 패닉 리스트는 관심 종목, 즉 투자 풀과는 다르다. 투자 풀은 각 섹터에서 투자할 주도 주식을 미리 선정해 두고 순환매에 따라 투자하는 것이다. 반면 패닉 리스트는 철저하게 '경제적 해자'를 보유한 기업으로 구성한다. 모닝스타의 주식 분석 담당이사로 일했던 팻 도시가 설명하는 경제적 해자는 '브랜드, 특허, 법적 라이선스와 같은 무형의 자산과 높은 원가 우위와 가격 경쟁력, 충성 고객을 바탕으로 한 네트워크로 경쟁 환경에서 도태되지 않고 지속적으로 이익이 증가할 수 있는 기업 경쟁력'을 말한다.

시장이 패닉 상태로 빠져 가격이 폭락하는 상황이 되면, '어떤 기업이 살아남을지, 어떤 기업이 향후 다시 성장할지'의 판단이 어렵다. 바로 그때 패닉 리스트를 사용한다. 최악의 상황에서 말도 안 되게 싼 가격으로 훌륭한 기업의 주식을 매수할 수 있는 기회를 놓치지 말아야 한다. 패닉 리스트는 기회를 놓치지 않는 무기가 될 것이다.

| 성장주로 저축하기

주식 투자는 미래의 기업 가치에 투자하는 일이다. 현재보다 성장할 수 있는 기업에 투자하여 기업의 성장과 함께 수익을 얻는 것이다. 주식 투자로 성공한 분들이 방송이나 신문 기고를 통해 늘 하는 얘기는 '성장 기업에 장기 투자하라'는 것이다. 하지만 우리는 그렇게 하지 못하거나, 하지 않고 있다. 장기 투자로 성공한 사례들이 흔치 않기 때문이다. 사실 가치 투자로 성공했다는 분들조차 그 이력을 살펴보면, '가치 투자', '정석 투자'로 계속 성공한 것은 아니다. 시장이 비효율적으로 움직이는 구간에서 과감한 베팅으로 큰 수익을 거둔 경험이 있었고, 그 수익이 바탕이 되어 오늘의 성공에 이르게 된 경우가 많다.

장기 투자로 실패하는 대표적인 것이 펀드 가입자들이다. 장기 투자의 목적으로 펀드에 가입하였지만, 수년 동안 투자한 펀드가 손실인 경우가 많았다. 주식으로 장기 투자하면 부동산이나 다른 어떤 투자보다도 높은 수익률을 거둘 수 있다는 것은 역사적으로 검증되어 있다. 주식 시장은 크게 하락하기도 하고 상승하기도 하지만, 지난 수십 년을 돌아보면 결국 우상향하며 크게 올라와 있다. 과거에는 시장 전체를 매수할 수 있는 상품이 없었다. 최근엔 지수 추종형 ETF가 만들어져 누구든 시장에 투자할 수 있다. 그리고 '코스트 레버리지'의 개념을 이해하고 분할 투자한다면 시장의 등락에 걱정하지 않고 수익을 거둘 수 있게 되었다.

오랫동안 주식 투자를 한 투자자들의 잔고를 보면 우리나라 굴지의 기업 주식을 두루 가지고 있는 것을 알 수 있다. 시장에 투자하는 것보다 위험한 개별 주식에 투자하는 이유는 시장보다 높은 수익률을 위해서이다. 그러나 안타깝게도 시장은 과거보다 많이 상승해 있지만, 그분들이 투자한 기업들의 수익률은 수십 퍼센트씩 손실인 경우가 많다. 성장에 성공한 기업은 높은 수익률을 기록하지만 소수에 불과하다. 기업이 장기적으로 성장하지 못하는 이유는 오랜 세월 굴곡을 거쳐오면서 산업의 사이클, 기업의 사이클을 통해 흥망성쇠를 겪기 때문이다. 삼성전자를 2000년에 투자했다면 지금쯤 23배의 수익을 거뒀을 것이다. 반면 사양 산업군의 기업이나 재무 상태가 좋지 않은 기업에 투자한 경우 10분의 1 토막이 나거나 심지어 상장이 폐지된 기업도 많다. 그러니 장기 투자가 반드시 수익을 보장해 주는 것은 아니다. 결국 다시 기본으로 돌아가게 된다. 주식 투자는 미래의 기업 가치에 투자하는 것이며, 우리는 미래의 특정 시점에 지금보다 성장하여 더 높은 이익 가치를 낼 수 있는 기업을 골라내어야 한다.

앞서 삼성전자를 사례로 들었지만, 2015년 이후 몇 년 동안 가장 큰 수익을 준 섹터는 제약, 바이오이다. 그렇지만 실제로 제약, 바이오에 투자한 사람들의 결과는 어땠을까? 수많은 투자자들이 반토막 이상의 큰 손실인 상태로 보유하고 있다. 성장성은 높지만, 그만큼 성공 확률이 낮은 섹터이기 때문이다. 반도체나 스마트폰 관련 기업들 역시 그렇다. 성공한 기업들은 수십 배의 주가 상승이 있었지만 많은 기업이 시장에서 퇴출되거나 수익 창출에 실패하여 주가가 폭락하였다. 세상의 변화를 읽고, 산업의 변화와 사이클을 읽고, 그 안에서 성장할 수 있는 기업을 발굴해야 하며, 그 기업이 중간에 실패하지 않고 성공 스토리를 만들어가는지 확인하는 기술도 필요하다.

그럼에도 불구하고 나는 '성장주 장기 투자'를 권하고자 한다. 다만, 자신의 전 재산을, 혹은 돈을 빌려서 무리하게 투자한다면 성공할 수 없다. 성장 기업일수록 우여곡절이 많아서 투자하고 있는 동안 주가의 부침이 아주 심할 것이다. 그것을 견뎌낼 수 있느냐의 여부는 심리와 자금 상태에 달려 있다. 주식으로 큰돈을 벌 수 있는 가장 확실한 방법은 자신이 잘 아는 기업에 자신이 허용할 수 있는 범위의 투자금으로 장기 투자하는 것이다. 세계적으로 성장 기업은 곳곳에 있다. 해외 투자가 용이해졌기 때문에 국내외 시장에서 성장성을 보유한 다양한 기업을 찾아 투자할 수 있다.

우리나라는 수출 주도, 대기업 주도의 고성장을 지속해 왔다. 더 이상 고성장이 어려운 환경에서 유럽의 성공 사례처럼 고부가가치의 강한 중소기업 주도가 필연적이다. 글로벌 산업 환경이 변화하는 가운데, 성장을 위해서는 고부가가치 4차 산업이 주도해야 하기 때문이다. 불행히도 오랫동안 대기업 위주의 성장으로 중소기업이 살아남기 힘든 구조였다. 그 구조가 바뀌어가는 과정에 있다. '스타트업'이란 말은 일상화되어 있다. 비대면 온라인 금융으로 인한 핀테크, SNS와 연계된 산업 플랫폼, 가전, 자동차, 로봇 등에 타겟팅된 AI 반도체, 자율주행 전기차, 비대면 회의나 교육, 게임들에 사용되는 AR/VR, 네트워크 일상을 가능하게 하는 5G, 무선 통신, 바이러스와 암을 정복하려는 바이오 등의 분야에서 수많은 기업이 두각을 나타내고 있다. 대기업에서 스타트업 중심으로 변화하는 산업 구조의 변화 속에서 작지만 크게 성공할 수 있는 기업들을 찾아야 한다. 지금부터 그 방법에 대해 이야기해 보겠다.

첫째, 자신이 잘 아는 기업부터 시작하자. 우리 각자는 남들보다 잘 아는 분야가 있을 것이다. 그 분야에서 핵심기술이나 독특한 사업적 '해자'를 가지고 있는 기업에 투자하자. 물론 세상의 변화에 따라 성장하는 산업이면 더욱 좋다. 자신이 잘 아는 분야가 과거 굴뚝 산업이라면, 신사업을 추진하는 기업에 관심을 가져야 한다. 성장 산업은 장기적으로 변화한다. 3차 산업 사회에서 자동차, 철강, 화학, 정유, 조선 등이 성장하였지만, 지금은 새로운 고부가가치로 변화하지 못하면 살아남지 못한다. 가령 자동차는 전기차나 자율주행으로 변화해야 한다. 정유 회사는 친환경에너지 사업으로 변화해야 한다. 반도체는 고정 메모리에서 벗어나 고사양의 맞춤형 시스템 반도체로 변화해야 한다. 4차 산업 사회에서는 반도체, AI, 인터넷, 핀테크, AR/VR, 바이오, 자율주행, 로봇, 차세대디스플레이 등이 성장할 것이다. 잘 아는 분야가 없다면, 성장 산업 중에서 관심 가는 분야에 대해 조금 더 깊이 있게 공부하자.

둘째, 저축하듯이 투자하자. 매월 월급날 급여의 10% 또는 20% 정도를 투자하거나, 자신의 총 투자 자금 중 일부분을 떼어서 투자하는 것이 좋다. 성장주로 선택한 여러 개의 기업에 꾸준히 투자하되 종목 선정에 자신이 없다면 투자 기업의 수를 늘려도 좋다. 세월이 흐르고 나면, 그중에 크게 성공한 기업이 있을 것이고 실패한 기업도 있을 것이다. 크게 오르는 주식은 서너 배에서 수십 배 상승했을 것이다. 실패한 주식은 반토막 또는 극단적으로 상장이 폐지될 수도 있다. 그래도 좋다. 가령 극단적으로 두 종목에 100만 원씩 투자했는데 한 종목은 2배, 한 종목은 50% 손실이라면 결과는 50만 원 수익으로 25%의 수익률을 거둔 것과 같다. 성공한 기업이 서너 배 이상의 수익을 주고 실패한 주식은 수십 퍼센트의 손실이라면 투자로 인한 자산의 결과는 매우 성공적일 것이다. 투자하는 동안 조금만 신경 써서 관리만 한다면 10배의 결과도 결코 꿈이 아니다. 소액으로 매월 나누어 투자할 때 성공할 확률이 높은 이유는 심리 때문이다. A라는 주식에 전 재산 1억 원을 투자한 사람과 1억 원 중 500만 원만 투자한 사람의 투자 심리는 천지차이이다. 시황 때문에, 기업의 굴곡 때문에 주가가 급등락할 때 1억을 투자한 사람은 결코 기다리지 못한다. 반면 500만 원을 투자한 사람은 기업을 믿고 기다릴 수 있다. 그 기다림이 있어야 수십, 수백 배의 수익을 낼 수 있다.

셋째, 시장이 하락할 때 매수하자. 성장주의 장기 투자에서 절호의 매수 타이밍은 시황으로 인해 급락할 때이다. 기업의 성장 스토리에 문제가 없는데, 매크로 환경에 의한 시장 하락으로 가격이 하락한다면 가장 좋은 기회이다. 외환위기, 금융위기, 전쟁, 질병 등등의 이유로 주식 시장이 급락할 때 평소 투자하려고 공부해 둔 기업을 싼 가격에 매수해야 한다. 전쟁이 났다고, 일시적인 금융 시스템 위기가 발생하였다고 암 치료의 성장이, 인공지능이나 반도체의 성장이 멈추진 않는다. 오히려 가속화된다. 2020년 코로나19의 팬데믹으로 인해 바이러스 치료 및 백신 산업과 비대면 일상을 가능하게 하는 IT 산업의 성장은 더욱 빠르게 가속화되었다. 자신이 잘 아는 기업에, 장기 투자를 하고 있는 투자자에게 시장의 하락은 더없이 반가운 상황이 될 수 있다.

넷째, 약간의 관리만 해주자. 장기 투자로 보유하고 있던 주식이 기업 성장과 무관한 이슈에 의해서 급등할 경우 매도해야 한다. 가령, 본 사업과 무관하게 보유 땅의 가치가 이슈가 되어서 주가가 급등하는 경우라면 매도해야 한다. 특정 정치인과 테마로 엮어서 급등하는 경우라면 매도해야 한다. 주가가 비정상적으로 상승할 때는 매도한다. 다시 살 수 있기 때문이다. 그러나 시황 등에 의해 주가가 비정상 하락할 때는 매도하지 않는다, 오히려 추가 매수한다. 주가가 하락할 때의 매도는 기업의 성장 스토리에 치명적인 문제가 발생하여 성장 동력이 멈추었을 때뿐이다.

매월 성장주를 저축하듯이 나누어 투자하는 것은 개인 투자자들에게 가장 효율적인 투자 방법이다. 큰돈을 투자해 놓고 가격 변동에 스트레스를 받고 있다면 좋은 결과를 얻을 수 없다. 설령 큰 수익을 낸다 하더라도 정신적인 스트레스는 삶을 피폐하게 만든다. 편안한 마음으로 미래의 성공을 기대하며 투자할 때 오히려 성공할 수 있다. 변덕스러운 시황과 보유 주식의 급격한 가격 변동 때문에 본업에 소홀히 하고 정신적 스트레스를 받는 투자자들이 많다. 시장 하락기에 주식 관련 방송의 댓글을 보면 온갖 푸념들을 볼 수 있다. 굳이 댓글로 푸념을 한다는 것은 이미 주식 투자로 인한 심리적 스트레스가 쌓였다는 것이다. 시장을 이길 수도 없지만, 시장을 이기려고도 하지 말아야 한다. 시장은 있는 그대로 상승과 하락을 반복할 것이다. 시장이 아닌 기업을 바라보아야 돈을 벌 수 있다. 시장을 봐야 할 때는 군중의 심리가 급변할 때뿐이다.

박병창의 돈을 부르는
매매의 심리

초판 1쇄 인쇄 2022년 8월 17일
초판 2쇄 발행 2023년 1월 13일

지은이 박병창
펴낸이 김선준

기획편집 임나리   **편집1팀** 이주영   **디자인** 김세민
책임마케팅 권두리   **마케팅팀** 이진규, 신동빈
책임홍보 권희   **홍보팀** 한보라, 이은정, 유채원, 유준상
경영관리팀 송현주, 권송이

펴낸곳 (주)콘텐츠그룹 포레스트   **출판등록** 2021년 4월 16일 제2021-000079호
주소 서울시 영등포구 여의대로 108 파크원타워1 28층
전화 02) 332-5855   **팩스** 070) 4170-4865
홈페이지 www.forestbooks.co.kr
종이 (주)월드페이퍼   **출력·인쇄·후가공·제본** 더블비

ISBN 979-11-92625-01-0 03320

㈜콘텐츠그룹 포레스트는 독자 여러분의 책에 관한 아이디어와 원고 투고를 기다리고 있습니다. 책 출간을 원하시는 분은 이메일 writer@forestbooks.co.kr로 간단한 개요와 취지, 연락처 등을 보내주세요. '독자의 꿈이 이뤄지는 숲, 포레스트'에서 작가의 꿈을 이루세요.